내 이름은 **안용근**

소요유 소설선 1

내 이름은
안용근

김용원 장편소설

시린 바람 앞에 앉아

다음 바람은 오지도 않았는데
벌써 왜 이리 시릴까?

스치는 바람일 것이라 생각하고 싶었지만
스쳐 지나가지는 않을 것이라고
누가 말해 주지도 않았지만
알 수밖에 없었다.

외길이었으면 그 길대로 걸었겠지만
갈림길에서 나도 어쩔 수가 없었다.

함께 걸을 수만 있다면
망설임이 없을 테지만
혼자 가야 하는 이 길은 잠시 서 있는 것도 걱정이 따라온다.

시린 바람은 오지도 않았는데 지금이 다시 과거가 되어 버렸다.

2024년 3월

탁류에 휩쓸리면서도
– 어느 1942년생 남자의 일생

동화작가 **김 진**

『내 이름은 안용근』은 1942년생 한 남자의 일생을 다룬다. 근현대사를 관통하는 역사의 수레바퀴 속에서 탈주당하지 않기 위해 안간힘을 쓰며 살아온 사람의 이야기이다. 아니, 안용근이라는 인물을 통해 근현대사를 돌아보는 역사 이야기라고 해도 무방하다.

일제강점기를 지나 해방공간, 6.25전쟁과 베트남전쟁이라는 거대한 역사의 질곡 속에서 개인의 삶이 어떻게 굴절되는지를 생생하게 보여준다.

1942년생이라는 생년만 보아도 신산한 삶의 궤적이 그려진다. 일제강점기 막바지에 이른 시기, 그때 한반도 민중의 삶을 상상해 보라. 중일전쟁 이후 세계 침략 야욕에 불타는 일제는 1941년 태평양전쟁을 일으켜 한반도는 수탈과 징발의 대상이 되었고, 민중의 삶은 피폐해질 대로 피폐해진 시기였다. 더욱이 안용근은 가난한 산골 농부의 자식이었다. 외가는 그나마 글줄 꽤나 읽고, 재산도 택택했으나 외증조부 때 몰락했기 때문에 유산이라고는 가난해도 품위를 잃지 않는 어머니의 정신 외에 물질적 유산이라곤 없었다.

해방되었지만, 가난은 전쟁 못지않게 무서웠다. 다섯 남매 중 안용근은 둘째였다. 당시 가난한 집에서 흔히 그랬듯, 안용근은 '입 하나 덜기 위해' 양자로 보내지게 된다. 말이 양자지, 자칫 일꾼이나 머슴 취급을 받을 수 있는 처지였지만, 안용근은 특유의 붙임성과 성실함과 근면함으로 양부로부터 사랑을 듬뿍 받으며 성장했고, 학교에도 다닐 수 있게 되었다.

하지만 이내 6.25전쟁이라는 거대한 탁류에 휩쓸리며 그의 삶은 굴절된다. 인민군과 국군이 번갈아 마을을 찾아들었다. 인민군은 '인민의 적'을 색출하기 위해, 국군은 인민군에게 부역한 사람들을 찾아내기 위해 마을을 쑥대밭으로 만들었고 사람들을 끌고 가 죽였다. 안용근의 양아버지는 선한 심성에서 나온 측은지심으로 다친 빨치산들을 도운 사실이 드러나면서 국군에게 끌려가 고문 끝에 다리를 쓰지 못하게 된다. 결국 안용근은 다시 가난한 친가로 돌아올 수밖에 없었다.

전쟁이 끝나고 안용근 가족은 가난에서 벗어나기 위해 일자리를 찾아 바닷가 대도시로 이사를 한다. 온 가족이 밥벌이에 찾아 나섰지만, 가난은 좀체 떨어져 나가지 않는다. 중학교를 겨우 졸업한 안용근은 넝마꾼 등으로 생계를 돕다 입대를 결심한다.

1942년생 안용근의 일생은 입대함으로써 또 한 번 굴절된다. 한 사학자는 1960년대를 두 단어로 압축한다. '근대화와 군대화'. 군인들의 쿠데타로 군사정권이 탄생했다. '조국 근대화'의 깃발 아래 모든 것은 군대처럼 통제 당하던 시절이었다. 야간에 다녀서도 안 되고, 머리를 길러서도 안 되고, 국가가 허용하지 않은 영화나 음악을 들으면 불법이 되던 시대였다. 재벌기업이 생기고, 산업화와 근대화의 기치를 올렸지만, 가난한 사람들에게 여전히 '좋지 않은 시대'였다.

안용근은 가난에 떠밀려 군대에 간다. 양자 갈 때와 마찬가지로 입 하나 줄여야지, 하는 생각으로.

안용근은 양자로 갔을 때와 마찬가지로, 특유의 붙임성과 성실성, 근면함으로 군대에 적응해 간다. 그러다 그는 군용물자에 손을 대기 시작하고, 착실하게 빼돌려 성실하게 재물을 모은다. 불법적으로 모으는 재물에 대해 그는 양심의 가책을 크게 느끼지 못한다. 그의 상관들은 그가 주는 뇌물을 받고 그의 불법을 눈감아 준다. 그 시대 군대에서 벌어지는 일은 성역에 가까웠다. 죄의식 없이 군대 물자를 빼돌리던 안용근은 그 규모가 커지자 이내 발각되어 감옥에 갔다가 다시 부대로 돌아온다. 부대에서 지내는 상황이 서로 불편함을 느낄 때 베트남전에 갈 것을 제안받는다. 그는 살기 위해 죽음의 길인 베트남전쟁을 택했다.

전장에서 안용근은 다리가 절단되는 부상을 입고 귀국한다. 그는 군대에서 물자를 빼돌릴 때 만난 여인과 가정을 꾸리고, 그때 모은 재물과 베트남전쟁 참전의 대가로 받은 돈으로 제법 살 만해졌다. 하지만 인생은 늘 그렇듯, 가장 좋을 때가 가장 나쁜 때이기도 하다. 안용근은 군대에서 만난 친구의 부모에게 사기를 당하고, 가정도 무너지는 경험을 한다. 이후 안용근은 자신의 타고난 기질을 발휘해 재기하면서 노년에 든다.

소설은 1942년생 안용근의 일생을 플래시백 형태로 그려낸다. 중반까지는 베트남전쟁에서 죽을 위기에 몰린 안용근이 그때까지의 일생을 되돌아본다. 죽음을 맞닥뜨린 순간 전 생애가 파노라마처럼 펼쳐지며 진행된다.

소설의 중반 이후, 베트남전쟁에서 돌아온 안용근의 인생 후반부가 펼쳐진다. 나이가 든다고 해서, 사지에서 살아나온 경험했다고 해서 인간이 성숙해지고 지혜로워지는 것은 아니다. 안용근은 때론 부도덕하고, 때론 어리석은 선택을 하며 삶을 지탱한다.

안용근은 성찰하는 인간이 아니다. 야생에 내던져진 동물처럼, 살기 위해 분투한다. 그의 붙임성과 성실성, 근면성은 살기 위한 최선의 선택이다. 군대에서 물건을 빼돌릴 때도, 베트남 전장에서 베트콩과 싸울 때도, 절단된 다리로 재기하자마자 아내를 버리고 다른 여자를 취할 때도 그는 좌고우면하지 않는다. 본능에 충실하다.

작가는 이런 주인공과 철저히 거리를 두면서 관찰하듯이 소설을 진행한다. 그리고 인간의 내면에 도사린 욕망과 본능을 안용근을 통해 드러내 보여준다. 당신도 다르지 않다는 것을 말해 줌으로써 삶의 본질에 대해 통찰하게 한다. 또한 욕망하고, 욕망을 실현하는 것이 삶이라는, 껍데기 안 속의 인간의 민낯과 나약함을 고스란히 드러내 보여준다.

삶에서 옳고 그름은 없다. 단지 흐르는 역사 속에서 선택만 있을 뿐이다.

차례

1. 어린 기억에 서서

"후우… 후우…"

"……"

"스스스… 슥!"

"후우… 후우…"

"툭!"

"엇? 이, 이게 뭐지? 넝쿨이야? 뭐야? 무슨 놈의 벌레까지 이렇게나."

벌레 소리도, 사람의 숨소리도, 심지어 바람 소리조차 죽어 버린 축축한 땅이었다. 나뭇가지를 피해 내딛는 발걸음 아래로 섬뜩함을 느낀 것도 잠시였다. 물기가 잔뜩 스며든 땅 위로 어름어름 달빛도 비껴가는 밤! 별다른 것 없이 늘 전우들이 다녔던 그 통로, 그 자리였다고 생각했다. 멀리 피해 갈 곳도 아니고 주둔지에서 먼 곳도 아니었다. 먼발치에서 매일 아침 보아 왔던 자리였다. 말라리아에 걸린 수색조 전우 대신 야간 수색 정찰 땜빵 하나 해 주면, 며칠 후에 다낭 근처로 나가는 차에 몸을 실을 수 있다는 얘기를 듣고 자원해서 나선 작전이었다.

간만에 바닷바람 한번 시원하게 쐬면서 나긋나긋하게 아오자이 예쁘게 차려입은 월남 아가씨들과 시원한 맥주를 들이켤 수 있을 거라 기대했다. 작전 지역도 다른 전우들이 늘 다니던 거기가 거기인 곳이라 별걱정 하지 않고 손을 들었다. 저녁잠을 잠시 뒤로 미루고 조용한 월남의 나무 아래에서 졸고 나면, 머릿속 가득 떨어지는 보상에 전우들의 고마운 말까지 들을 수 있는 그야말로 가재 잡고 도랑 치는 지원 임무였다. 이중으로 쳐져 있는 철조망 너머의 무성한 정글에서 요 며칠 사이 별다른 총소리나 베트콩들의 움직임에 대한 새로운 소식은 들려오지 않았다. 아무 생각 없이 머릿속을 비운 채 마음 푹 놓고 자원해도 되는 작전이었다. 고민이고 뭐고 할 것도 없었다. 그냥 잠시 산책을 다녀온다는 기분으로 다녀오면 되는 작전이었다.

"아…! 씨…"
"뭐야? 걸리적거리게."

안용근! 안용근의 이름에 있는 근자는 남들이 많이 쓰는 根뿌리 근이 아니라 무게를 나타내는 斤근근 자였다. 먹을 거 한 근 손에 들고, 절대로 굶어 죽지 말고 잘살아 보라는 할머니의 소망이 서려 있는 이름이었다. 산골에서 좀처럼 보기 드물게 한자를 공부한 안용근의 할머니는 마을에 서당이 없다 보니 여자의 몸으로 훈장질까지 했다. 여자로서 한자를 익힌 것도 쉽게 볼 수 없는 일이었지만 훈장까지 했다는 것은 더더욱 드문 일이었다. 안용근은 할머니가 어떻게 한자를 공부하게 되었는지 알 수 없었다. 어렴풋하게 들은 얘기로는 외증조부께서 예수쟁이라 손가락질당하면서도 딸을 공부시켰다고 한다. 외증조부께서는 근방에 재산도 있고 배운 것도 많은 분이었다. 깔끔하게 다니던 외모는 다른 사람들과 있을 때 눈에 띄었다.

하지만 어느 날엔가 관에서 나온 사람들에 의해 끌려갔다가, 며칠 후 반병신이 되어 돌아왔다. 거적을 덮어쓰고 소가 끄는 수레에 실려 집으로 돌아왔다. 이후로 집 밖으로는 나가지도 못하고, 방 안에서 가쁜 숨을 몰아쉬다가 가끔 어디에 있는지도 모를 하느님과 아버지를 찾다가 명을 달리했다. 외증조모께서는 남편이 관에 끌려간 이후 남편의 옥 수발을 한답시고 대문이 널찍한 건물에 몇 번을 들락거렸다. 돈이며 노리개까지 들고 들락거렸지만, 남편의 얼굴조차 볼 수 없었다. 그러기를 여러 날. 처음에는 옷이 찢기고 시간이 지나면서 얼굴과 몸에 온통 멍이 든 채로 돌아다니더니 끝내는 정신을 놓았다. 널찍한 대문 앞에서 그렇게 울어대던 외증조모께서는 그 널찍한 대문 한가운데서 네 놈들 보란 듯이 새벽에 목을 매고 죽었다. 돈을 가지고 처음 옥리를 찾아간 날, 옷이 찢긴 채로 집으로 돌아온 외증조모께서는 밤새 몸을 씻고 토악질을 해댔다.

외증조부와 외증조모 둘 중 누가 먼저 세상을 떠났는지 안용근은 알 도리가 없었다. 어릴 때 주변 사람들이 자신을 왜 그렇게 불쌍하게 보는지도 안용근은 몰랐다. 학교에 들어갈 무렵 사람들은 안용근이 듣는 걸 알면서도 죽고 없는 외증조부와 외증조모에 대해 이런저런 이야기들을 수군거렸다. 그때도 안용근은 그들이 하는 말이 무슨 의미인지 정확히 알아듣지 못했다. 자신의 이름에 어떻게 斤근근 자가 들어갔는지만 겨우 기억할 수 있었다. 그나마 어린 안용근이 느낄 수 있었던 것은 항상 슬픈 어머니의 눈동자였다.

"쿵! 쩌억!"
"끄아아악! 컥!"
"……"

안용근의 어머니는 성정이 조용하고 매사에 신중한 분이었다. 몸이 바짝 말라 외모라고는 거지 패 중간에나 끼어 있을 만했던 아버지와는 언뜻 보아도 그렇게 잘 어울리는 분이 아니었다. 안용근의 어머니는 작고 둥근 얼굴에 이목구비가 뚜렷해서 흔히 볼 수 없는 미인이었다. 하지만 항상 고개를 숙이고 다녔기 때문에 제대로 얼굴을 본 사람은 안용근의 아버지뿐이었다. 시집을 온 후 들일을 하거나 꼭 밖으로 나가야 할 때만 외출했고 대부분의 시간은 담장 안에만 머물렀기 때문에 이웃들과의 왕래도 그렇게 잦지 않았다. 아주 가끔 친정 쪽 먼 친척이라는 사람들이 찾아오는 경우가 있었지만, 그것도 잠시 길어야 하루 정도만 머물면서 짧은 얘기 몇 마디만 나누고 돌아갔다. 그래서 안용근은 외가에 대해서 잘 알지 못했다. 어머니도, 아버지도 외가에 관해 얘기하는 적이 거의 없었다. 수건 하나로도 다 가려지는 작은 얼굴로 고개를 푹 숙이고 땅만 보고 다니는 어머니를 안용근은 늘 졸졸 따라다녔다. 그래봐야 논과 밭에서 일만 하는 어머니의 곁에 있을 수 있는 시간은 늘 짧기만 했다. 가끔 마을에서 잔치가 열리기도 했지만, 어머니는 거의 참석하지 않았다. 이런 날에도 안용근은 어머니 옆에 붙어 있었다. 잔치하는 곳에는 어린아이들에게도 나누어 주는 음식이 있었지만, 음식 옆에는 가지도 않고 어머니 옆에만 있었다. 형과 동생들이 제 할 일을 찾아서 하고 집 안과 마을 이곳저곳을 뛰어다닐 때도 안용근은 어머니 옆에 붙어 있었다. 세상 누구보다도 어머니의 그림자와 어머니 품의 향기가 좋았기 때문이었다. 배고픔도 목마름도 어머니 품에 있을 때 완전히 잊을 수 있었다. 어머니가 어린 안용근에게 가끔 잔심부름이라도 시키면 기다렸다는 듯이 즐겁게 뛰어다녔고, 특히나 가족들이 한데 모여 하는 것들은 모든 일들이 좋았다. 가족들과 함께 있는 날은, 봄날 여물을 재어 둔 처마 아래에 쪼그리고 앉아 따스한 햇볕을 쬐는 것처럼 행복한 날이었다.

"쿠우우웅! 쩌저저억!"
"으으으으... 으으으... 으으..."
"컥! 허억. 허억. 헉. 헉."

안용근의 아버지는 성격이 소심하고 매우 조용한 분이었다. 게다가 남에게 이유 없이 얻어맞더라도 욕지거리 한번 맞받아하지 않을 정도로 착했다. 오직 자신에게 주어진 일에만 억척스러운 사람이었다. 체구도 작아서 어머니와 함께 서 있으면 어머니의 동생뻘이나 될 듯한 모습이었다. 어머니보다 키가 작지는 않았지만, 가끔 함께 서 있는 모습을 볼 때면 그렇게 보였다. 소심한 성격에 체구까지 작다 보니 어릴 때부터 함께 자라온 마을 친구들에게도 멸시받았다. 결혼해서 아이들 아버지가 되었는데도 친구들의 멸시는 여전했다. 흔치 않은 술자리에 불려 가 있노라면, 있는 듯 없는 듯 조용히 구석에 앉아 막걸리 몇 잔 마시는 게 전부였지만 친구들은 온갖 핀잔으로 안줏거리를 만들어 버렸다. 친구들끼리의 괜한 술자리 시비에 말려들어 주먹질을 당하기도 했고 아무 상관도 없는 일 때문에 오물을 뒤집어쓰고 집으로 돌아오기도 했다. 하지만 뒤로 물러나거나 도망가지 않았다. 소리를 크게 지르지는 않았지만, 항상 자신이 잘못이 없다는 것을 정확히 밝히려고 조리 있게 이야기했다. 그런 행동이 더 많은 손찌검과 욕지거리를 불러왔지만 절대로 물러서는 일이 없었다.

외모도 그랬지만, 입고 다니는 옷도 다른 사람들보다 훨씬 남루했다. 체구도 작고 온갖 멸시를 당하고 다니니 안 그래도 낡은 옷이 더더욱 남루해 보였다. 어머니가 항상 깨끗하게 손질해서 깨끗하기는 했지만, 좋은 날에 남들 다 입고 다니는 양복 한 벌도 없었고 심지어 제대로 된 두루마기도 없었다. 형편이 어려워 결혼식도 제대로 올리지 못했다. 안용근 외가에 얼마의 돈을 보내고 그저 얻어 온 사람 같았다. 두루마기 살 돈이 남아 있었다면 끼니를 장만하는 데 썼을 것이다. 아버지는 해질 대로 해진 옷에 바느질하면서 덧댄 자국들이 원래 옷감보다 더 많은 그런 바지저고리를 입고 다녔다. 사시사철 한 꺼풀 겹쳐 입고 한 꺼풀 덜 입는 것만 있을 뿐 별다르게 새 옷을 입고 다니지 않았다. 입고 다닐 새 옷도 없었다. 하지만, 아버지는 이런 것에는 전혀 개의치 않았다. 일을 할 때나 외출할 때도 거의 비슷한 옷을 입고 다녔지만, 옷은 옷일 뿐이었다. 같은 마을뿐 아니라 이웃 마을에서도 같이 자란 친구들이 아버지를 막 대할 수 있는 이유를 아버지는 많이도 달고 다녔다.

"어이! 안! 이리 와 봐. 여기 자리 있구만."

"어어. 괜찮아. 고마워."

"저 자식 저건 그냥 저기 둬. 뭐 불러도 오지도 않을 거야. 제 버릇인데 뭐."

"어어. 맛있게들 들어. 난 여기. 뭐. 괜찮아. 하하. 고마워."

"야! 혼자 처박혀 있지 말고 이리 와. 그 자식 정말 말 안 듣네."

"어어. 그래. 갈게."

"야! 넌 인마. 저리 가. 저쪽에 앉아."

"어. 그래. 미안해."

"나이가 몇인데 넌 자리도 하나 제대로 못 잡고 앉냐? 응? 이제 눈치도 좀 늘고 응? 사람 구실 좀 제대로 하고 살아봐. 응?"

"응? 아아! 어… 미안해. 그럼 나 먼저 일어날게. 어… 미안해."

"좀 더 있다가 가. 아직 음식도 많이 있는데."

"그냥. 뭐. 지가 가고 싶다는 데 뭘 잡고 그래? 하고 싶은 대로 하라고 해. 참."

"그럼, 잠깐 기다려 봐 내가 좀 싸 줄 테니까 가지고 가."

"어어. 고마워. 하하. 미안해."

먹을 때는 개도 안 건드린다는데, 아버지는 잔칫집에서 고기 한 점도 맘 편히 못 먹고 눈치 보며 사람들과 떨어져 앉아 있는 것이 일상이었다. 이런 상황에서도 아버지는 실망하거나 힘들어하지 않았다. 안용근의 아버지는 그저 그런 사람이었다.

하지만, 안용근 아버지의 어머니에 대한 사랑과 정성은 누가 봐도 지극했다. 자기 안사람, 그러니까 안용근의 어머니와 아이들에 관한 모든 일에 대해서는 단 한 발짝도 물러서지 않고 단호했다. 자신이 당하는 부당한 일들에 대해서는 한도 끝도 없이 물러서고 양보했지만, 가족들과 관련된 일에 대해서는 다른 사람들이 평소 보아왔던 것과는 상상할 수 없을 정도로 다르게 대처했다. 평소와는 다르게 무서울 정도로 당당하고 단호했다. 살림살이가 넉넉하지 않아 늘 끼니를 걱정하면서 온갖 궂은일들을 겪어내야 하는 상황이었지만, 가족들은 자신의 모든 것을 다 희생해서라도 지키려고 노력했다. 아무 때나, 어디서라도 그렇게 막 대하던 친구들도 가족들에 대해서는 함부로 말하는 적이 거의 없었다.

결혼 후 곧장 어머니는 아이를 가졌다. 부부 사이가 어떤 것인지도 모르는 나이라 아이가 들어선 줄도 모르고 지냈다. 아이를 가졌는지도 모른 채 달거리를 하지 않자 혼자 마음속으로 걱정하던 어머니는 끝내 하혈하며 주저앉았다. 갚을 기약도 없이 병원비를 여기저기 빌려 어머니를 병원에 데리고 갔지만 아이를 살릴 수 없었다.

그해 마을에 마마가 돌아 갓 태어난 아이 여럿이 죽었다. 죽은 아이들 대부분은 출생신고도 하지 않고 마을 옆 응달, 농사를 짓지 않는 돌산에 돌무더기로 덮었다. 한꺼번에 전염병으로 많은 갓난아이들을 잃자, 관에서 의사들이 나와 마을 사람들에게 주사를 놓고 약도 먹였다. 소 잃고 외양간 고친다는 말이 딱 맞는 말이었다. 그것뿐이었다. 관에서 나와 일하는 의료진들은 대충 하고 돌아가 버리자는 눈치였다. 아이를 잃은 사람들도 한두 번씩은 겪어 본 일이라 그저 묻어 두고 잊어 갔다.

안용근의 어머니가 살아남은 아이 중 첫째를 가져 배가 불러올 즈음에 사고가 터졌다. 마을의 아낙들로부터 우물가 빨래터에서 흘러나온 말에 안용근의 아버지는 날이 시퍼렇게 서 있는 낫을 들고 온 동네를 뒤져 끝내 한 아낙의 쪽진 머리카락을 싹둑 잘라내 버렸다. 안용근의 아버지가 남에게 항상 굽히고 살다 보니, 불러오는 배 안의 "아이 아버지가 다른 남자일 수도 있을 것이다."라는 농담은 두 번을 거쳐 "아이 아버지가 다른 사람이다."라는 말로 변해 안용근에게 전해졌다. 그 아낙의 농담은 아낙 남편의 등짝에도 선명한 낫 자국을 남겼다. 등에 낫을 꽂은 채로 온 마을 안을 뛰어다니며 도망치던 그 아낙의 남편도 안용근 아버지의 어릴 적 친구였다. 머리카락이 잘려 나간 그 아낙은 수건을 뒤집어쓴 채 오랜 시간 집 담장 안에 머물러야 했고, 낫에 등짝이 찍힌 그 아낙의 남편은 척추에까지 낫 날이 들어가 신경을 건드리는 바람에 평생 등이 구부러진 채로 살아야 했다.

이 일로 안용근의 아버지는 안용근의 형이 세상에 나올 때까지, 관으로 끌려간 뒤 집으로 돌아오지 못했다. 등짝에 낫을 꽂고 도망 다니던 그 아낙의 남편도 마찬가지였다. 그렇지 않아도 작은 체구인 데다, 얼마나 많은 고초를 겪었는지, 안용근의 아버지는 안용근의 외증조부가 관으로 끌려간 뒤 돌아왔을 때처럼 반병신이 되어 돌아왔다. 세월이 그렇게 흘렀지만, 관으로 끌려갔다가 돌아오기만 하면 다들 그렇게 되는 모양이었다. 안용근의 아버지는 다리도 절게 되었다. 그러나 누구도 병신이라고 입에 올리지 않았다. 별 차이는 없었지만, 적어도 그전처럼 막 대하지는 않았다.

"끄어어. 후우. 푸우."

"……"

"헉. 헉. 아아. 아아. 어머니. 허억. 허억."

"……"

시간이 흘러도 안용근의 아버지와 어머니는 금실이 늘 좋았다. 낳은 아이가 여섯, 살아남은 아이가 다섯이니 어지간히도 두 분이 좋아했던 모양이다. 제대로 된 세간살이도 없는 형편이었지만 안용근의 아버지는 십 리 정도 떨어진 아랫마을에 살던 안용근의 어머니를 아내로 맞이했다. 변변히 차린 것도 없고 준비할 것도 없이 치른 혼사였지만, 그래도 혼사는 혼사였다. 물 한 그릇 떠 놓은 집 마당에 마을 안에서 제일 담 높은 집에 살던 어른이 이웃 사람 몇을 데리고 와서 혼례를 올려주었다. 혼례가 끝난 후 미리 만들어 둔 떡을 약간 나눠 주고 주변 사람들은 자리를 떴다.

안용근의 아버지는 혼례가 끝난 날부터 먹고살 걱정을 해야 했다. 항상 수건으로 그 작은 머리와 얼굴을 덮고 집안일과 들일에 바쁜 아내를 보며 잘해 줘야겠다고 다짐했다. 배곯이를 시키지 않기 위해서 불편한 몸이 된 이후에도 그야말로 뼈가 빠지도록 일을 했다. 친정의 어려운 사정으로 인해 어쩔 수 없이 자신에게 시집온 안사람에 대한 미안함이 짙었다. 윗대로부터의 사고가 아니었다면 자신이 아닌 다른 여유로운 집안, 좋은 사람에게 시집갔을 텐데. 집안은 몰락했지만, 자신보다 많이 배웠고, 환하고 예쁜 얼굴을 가진 안사람에게 제대로 된 뭔가를 해 줄 수 없는 안용근의 아버지는 혼사 이야기가 나왔을 때부터 미안한 마음이었다. 말이라도 많은 사람이라면 이야기라도 자주 나누고 싶었지만, 안사람은 말수가 적은 사람이었다. 안용근의 아버지는 안사람이 어릴 때 얼마나 험하고 모진 일을 겪었는지 알고 있었다. 안용근의 외할아버지가 그렇게만 되지 않았어도 자신에게 시집올 사람이 아니었다. 만약, 안용근의 외할머니만이라도 그렇게 되지 않았다면 자신의 처지와는 비교할 수 없는 다른 사람의 여인이 되었을 것이다.

안용근 외할아버지와 외할머니는 윗대의 영향을 받아서 같은 또래의 사람들보다 배운 것이 많았다. 부자는 망해도 3년은 간다고 했다. 그래서 먹고사는 것은 다른 사람들보다 사정이 나은 편이었다. 하지만 나은 사정은 또 다른 시련을 가져다주었다. 안용근 어머니의 할머니와 할아버지가 그 험악한 세월 앞에 무릎을 꿇고 돌아가신 이후 안용근의 외할머니는 이미 결혼이 정해져 있던 외할아버지와 결혼했다. 두 분 나이가 채 스물이 되기도 전이었다. 외할아버지 집안의 사정이 그래도 나은 편이라 외할머니도 시댁에 몸을 의지한 채로 조용히 살았다. 안용근의 어머니와 외삼촌이 태어났고, 그다지 어렵지 않게 살고 있었다. 그렇게 조용히 살고 있는 사이, 간혹 밤에 손님들 몇 분이 사랑채를 드나들었고 안용근의 외할아버지도 가끔 집을 나가 며칠씩 지내고 돌아오곤 했다. 제법 도톰한 책을 가지고 와서 다른 사람들에게 전달해 주기도 하고 봉투 같은 것들을 받아 쌈지에 모은 다음 그걸 들고 집을 나가 며칠씩 있다가 돌아왔다. 외출하지 않을 때는 열심히 들일을 했고 안용근의 어머니와 외삼촌을 데리고 인근 마을로 구경도 다녔다. 장이 서는 날에는 한 번씩 나가서 아이들의 옷가지며 신발을 사 주기도 했다. 안용근의 외할머니는 항상 조용히 외할아버지의 뒷바라지만 했다. 집안사람들은 외할아버지가 어디를 다니는지 무슨 책을 읽고 있는지 관심이 없었다. 그저 아이들을 데리고 장날에나 나가 주면 그런 일들이 고마울 뿐이었다.

"타앙! 타앙! 저기 잡아 저기! 저놈부터 잡아! 저기 저놈. 그래 맞은 놈 그놈부터 잡아!"

"어서 가. 난 알아서 할 테니 어서 가아! 우리 다 잡히면 아무것도 안 돼. 어서 가아!"

"김 동지. 미안하네. 미안해. 우리 때문에."

"내가 부는 일은 없을 거야. 그러니 어서 가서 자금 전달해. 어서."

"평등한 세상이 오면 자네 공은 역사에 영원히 기억될 걸세. 미안하네."

"타앙! 타앙! 탕! 탕!"

"담 너머로 간다. 저기 저놈도 잡아!"

"이거 못 놔?"

"이 새끼 이거 악질이구만."

"놔! 이 새끼야."

"퍽! 퍽!"

"윽. 윽. 꾹! 허억. 헉!"

"너는 조선 사람 아니냐? 이 더러운 놈아!"

"미친 새끼들. 대일본 제국의 신민이 되는 게 싫으면 그냥 뒈져. 이 새끼야!"

"날 죽이고 가라. 이 더러운 놈아. 날 먼저 죽여."

"이게 아직도 붙어 있구만. 에이. 쌍."

"퍽!"

"컥!"

"……"

"……"

"이런 씨. 이 새끼 때문에 다 놓쳤네. 야. 저기 저년도 잡아 와!"

"저기 실어. 일단 병원으로 가서 이 새끼 명줄부터 살려 놓고 지서로 바로 간다."

"예. 야야! 빨리빨리 실어. 뒈지면 아무것도 못 건진다. 빨리."

안용근의 외할아버지께서 거처하던 사랑채에서 만민 평등이니 조선의 광복이니 하는 말들이 적힌 책들이 나왔다. 순사들이 찾고 있던 돈은 나오지 않았다. 그날 함께 있다가 도망을 친 사람들이 어깨에 메고 간 보따리에 그 돈이 있었다. 허벅지 위에 총을 맞은 안용근의 외할아버지는 도망가는 동지를 위해 끝까지 순사들의 바짓가랑이를 잡고 늘어졌다. 총 맞은 곳을 발로 차여도 놓지 않았다.

안용근의 어머니와 외삼촌만 집에 남겨진 채 외할아버지와 외할머니가 한꺼번에 지서로 붙들려 갔다. 외할아버지는 병원을 거쳐 지서로 끌려갔고, 외할머니는 곧장 지서로 끌려갔다. 외할아버지는 지서에서 지난날 자신이 한 일들을 당당하게 진술했다. 하지만 외할머니는 할 말이 없어 그저 모른다고만 했다. 같이 살았지만, 남편의 일에는 아무런 관여도 하지 않았기 때문에 알 수 있는 것이 없었다. 혹시나 모를 일에 대비하기 위해 외할아버지는 외할머니에게 자기 일을 일절 얘기하지 않았다. 사회주의 독립운동가라는 거창한 문구가 외할아버지가 하던 일이었다. 거창한 문구와는 다르게 책을 나눠 주고 돈을 전달한 것이 전부였다. 사람들을 모아 교육하거나 시위를 주도하는 일도 없었고 누구를 해하려 한 적도 없었다.

　외할아버지는 지서 문을 나서지도 못하고 절명했다. 과다출혈이었다. 응급처치했지만 동맥을 건드린 총상이 원인이었다. 안용근의 외할아버지는 죽기 직전까지 자신은 잘못한 것이 없다며 물러서지 않고 당당하게 말했고, 순사들에게 훈계까지 했다. 더 이상 알아낼 것이 없다는 것을 안 순사들이 골방에 방치했다. 그냥 죽도록 둔 것이었다. 죽은 남편을 수레에 태우고 외할머니는 혼자서 집으로 돌아왔다. 시체를 빼내 오는 데도 돈이 필요했다. 돈뿐만이 아니었다. 남편이 죽고 난 뒤 지서에서 시체를 내 달라고 간청하는 불쌍한 여인을 야간에 근무를 서던 순사들은 돌아가면서 욕보이고 희롱했다. 홀로 남은 여인이 할 수 있는 것은 그저 시키는 대로 해 줘야 하는 것뿐이었다. 악마의 얼굴과 심장으로 욕심을 채우던 순사들은 안용근의 외할머니가 집으로 돌아가더라도 어디 하소연할 곳이 없다는 것을 잘 알고 있었다. 순사에게 총 맞아 죽은 사람 도와주었다가는 친척이고 뭐고 다 한통속으로 몰아 다시 지서로 끌고 갈 것이라고 협박해 두었기 때문이었다. 지서에서 있었던 일을 어디 가서 한마디라도 발설하는 날에는 아이들까지 끌고 와서 팔다리를 잘라 버리고 눈알을 빼 버린다고 웃는 얼굴로 협박했다. 그 본보기를 보여 준다면서 기절해 있는 외할머니에게 찬물을 뒤집어씌워서 정신을 차리게 한 다음 돌로 왼손 새끼손가락을 짓뭉개 버리기도 했다. 왼손 새끼손가락에 있던 은가락지가 없어진 이유이기도 했다. 보름 동안이나 이어진 지옥에서 끝내 살아온 것은 아이들 때문이었다.

사람의 형체라고 보기 힘들 정도로 망가진 모습으로 마을 입구에 도착했을 때 아이들이 나와 있었지만, 깊은 밤이 될 때까지 마을 안으로 들어가지도 못하고 함께 앉아 울기만 했다. 마을에서 나와 보는 사람은 아무도 없었다. 안용근의 외할아버지는 아내와 자식들의 손에 들려 집 앞 냇가 위에 묻혔다. 염도 하지 못했고 저승 가는 마지막 옷도 제대로 입지 못한 채 몸만 묻었다. 이듬해 안용근의 어머니가 결혼하고 난 후 외할머니는 남편이 지내던 사랑채에서 비상을 먹었다.

안용근의 외삼촌은 어머니를 아버지 곁에 묻고 난 후 얼마 되지도 않는 가산을 전부 정리해서 마지막으로 누나를 보러 갔다. 매형과 누나를 보며 정리한 재산 일부를 주었고, 조카들이 태어나면 보여 주라고 결혼 전 외가 가족사진을 남겼다. 가족들이 장날에 갔던 날 찍은 사진이었다. 하룻밤을 지내고 떠나는 동생의 뒷모습이 보이지 않을 때까지 안용근의 어머니는 마을 입구 느티나무 아래에서 울었다. 동생이 떠나는 전날 밤에도 울었다. 안용근의 외삼촌은 부산으로 간다는 말을 남기고 떠났다. 시간이 흐른 뒤 안용근의 형이 태어나던 해에 안용근의 아버지는 하나밖에 없는 그 처남을 묻었다.

외삼촌은 부산에 도착하자 곧장 야쿠자 밑으로 들어갔고, 일본인이건 조선인이건 사람 죽이는 일을 자청해서 했다. 하루에 두 명을 죽이는 날이 있을 정도로 앞뒤 가리지 않고 사람 죽이는 일에 매달렸다. 짧은 시간에 야쿠자의 중간 두목들로부터 인정받은 외삼촌은 중요한 일을 한다면서 권총 한 자루와 일본도, 그리고 휘발유를 사서 야쿠자들 몰래 고향으로 돌아왔다. 먼저 면사무소 근처 지서의 동향을 살폈지만, 안용근의 외할아버지에게 총을 쏜 순사는 이미 승진해서 읍내 순사부장을 하고 있었다. 망설일 것이 없이 읍내로 향했다. 밤이 되기를 기다린 외삼촌은 휘발유를 인근 민가에 숨겨 둔 뒤, 정문을 지키는 순사에게 일본어를 하며 접근한 후 소리 나지 않게 일본도로 목을 찔러 단칼에 죽여 버렸다. 휘발유 한 통은 입구에 뚜껑을 살짝 열어 넘어지게 해 두었고, 다른 한 통은 안쪽으로 가지고 갔다. 휘발유 통을 옮기는 중간에 다른 순사 한 명을 보자 역시 일본도로 찔러 움직이지 못하게 했다. 야간에 근무 중인 순사들이 몇 명 되지 않았기 때문에 준비해 간 권총으로 눈에 보이는 대로 쏴 죽였다. 그리고 곧바로 불을 질렀다. 총소리와 연기에 놀란 순사들이 각 방에서 뛰쳐나오자 기다리고 있다가, 일본도로 차례차례 베었다. 연기를 마시고 뒷문으로 나가던 외삼촌은 달려드는 순사의 칼에 찔렸지만, 악을 쓰면서 마지막 힘을 다해 외삼촌을 찌른 순사를 찔렀다. 둘은 그 자리에서 죽었다. 외삼촌을 찌르고, 외삼촌이 찌른 순사는 외할아버지를 쏜 순사였다. 외삼촌의 나이는 스물을 넘기지 못했다.

"흑. 흑."

"이만 갑시다. 이제 시간 내서 한 번씩 같이 오면 되니까 오늘은 돌아갑시다."

"저도 여기 묻힐까요? 저만 살아서 뭐 하겠어요?"

"이러지 맙시다. 내가 있잖아요. 응? 자. 돌아갑시다. 이제 곧 애기도 나올 텐데. 힘내요. 제발."

"흑. 흑."

"자 이거 잡고. 돌아갑시다."

　특별한 일이 없는 한, 안용근의 아버지는 사시사철 쉬는 날 없이
일했다. 농사일이 시작되면, 배를 채워 힘을 내야 하는 식사 시간을
빼고는 들판에 엎드려 부지런히 일했다. 논일하다가 잠시 쉬어야 하
는 이른 오후의 따가운 햇볕 아래에서도 군소리하지 않고 일했다. 논
을 가는 소보다 더 많이 일했다. 여름날 농한기가 되어도 쉬지 않았
다. 물을 머금어 톱날이 제대로 들어가지 않는 깊은 산속의 여름 나무
를 베어 넘겨 두었다. 겨울 농한기에 장작을 만들어 팔려면 미리미리
넘겨 두어야 했다. 마을 근처의 나무를 벴다가는 산 주인이나 관에 끌
려가 벌금을 내거나 곤욕을 치러야 한다는 것을 알고 있기 때문에, 골
짜기로 한참 들어가서 다른 사람들 눈에 띄지 않는 곳의 나무를 벴다.
동이 트기 전 집에서 나갔다가 해가 지고도 한참 후에야 집으로 돌아
오는 것은 이런 이유에서였다. 가을이 되면 얼마 되지 않는 땅의 수확
을 서둘러 끝내고 마당 높은 집의 일을 거들었다. 그 집 일이 끝나면
곧장 이웃집 일들을 거들면서 곡식이며 돈을 만들었다. 쉬는 날이 없
었다. 이웃집 일이 바쁠 때면 자기 일을 더 이른 새벽에 하거나 일이
끝난 늦은 저녁에라도 했다. 가을걷이가 끝나고 세상도 겨울잠을 자
기 위해 조용히 준비하는 시기에도, 아버지는 논바닥에 남아 있는 나
락을 주워 왔다. 밤이 되면 하룻밤에 자신의 몸집만 한 크기의 새끼를
꼬아 쌓아 두었다. 거칠어진 손바닥은 말라 버린 겨울날의 논바닥처

럼 골이 지고 색이 변해 갔다. 오로지 아내와 아이들을 위해 쉴 새 없이 자기 몸을 움직였다. 허리가 끊어질 듯한 고통을 달고 집으로 돌아오는 나날이지만, 아내에게는 살가웠고 아이들의 숨소리에 행복한 얼굴로 안도했다.

몇 해 전, 얼굴이 붉게 일어나고 열을 내다가 끝내 명을 달리 한 마을 아이들을 본 적이 있었다. 그래서인지 더더욱 아이들의 새근거리는 숨소리는 아버지에게 자기 숨소리보다 더 소중한 소리였다. 죽음이라는 것에 대해 깊이 생각한 적이 없던 안용근의 아버지에게 주변 아이들의 죽음과 아내의 유산은 잊을 수 없는 기억으로 가슴속 깊숙이 자리 잡았다. 마치 자신이 숨이 막혀 죽는 느낌이었다. 안용근의 형이 들어서기 전까지 첫아이의 유산을 잊지 못하던 아내의 늦은 밤 울음소리는 아버지의 심장을 바닥까지 할퀴어 내는 초겨울 이른 서릿발 같았다. 안용근의 형이 태어나 첫아이의 자리를 대신할 때까지 아버지와 어머니는 다시는 웃음이 없을 것이라고 생각했다. 하지만 안용근의 형이 태어나자, 갓난이의 웃는 얼굴이 태어나지도 못하고 먼저 간 아이의 기억을 조금씩 들어내 주어 다시금 서로에게 웃음을 전할 수 있었다. 기적 같은 일이었고 다행이었다. 어질어질하게 별빛도 흔들리는 것처럼 느껴지는 피곤함을 안고 집으로 돌아온 아버지는 조용히 아내 곁에 다가앉았다. 여린 소나무 가지의 속껍질과 나물들로 가득 찬 희멀건 죽을 마시듯이 먹으면서도 행복했다. 어쩌다가 보리 말이라도 품삯으로 받아온 저녁에는 퉁퉁 불은 몇 알의 보리가 붙어 있는 나물밥을 아내에게 먼저 먹어 보라고 내밀며 행복해했다.

안용근은 형을 위로 두고 줄줄이 태어난 셋이나 되는 동생들과 이

런 부모님의 모습을 보면서 행복할 수 있었다. 하지만, 항상 배는 고
팠다.

"……"
"드르르륵. 드르륵. 드르륵."
"탕! 탕!"
"야! 야 인마. 안 병장! 내 말 들리냐? 응? 대답 좀 해봐!"
"으으으. 으으."
"내 말 들려? 정신 차려! 야!"
"따다다다. 따르륵. 따르륵."
"탕! 탕!"

안용근의 형은 성격이 아버지를 닮았다. 외모는 어머니 그대로였
다. 그래서 안용근은 형보다 덜 배고프고 덜 힘들었다. 형은 모든 것
을 동생에게 양보했고 집안일에서부터 다른 모든 일까지 동생을 대신
해서 자신이 하려 했다. 안용근은 알고 있었다. 그래서 형이 늘 고마
웠다. 아주 작은 뭐라도 나눠 주는 형이 항상 고마웠고, 형으로부터
받은 것들을 나눠서 밑으로 셋이나 되는 동생들에게 나누어 줄 수 있
어서 행복했다. 형이 조금이라도 가지고 난 후에 동생들에게 나누어
주면 좋겠다는 생각이 들 정도로 모든 것을 동생들에게 양보하고 나
누어 주려고 했다. 음식과 옷, 해야 하는 일까지 모든 것을 나누어 주
었다. 그 바탕에는 동생들을 사랑하는 마음이 있었다. 심지어 따뜻한
봄날에 햇볕이 잘 드는 햇살 자리까지도 그랬다. 형의 이런 모습을 철

들기 전부터 보아온 안용근은 언젠가 자신에게 그 무엇이라도 생긴다면, 반드시 형과 동생들에게 나누어 주리라 생각했다. 반드시 그래야 할 의무감 같은 느낌도 들었고, 그렇게 할 수 있을 것이라는 생각만 해도 행복했다. 그것은 당연한 일이었다. 동생으로서, 형으로서, 오빠로서 살면서 해야 할 도리였다. 체구가 작지는 않았지만, 말수가 적어 필요한 말만 하는 형은 안용근에게 언제나 기댈 수 있는 커다란 언덕이었다. 두 살 터울로 같이 자라면서 항상 함께 할 수 있었고, 무엇인가 결정해야 할 때면 늘 도와주었다. 형은 강요하지 않았다. 형의 말은 안용근을 항상 편안하게 해 주었다.

　"야! 야야. 저쪽이다. 저기. 11시 방향. 저기."
　"조명탄 올렷! 11시 방향으로 있는 대로 다 퍼부어! 11시."
　"드르르륵. 드르륵. 드르륵."
　"따르르륵. 따륵. 따륵."
　"대가리 처박지 말고 똑바로 쏴! 예광탄 몰리는 쪽에 퍼부어."
　"쿵. 쩌억. 쿵."
　"경기관총 소리 나는 곳부터 죽여."
　"끄으으으. 으으으."
　"단발로 총소리 나는 곳은 저격수니까 유탄으로 때려. 어서."

　안용근 아래로 동생이 셋이었다. 여동생 둘에 남동생 하나. 부모님 두 분의 사랑이 그렇게 돈독했으니 한두 살 터울로 아이들이 태어난 것은 당연했다. 안용근은 항상 동생들을 업고 잡고 다니면서 옆에 두었고, 냇물이나 우물이 있으면 씻기고 털어 주었다. 형으로부터 받은 것은 항상 동생들에게 나누어 주었다. 동생들은 안용근의 마음을 아는지 모르는지 주는 것은 그냥 잘 받았다. 하지만 주는 것이 없을 때라도 칭얼거리지는 않았다. 누구는 적고 누구는 많이 준다고 불평하는 법도 없었다. 그저 오빠가, 형이 주는 대로 받으면서 좋아했다. 고마워하는지는 알 수가 없었다.

봄에 나물 캐러 들로 나가면 동생들은 망태기 하나씩을 들고 형과 안용근을 따라나섰다. 냉이며, 달래며 참비름같이 들에 있는 나물들과, 화살촉 나무의 새순과 어린 고춧잎같이 산과 밭에 있는 나물들을 캐고 따냈다. 온 들과 산에 그렇게 천지로 널려 있었다. 하지만 봄날 나물들이 새순을 땅 밖으로 내밀면 기다렸다는 듯이 마을 사람 모두가 서둘러 캐 가기 때문에 이것마저도 이내 없어졌다. 심지어 쑥도 귀했다. 동생들이 각자 안고 있는 망태기에는 서로 다른 나물들을 캐서 담았다. 긴 숲처럼 생긴 덤불이 있는 풀들 아래에는 달래가 많이 있었다. 달래는 두 살 어린 바로 아래 여동생이 잘 캤다. 보는 눈이 남달라서였는지, 큰딸이라 그런지 봄날에 길게 뻗어 나오는 엇비슷하게 생긴 풀들 사이에서 달래를 잘도 골라냈다. 밭고랑 사이, 평평한 곳에서 잘 보이는 냉이는 다시 연년생으로 태어난 둘째 여동생이 잘도 찾아냈다. 한 곳에 많이 모여서 나는 냉이는 자리만 잘 잡으면 이곳저곳을 돌아다니지 않아도 되는 나물이었다. 그 자리에 쪼그려 앉아 열심히 캐기만 하면 되는 나물이었다. 큰 것들을 한 뿌리씩 캐다가도 잔뿌리가 서로 엉켜 있으면 흙만 탈탈 털어서 망태기에 넣었다. 둘째 여동생 아래로 두 살 차이가 나는 막내는 제 몸집만 한 망태기를 들고 그냥 잘 따라다녔다. 막내의 망태기는 늘 가득 채워졌다. 형과 안용근은 무더기로 모여 있는 비름나물이나 산에서 나는 나물들을 주로 뜯어왔다. 망태기가 일찍 차면 집으로 돌아와서 쉬지도 않고 부모님이 오시기 전에 삶아서 널어 두었다. 안용근의 형과 동생들 모두가 착했다. 고마운 동생들이었다. 어머니도, 아버지도 이런 아이들이 그저 사랑스럽기만 했다.

"어. 이거 살 수 있겠습니까?"

"그래도 거기, 무릎 위에 일단 묶고 저쪽으로 끌고 가자. 꽉 매."

"야! 안 병장. 정신 차려! 정신 안 차리고 이러고 있으면 여기서 끝나는 거야."

"야야! 살살 끌고 가."

"으으으. 으으으으."

"야이. 새끼야! 떨어진 건 그냥 둬. 그거 가지고 간다고 다시 붙을 거 같아?"

"으으."

"명줄이 길어야 하는데. 이래 가지고 살 수나 있겠어?"

"저것들은 오늘 여기 왜 나타난 거야? 그렇게 조용하더니만. 에이 씨."

안용근의 형제들이 캐 온 나물들은 끼니가 되었다. 달래는 잘게 썰어 간장에 넣고, 냉이는 돌아오는 길에 냇가에서 뿌리까지 깔끔하게 씻어 된장에 무치거나 밥 짓는 데 넣었다. 보리와 쌀을 섞어 밥을 지을 때도 나물들을 많이 넣었다. 한 번 삶아 놓았다가 밥을 지을 때 다시 넣는 보리는 손가락 한 마디만 한 크기로 불었다. 그래도 건기가 있어 잠시 배는 불렀지만 오래가지 못하고 금세 배가 꺼져 허기가 졌다. 그래도 그건 밥이었다.

나물은 달랐다. 아무리 먹어도 배가 부르지 않았다. 끼니를 늘릴 마음에 쇠비름도 참비름도 보이는 대로 잘라 와서 끓는 물에 살짝 데쳐 먹었다. 풋 기만 겨우 날아간 나물들을 거친 쌀겨 삶은 밥에 넣어 비벼 먹었다. 밥이라고 할 수도 없었다. 안용근과 형제들은 참기름이나 들기름 한 방울 떨어지기만을 기다리며 밥상에 빙 둘러앉았다. 아버지가 한술 뜨기 전까지 누구도 상 위에 있는 음식에 손을 대는 법이 없었다. 어머니의 눈과 아버지의 손만 바라보고 있었다. 양푼이와 바가지에 나눠 담은 쌀겨 밥에 그래도 아직 남아 있는 김치를 얹어 먹으면 눈으로 먹는지 코로 먹는지 모를 정도로 맛있었다. 아버지와 어머니 품에 안긴 동생들은 연신 물을 찾으면서 먹었다. 제대로 씹을 시간도 없었다. 배만 부르면 되었지만, 많이 먹었다고 생각하는데도 배는 부르지 않았다. 늘 모자라는 밥상이었다. 늘 모자랐지만, 가족 중 누구 하나 더 먹겠다고 설치는 사람은 없었다. 배는 고팠지만, 가족들이 함께 있는 것만으로도 아주 행복했다.

생선이나 고기가 밥상에 올라오는 경우도 있었다. 형과 낚시를 가서 운 좋게 커다란 붕어나 잉어를 잡은 날에는 매운탕이 밥상에 올라왔다. 어머니는 음식 솜씨가 좋아, 혹시나 집에 손님이 오더라도 형제들까지 많이 먹을 수 있을 정도로 매운탕을 만들어 냈다. 물고기 두어 마리만 있어도 손님을 맞이할 수 있을 정도로 어머니의 음식 솜씨는 남달랐다. 담이 높은 집에 잔치가 있는 날에도 밥상은 풍성했다. 마을 사람들을 생각해서인지 담 높은 집에서는 명절이 아니더라도 가끔 잔치를 벌였다. 안용근의 부모님이 그랬던 것처럼 마을의 한 집에 혼사가 있으면 담 높은 집에서 잔치를 열어 주었다. 그날은 마을 사람들 모두가 행복한 날이었다.

담 높은 집에는 안용근과 나이가 같은 친구가 있었다. 그 친구의 아버지와 어머니는 안용근의 아버지와 어머니보다 나이가 한 살씩 적었다. 하지만 친구로 잘 지냈다. 담 높은 집 친구에게도 안용근의 첫째 여동생과 나이가 같은 여동생이 있었다. 마을 사람들은 비슷한 나이에 결혼하고 아이를 낳았지만, 사는 것은 달랐다. 흔치 않은 일이지만 담 높은 집 친구가 안용근을 집으로 불러 함께 놀 때가 있었는데, 그때는 안용근의 여동생들도 항상 함께 가곤 했다. 안용근의 집에서는 볼 수 없었던 라디오도 있었고, 책들도 많았고 방도 많았다. 그 집 어머니가 내주는 음식은 평소에 안용근의 가족들이 먹을 수 없는 귀한 것들이 대부분이었다. 친구와 안용근의 여동생, 그리고 친구의 여동생과 안용근도 부모님들처럼 사이가 좋았고 이런 모습들을 보는 부모님들도 잘들 지내라고 다독여 주었다. 입고 있는 옷은 당장 보아도 차이 나게 보였지만 사이는 오누이들처럼 좋았다. 그러나 먹는 음식과 입는 옷은 분명하게 차이가 있었다.

마을에서 나이가 많은 사람 누군가가 죽어 장사를 치르는 날도 아이들은 좋았다. 우는 사람들이 많았지만, 간혹 웃는 사람들도 있었다. 잔치는 아니었지만, 평소와는 다른 음식과 볼거리들이 있는 날이었다. 상여가 나가는 앞뒤로 작은 깃발을 드는 아이들에게는 지전이 쥐어졌다. 안용근은 형과 함께 작은 깃발이 꽂힌 대나무를 들었고 동생들도 주변을 빙빙 돌면서 함께 걸었다. 장사를 치른다는 것이 무엇인지도 모르고 깃대를 들었고, 아이들의 관심은 장사가 끝난 뒤에 자신의 손에 쥐어질 지전에만 있었지만, 이를 타박하는 사람은 한 사람도 없었다. 죽은 사람은 죽은 사람이었고, 장사를 치르는 일은 장사를 치르는 일일 뿐이었다. 집안 형편에 따라 달랐지만 대충 며칠 정도 장사를 치르고 나면 남은 음식은 마을 사람들이 나눠 가지고 갔다. 장사를 치른 집에서 마련한 음식과 담 높은 집에서 도와준다고 만든 음식은 마을 사람 모두가 공평하게 나눴다. 조금 덜 가거나, 조금 더 가는 것은 아이들의 수나 집안 형편에 따라 다른 것으로 생각하면서 서로를 이해했다. 마을에는 특별히 욕심을 부리거나 나쁜 사람이 없었다. 다툼이 없지 않았지만 죽어라 싸우는 일은 보기 드물었다. 제법 큰 싸움이 있어도 한 이틀 서로 얼굴을 붉히고 피하다가 제자리로 돌아가는 것이 보통이었다. 그렇게 큰 싸움을 벌일 일도 없었다. 힘든 살림에 서로 돕지 않으면 서로 힘들다는 것을 잘 알고 있었기 때문이었다.

"아. 민 중사님. 왜 이리 시끄럽습니까?"

"어? 안 병장! 정신이 들어?"

"네. 뭐 좀 어질어질합니다. 저는 괜찮은 거 같습니다."

"안 병장! 너 정신 바짝 차려. 이제 여기서 나갈 거야. 응!"

"네. 민 중사님.

"정말 정신 바짝 차려라. 내 얼굴 보이지? 뒤로 보지 말고 가만히만 있으면 된다. 정신 바짝 차려."

“네. 알겠습니다. 근데, 좀 이상합니다. 으으.”

“됐어. 더 이상 말하지 말고 그냥 정신만 차리고 있어. 알겠지. 자! 나간다.”

안용근의 집안은 늘 밝은 볕이 들어오는 듯했고, 아버지의 노력과 어머니의 정성으로 하루하루가 행복했다. 형제들은 구김 없이 서로를 살뜰하게 대했고 다른 집 어른들의 칭찬이 늘 주위를 맴돌았다.

담이 높은 집에서 가끔 잔치가 벌어졌지만, 안용근의 형제들은 그다지 부러워하지 않았다. 담장 높은 집에 사는 친구와 여동생의 옷은 여러 가지 색깔에 반짝이는 것도 달려 있었다. 보기에는 좋았지만 그다지 갖고 싶다는 생각은 하지 않았다. 가질 수 있으면 좋겠지만 그 집과 안용근의 집은 누가 봐도 차이가 있었고 아이들도 그것을 잘 알고 있었다. 그 집 친구와는 사이가 좋았고 그 집에서 나눠 주는 음식을 먹을 때는 고맙다고 생각했다. 그렇게라도 잘 지낸다는 것이 다행스러운 일이라고 생각했던 적이 여러 번이었다.

담 높은 집 친구의 아버지는 면소에서 일을 했고 평소에 마을 사람들과 사이가 좋았다. 베풀면서 사는 사람들이라 사이가 나쁠 이유가 없었고, 그 집 땅을 소작 부치는 사람들이 많아서 사이가 나빠서는 안 되었다. 담 높은 집에 사는 친구의 엄마도 사람들과 사이가 좋았다. 아무리 하잘것없는 일들을 시키고 나더라도 항상 작은 보답이라도 나눠 주었고, 급전이 필요한 사람들에게 이자도 받지 않고 돈을 빌려 주기도 했다. 그 집 어른들은 다른 집 아이들도 아껴 주었고, 얼굴빛도 늘 온화했다. 안용근은 부모님이 그 집 일을 하고 있다는 것을 알고 있었다. 그 집의 농사일과 자질구레한 여러 가지 일들을 하고 보수를 받는 사이였지만, 그 집 식구들과 안용근의 가족들은 좋은 이웃이었다. 담 높은 집의 일을 대신해 주고받는 보수에 아버지는 고마워했고, 안용근의 어머니도 가끔 그 집안의 일을 해 주는 날에는 두 손에 무엇이라도 들고 집으로 돌아왔다. 고맙기도 하고 좋기도 한 그런 이웃이자 친구였다.

조용히 흐르는 작은 시내가 있고 제법 넓은 들판이 있는 작은 마을에서 안용근과 가족들은 이웃들과 서로 도우면서 나름대로 행복하게 살았다. 마을 사람들 대부분은 조용한 사람들이었고 외지로 자주 나가거나 외지에서 사람들이 자주 들어오지도 않았다. 장날이 되면 몇 사람이 어울려 내다 팔 것들을 챙겨 수레에 싣고 나갔고, 돌아오는 수레에는 마을 사람들이 공동으로 쓸 물건부터 개인들이 쓸 물건까지 한꺼번에 실어 왔다. 남는 물건이 있으면 서로 빌려주었고, 욕심을 내면서 대가를 바라는 일은 없었다.

근래에 있었던 가장 큰 사건이 안용근의 아버지가 낫을 들고 마을을 뒤집어 놓은 일이었다. 그 이전에도 그 이후에도 그런 큰일은 마을에 없었다. 하지만, 마을 전부가 소리내어 우는 날이 있었다. 이날은 마을 사람 중 웃는 사람이 없었다. 웃을 수가 없는 날이었다. 마땅히 모두가 함께 울어야 하는 날이기 때문이었다.

8월 9일! 이날은 마을 몇 집의 제삿날이었다. 같은 날에 마을 사람이 한꺼번에 여럿 죽어 나간 일이 있었기 때문이었다. 담 높은 집 사람들이 이날 제일 슬프게 울었다. 이날만큼은 제삿날이 아닌 집에 좋은 일이 있어도 소리내어 웃을 수가 없었고, 다른 집으로 놀러 가서도 안 되는 날이었다. 아이들도 보고 들은 것이 있어 어른들의 눈치를 살피면서 마을을 돌아다녀야 했다.

"어! 으어? 민 중사님! 제가! 어?"

"안 병장. 가만히 있어. 우리가 데리고 나간다니까. 그대로 있어. 대가리 쳐들지 말고 그대로 있으란 말이야! 제발 좀 움직이지 말고."

"안 병장님. 그냥 가만히 계십쇼. 제발. 좀!"

"그 그래. 그래. 총 내 총은? 내 총."

"내가 챙겼어. 자 이제 다시 나간다. 안 병장. 정신 바짝 차려. 응!"

"민 중사님. 민 중사님. 으으으."

담 높은 집 친구의 할아버지는 보통학교 선생님이었다. 조상 대대로 물려받은 재산도 많았고, 배운 것 또한 많은 분이라 마을 사람들끼리의 작은 다툼은 한자리에서 정리해 주곤 했다. 이 할아버지의 중재를 따르지 않는 사람은 없었다. 불만이 있을 수도 없었다. 농사를 지을 수 있는 땅도 많이 가지고 있어서 마을 사람들에게 소작을 나눠 주었다. 세는 다른 마을보다 작게 받고, 마을 사람들과 좋은 일이나 나쁜 일을 항상 같이하는 분이라 존경받았다. 그 덕분에 친구의 아버지는 외지로 나가 공부를 많이 했고, 돌아와서는 면소에서 일했다.

안용근이 어릴 때, 그러니까 어렴풋한 기억 몇 장만 남아 있을 때였다. 산에서 많은 군인이 내려왔다. 노란색 군복을 입고 머리와 모자에 풀이며 나뭇가지를 꽂고 마을로 들어왔다. 해방은 몇 년 전에 되었는데, 무슨 해방을 또 한다면서 마을 사람들을 불러내고, 알지도 못하는 것을 묻고, 소리를 질러댔다. 그러다가 몇이 모여서 알지도 못하는 소리를 질러댔다. 친구도 아닌데 동무라고 부르고 듣도 보도 못한 사투리에 앙칼지게 높은 목소리는 섬뜩함을 느끼기에 충분했다. 옆 마을에서 사람들을 데리고 오고, 또 몇 사람을 줄로 묶어 끌고 가고 끌고 오고 하는 정신없는 날이 며칠이나 계속되었다. 들일도 해야 하고 집안일도 소소하게 할 일이 많은데, 그 사람들 관심은 왔다 갔다 하면서 사람들 괴롭히는 게 전부인 것처럼 보였다. 마을 사람들이 하는 일들이나 일상과는 무관했다. 총이며 칼을 든 그 사람들은 마을 사람들에게 알지도 못하는 무슨 당과 인민을 위한 것이니 밥을 지어 내고 가축을 잡아 오라고 시켰다. 식구들 먹을 것도 모자란 판에 느닷없이 가축까지 잡아 오라고 하니 처음에는 모두 콧방귀를 뀌었지만, 총칼로 달려들고 윽박지르는 데는 이길 수가 없었다.

마을 앞 조용히 흐르는 개울가에 마을 사람들을 불러 모아 놓고 재판했다. 경찰도 없고, 판사나 검사도 없는 이상한 재판이었다. 책상 한 개가 전부였다. 의자도 없었다. 인근 마을 사람들이 와 있었고, 개중에는 안용근의 아버지가 얼굴을 알고 있는 몇 사람도 끌려와 묶여 있었다. 마을 사람들과 아이들까지 아무것도 모른 채 끌려 나와 개울가에 앉아 있었다. 수군거리던 노란 군복의 군인들은 갑자기 만세를 부르고 묶여 있던 사람들에게 욕을 하더니 총을 쏘았다. 몇 명이 그 자리에서 쓰러졌다. 아무것도 모르고 앉아 있던 아이들이 보는 앞에서 갑자기 일어난 일이었다. 조용히 흐르는 냇가가 순식간에 피로 물들었다. 불려 나와 있던 사람들이 놀라 도망치자, 허공에다 총을 쏘면서 끝까지 지켜보라고 겁을 주고 협박했다.

그 군인들 무리 중에 머리가 풍성하게 보이는 모자를 쓴 젊은 아낙이 있었다. 안용근의 마을에서 태어나 다른 마을로 시집간 누나였다. 안용근도 안면이 있는 누나였다. 그 누나는 남편과 함께 팔에다 빨갛고 널찍한 헝겊을 묶고 있었다. 안용근은 자세히 알 수는 없었지만, 무슨 연맹 부위원장이라는 완장이었다. 이 둘은 군인들을 대표해서 마을 사람들에게 여러 가지 이야기를 해 주었다. 군인들이 시키는 대로만 하면 안용근의 마을 사람들은 아무 일이 없을 것이라고 했다. 마을 사람 중에 군인들과 작은 다툼이 생겨 밧줄에 묶이기라도 하면 좋은 사람들이니 풀어 주라고 대신 사정도 해 주었다.

냇가에서 총을 쏘고 사람들이 죽어 쓰러지자, 담 높은 집 친구의 할아버지는 군인들에게 달려들었다. 죄 없는 사람들을 재판도 없이 마구 죽인다고 대들었다. 마을 사람들도 할아버지와 함께 대들었다. 그러자 군인들 중 몇이 총에 달린 칼로 마을 사람들을 찔렀다. 대든다고 그냥 사람을 찔렀다. 아이들은 정신없이 눈앞에 벌어지는 광경에 울 수밖에 없었다. 어른들이 황급히 아이들의 눈을 가리고 그 자리를 벗어나려 했지만, 모든 게 생생하게 아이들의 눈에 들어왔다. 밤에 잠을 자지 못하게 하는 무서움이었다. 이날 담 높은 집 친구의 할아버지와 마을 사람들이 한꺼번에 죽었다.

산에서 내려온 군인들은 담 높은 집 친구의 할아버지를 반동분자의 수괴라고 욕하며 곶감 꿰듯 대나무에 꽂아 매달았다. 담 높은 집 친구의 아버지와 마을 사람들이 모두 달려들어 말리려 했지만, 친구 할아버지의 시신 근처에도 가지 못했다. 총을 쏘고 칼로 위협해도 담 높은 집 친구의 아버지와 소작을 부치던 몇 사람들이 달려들었지만,

피투성이가 되도록 두들겨 맞고 쓰러지자, 마을 사람들은 더 이상 아무것도 할 수 없었다. 총칼과 몽둥이로 사람을 때리는 군인들의 얼굴은 사람이 아니었다. 햇볕에 시커멓게 그을린 얼굴에 피가 튀어 있어 저승사자도 무서워할 것 같은 모습이었다.

한나절도 걸리지 않은 시간에 일어난 사건이었다. 완장을 찬 젊은 누나 부부도 감히 나서지 못하고 담장 아래에서 떨고 있었다. 한참이 지나고, 다시 젊은 아낙이 널브러진 시체들과 담 높은 집 친구의 할아버지를 대나무에서 내리려 하자 산에서 내려온 군인들이 또 막아섰다. 아낙의 남편도 시체들을 옮기자고 이야기했지만, 소용이 없었다. 두 사람도 오히려 온몸에 멍이 들도록 두들겨 맞고 쫓겨났다. 이런 이유로 안용근이 살던 조용한 마을에 줄초상이 났다. 한 달이 채되기도 전 노란 군복을 입은 군인들은 옷도 제대로 챙겨 입지 못하고 북쪽으로 출발했다. 다친 사람들도 버려두고 허겁지겁 도망치듯 가버렸다.

곧이어 파란 군복을 입은 군인들이 도로를 따라 마을에 들어왔다. 마을 사람들로부터 그간의 자초지종을 듣고 난 후, 옆 마을로 시집갔던 젊은 아낙과 남편을 줄로 묶어 끌고 왔다. 어딘가 숨어 있다가 끌려오면서 얼마나 고초를 겪었는지 헝클어진 머리와 터진 머리에서 흘러내린 핏자국이 그들에게 무슨 일이 있었는지 짐작하고 남을 형색이었다. 마을 사람들이 그들은 아무 죄가 없으니 풀어 주라고 애원했지만, 파란색 군복을 입은 군인들은 담 높은 집 창고에 젊은 누나 부부를 밀어 넣고 문을 잠가 버렸다. 파란색 군복을 입은 군인들 중에 번쩍이는 계급장을 달고 한눈에도 높아 보이는 군인이 담 높은 집 친구의 아버지에게 젊은 부부에 대해 이야기했다. 둘은 곧 다른 곳으로 이 동될 것이고 옮겨지면 총살당할 것이라고 했다. 이 이야기를 전해 들은 아낙의 가족들과 마을 사람들이 몰려가서 두 사람을 살려 달라고 애원하고 매달렸다. 다음 날 번쩍이는 계급장을 달고 있던 군인이 담 높은 집 친구의 아버지에게 말했다. 자신은 다른 군인들과 며칠 동안 읍내에 볼일이 있어 다녀올 테니 마을 사람들 스스로 두 사람을 잘 지키고 있으라고 했다. 그리고 자신은 명령에 죽고 명령에 사는 군인이지만, 마을 사람들은 군인이 아니니 명령이랄 것도 없다고 했다.

"다들 모였지요? 네?"

"그래. 다 온 거 같네."

"혹시 못 온 사람이 있으면 그냥 못 온 걸로 하고, 오늘 우리는 아무것도 못 본 겁니다."

"그래. 아무도 못 보고, 아무도 모르는 거야."

"근데, 혹시 군인들이 다시 오면 어떻게 하지?"

"그러니까 우리는 아무것도 모르고 아무것도 못 본 겁니다."

"그 높은 군인 있었잖아요. 그 양반하고 얘길 해 보니 용근이 외삼촌을 알더라구요. 그래서 몇 마디 더 얘길 했는데, 우리는 군인이 아니니까 자기가 하는 명령이 어떤 건지 알아서 잘 이해하라고 하더라구요."

"그게 무슨 소리야?"

"글쎄요. 정확하게는 모르겠지만 저 두 사람이 없어진다고 해도 우리 잘못으로 해서 무슨 벌을 주거나 하는 일은 없을 거 같네요."

43

"그래? 그럼. 우린 아무것도 못 보고 아무것도 모른다고만 하면 되는 거네. 그렇지?"

"네. 네."

"아이구. 이 사람아. 고맙네. 자네 때문에 우리 마을 사람들이 그래도 사람같이 사는 거 같네. 부친 일은 안됐지만, 정말 고맙네."

"아버지 일이야 그놈들이 한 짓이고 저 두 사람은 상관이 없잖아요. 제 눈으로 똑똑히 봤으니 아무 문제 없을 겁니다."

"그놈들이 어디 사람이던가? 악귀도 그런 악귀가 없을 걸세."

"자. 이제 모두 돌아들 가시고. 다시 한번 더 말씀드리지만, 우리는 아무것도 본 게 없고, 아무것도 모르는 겁니다."

"그래. 그래. 알겠네."

마을 사람들의 이야기가 끝나자 젊은 아낙과 남편은 창고에서 나와 고맙다는 말을 그렇게나 했다. 인사를 한 뒤 그 아낙은 자신이 살던 집을 한 바퀴 둘러보았다. 북쪽으로 떠난 노란 군복의 군인들이 간 길을 따라갈 참이었다. 젊은 아낙의 가족들과 마을 사람들은 옷가지며 말린 고구마와 감자를 챙겨 주었다. 담 높은 집 친구의 아버지도 쌀과 보리를 섞은 자루를 내주며, 어디로든지 조심히 갔다가 세상이 조금 조용해지면 빨리 돌아오라고 했다. 두 사람은 마을 입구를 지키고 있는 느티나무를 지날 때, 독수리가 날개를 펴고 있는 듯한 마을 뒷산을 향해 세 번 절하고 두 손 모아 빌었다. 아낙의 손을 굳게 잡은 남편은 마을 사람들에게 몇 번이나 고맙다는 인사를 하고 손을 흔들며 떠났다. 몸 건강히 잠시 피해 있다가 돌아오기를 바라는 마을 사람들의 마음을 알고 있는 듯했다. 독수리의 날개 제일 끝 깃털처럼 보이는, 뒷산 끝자락으로 이어져 있는 소로를 따라 길을 재촉하면서도 아낙의 남편은 혹여나 어린 아내가 뒤처질까 보따리 한 개를 더 들어주었다. 아이들이 좋아하는 옛날이야기가 전해져 내려오는 사연 있는 바위들이 많았다. 그런 돌들과 나무들이 듬성듬성 자리 잡고 있는 뒷산 끝자락에 두 사람의 모습이 보이지 않을 때까지 마을 사람들은 자리를 떠나지 않고 손을 흔들었다. 두 사람이 다시 돌아오면 별일 없었다는 듯이 같이 잘살아 보리라고 이야기들을 했다.

마을 사람들이 이상한 기분에 흠칫 놀라 뒤돌아보니, 마을 사람들 한참 뒤에 파란색 군복을 입은 사람들이 몇이 있었다. 누구에게 흔드는지 그 사람들도 손을 흔들고 있었다. 사람들이 돌아보는 걸 알아챘는지, 잠시 그렇게 손을 흔들던 군인들은 젊은 아낙과 남편이 간 반대편 마을 아래쪽으로 내려가 버렸다.

다시 두어 달이 더 지나고 찬 바람이 불자 젊은 아낙이 마을로 돌아왔다. 하지만 남편 없이 혼자 돌아왔다. 북쪽으로 걸음을 재촉해서 노란색 군복을 입은 군인들을 겨우 따라잡았지만, 못 믿을 반동이니 하면서 자신들을 쫓아오지도 못하게 하고 그냥 가 버렸다고 한다. 아낙과 남편은 버려졌다. 북쪽으로 가는 길에서 만나 노란색 군복을 찾아다니던 몇 명의 사람들은 총이라도 가지고 있어서 그들을 따라갔지만, 젊은 아낙과 남편은 아무런 무기를 가지고 있지 않았다. 오갈 곳이 없어진 젊은 아낙과 남편은 얼어버린 땅 위를 헤매고 다녔다. 그러다가 생감자 몇 알을 잘못 먹은 남편은 사흘이 넘게 온 바지에 설사하다가 끝내 숨이 넘어가 버렸다. 아낙은 죽어가는 남편의 똥오줌을 손으로 닦아내고 내린 눈으로 씻어내다가 곁에서 잠이 들었다. 모진 목숨은 알아듣지 못하는 말을 하는 사람들의 손에 의해 살아났다.

젊은 아낙이 정신을 차렸을 때, 남편은 오간 데 없고 하얀 옷을 입은 사람들과 검은 피부를 가진 사람들이 허연 죽 같은 것을 먹여 주었다. 그들이 주는 음식으로 겨우 정신을 차린 아낙은 고향으로 돌아올 욕심에 그동안 자신이 겪은 일들을 열심히 이야기했다. 알아듣지도 못하는 그 사람들은 어깨를 두드려 주고 먹을 것을 주기만 했다.

며칠이 지나고 파란 군복을 입은 사람들이 와서 아낙을 밧줄로 묶어 끌고 가려 했다. 알아듣지 못하는 말을 하는 하얀색 옷을 입은 사람들과 검은 피부의 사람들이 말렸지만 막무가내였다. 빨갱이 어쩌고 하는 소리에 젊은 아낙은 고향으로 보내 달라고 소리를 질렀다. 잠시 후 느닷없이 날아온 발길질과 주먹질에 나뒹굴었다. 검은 피부의 사람이 파란 군복을 입은 사람을 때려눕히자, 서로 총을 빼 들고 노려보았다. 곧이어 호루라기를 불며 다른 무리의 군인들이 도착했고, 파란색 군복을 입은 군인들은 욕하며 사라졌다. 알아듣지 못하는 말을 하는 사람들은 키가 크고, 눈 색깔도 이상했고, 피부도 검었지만, 젊은 아낙에게 잘 대해 주었다. 젊은 아낙이 걷는 데 무리가 없을 때가 되자, 그들은 약간의 음식과 군복 그리고 통행증이라는 것을 손에 쥐어 주면서 내보내 주었다.

노란색 군복을 입은 군인들을 찾아 나섰던 길을 거꾸로 걸어서 고향으로 돌아온 젊은 아낙은 친정집으로 가서 조용히 지냈다. 마을 사람들과도 잘 어울려 지냈다. 이웃들은 그 아낙의 다친 마음이 아물어 옛날처럼 지내기를 바랐다. 하지만, 이런 생활은 오래가지 못했다.

몇 날이 지난 뒤 산에서 내려온 사람들은 그 아낙을 끌고 갔다. 가기 싫다고 했지만, 파란 군복을 입은 군인들이 오면 틀림없이 총에 맞아 죽을 것이라고 하자 어쩔 수 없이 따라나섰다. 산으로 간 이후로도 가끔 내려와서 친정에 들르기도 했고, 담 높은 집에 들러 약간의 곡식이라도 얻고 나면 조용히 산으로 올라갔다. 한 날은, 마을에 내려와서 친정 부모님께 이번에 가면 아주 오랫동안 있다가 올 것이라 했다. 멀리 북쪽까지 갔다 와야 하니 시간이 오래 걸릴 것이라 했다.

그래서 하룻밤을 머물렀다. 다음 날 새벽, 면과 읍에서 나온 경찰들과 파란 군복의 군인들에 의해 마을은 다시 한번 쑥대밭이 되었다. 젊은 아낙과 함께 산에서 내려온 사람들은 경찰과 파란 군복을 입은 군인들에 맞서 총을 쏘았다. 마을 사람들은 마루 밑으로 기어들어 가고 담벼락 아래에 납작 엎드렸다. 아이들을 품에 안고 장독 사이에 몸을 숨기기도 했고, 헛간으로 들어가 온 가족이 거적을 뒤집어쓰고 숨기도 했다. 해가 떠오를 즈음에, 젊은 아낙과 산에서 내려온 두 사람이 총에 맞아 젊은 아낙의 친정 처마 아래에서 남은 숨을 헐떡이고 있었다. 산에서 내려온 나머지 사람들은 경찰과 파란 군복의 군인들을 피해서 사방으로 도망쳤다. 아침이 되자 파란 군복을 입은 더 많은 군인들이 탄 트럭이 마을에 들어왔다. 겨우 숨이 붙어 눈만 뜨고 있던 젊은 아낙의 가족들은, 마을 사람들이 보는 앞에서 총에 맞아 몰살당했다. 총에 맞아 움직이지 못하던 두 명은 파란 군복을 입은 군인들의 총끝에 달린 칼에 찔려 죽었다.

젊은 아낙은 혼자 죽었다. 스스로 혀를 깨물어 죽었다. 제대로 혀를 깨물 힘도 없었던지, 허연 거품을 물고 몇 번이나 끙끙대다가 죽었다. 말리는 사람은 없었다. 마을 한가운데 있는 마당에 버려져 있던 두 명의 시체는 며칠이 지난 후, 어디선가에서 소문을 듣고 온 사람들에 의해 거적이 덮인 채로 수레에 실려 사라졌다. 젊은 아낙과 젊은 아낙 친정 가족들의 시체는 마을 사람들이 아랫마을로 가는 길 안쪽 산 능선에 묻어 주었다. 그 집안 윗대 어른들의 묘가 있어서 그 주변에 묻어 주었다. 마을 사람들 모두가 울었다. 젊은 아낙의 집안 장사는 담 높은 집의 친구 아버지가 비용을 내서 치러 주었다.

이 일이 있고 난 이후로 담 높은 집 친구의 아버지는 마을 사람들과 더 자주 어울렸다. 마을 사람들도 담 높은 집 사람들과 더욱 사이좋게 지냈다. 젊은 아낙과 젊은 아낙 친정 사람들의 제사를 지내는 사람은 없었다. 얼마 남지 않은 젊은 아낙 친정의 재산은 훗날 나라에서 몰수했고, 무덤은 흔적도 알아볼 수 없도록 파헤쳐져 온 산으로 뿌려졌다. 마을 사람들 전부가 우는 날은 이런 사연들을 가지고 있었다.

"민, 민 중사님!"

"왜? 그냥 조용히 잠시만 있어."

"일어서지를 못하겠습니다. 이상합니다. 으윽. 민 중사님!"

"그러니까, 제발 움직이지 말고 조용히 그대로 있으란 말이야!"

"으윽. 민 중사님! 저 총에 맞았습니까? 저 죽는 겁니까? 으윽!"

"죽긴 누가 죽어? 총에 맞은 거 아니야. 제발 가만히 있어."

"으으으. 으으."

"야. 다 죽기 싫으면 안용근이 입 좀 막아. 이러다 다 저승길 같이 가겠다."

"몰핀 없어? 한 대 더 놔 주라. 어서."

젊은 아낙과 젊은 아낙의 친정 가족들을 산 능선에 묻어 주고 오던 날 안용근의 아버지와 어머니는 오래되지 않은 기억을 되살리며 바들바들 떨었다. 젊은 아낙과 젊은 아낙의 남편이 붉은 완장을 차고 노란 군복을 입은 군인들과 마을에 처음 들어온 날, 그날 저녁에 그들은 안용근의 집으로 찾아왔었다. 젊은 아낙이 시집가기 전, 안용근의 어머니와 그 젊은 아낙은 둘 다 말수가 적어 서로 자주 만나서 이야기하며 지내는 사이는 아니었다. 그렇지만 지나가다 마주치면 길 한쪽에 쪼그려 앉아 소소한 들일이나 시집살이에 관한 이야기를 나누기는 했다. 그런 사이였는지라 좋은 언니와 동생처럼 지냈다. 젊은 아낙이 안용근의 집으로 찾아왔을 때, 자신과 같이 완장 하나 차고 노란색 군복을 입은 사람들이 시키는 대로만 하면 아이들도 좋은 옷에 공부도 시킬 수 있고, 좋은 음식도 배고프지 않도록 먹일 수 있다고 했다. 안용근의 부모님은 풍족하지는 않은 살림이었지만, 아이들이 건강하게 자라고 부부가 열심히 일도 하고 있어 나중에 한번 생각해 보겠노라고 답하고는 돌려보냈다.

그날, 안용근의 부모님이 젊은 아낙의 말을 듣고 완장을 차고 노란색 군복을 입은 군인들을 따라나섰더라면 젊은 아낙의 가족들이 묻힌 자리에 안용근 가족이 묻혔을 수도 있으리라 생각했다. 안용근의 부모님은 집에 와서도 떨고 있었다. 안용근의 아버지는 그 젊은 아낙의 남편과는 어릴 때부터 알고 지내는 동생 같은 사이로, 안용근 아버지에게도 여러 번 찾아와서 함께 일하자고 했었다. 이 이야기를 들은 안용근의 어머니는 이가 마주쳐 딱딱 소리를 낼 정도로 겁에 질려 떨었다. 젊은 아낙의 남편이 찾아올 때마다 아버지는 지금의 사는 형편이 남들보다 나을 것 없고, 가끔 친구들로부터 괄시당하고 있지만 부인과 아이들이 자라는 모습을 보고 있으면 행복하다고 조용히 사양했다. 안용근의 부모님이 따라나서지 않은 것은 지금 사는 것이 행복했기 때문이었다.

"소대장님! 소대장님!"
"어. 민 중사. 거기 괜찮아? 여긴 다들 이상 없다."
"소대장님. 안용근 병장 옮겨야 합니다."
"뭐? 왜?"
"안 병장 다리를 당했습니다. 다리가…"
"민 중사. 여기서 안 보인다. 무슨 일이야?"
"소대장님 안 병장 한쪽 다리가 안 보입니다."
"뭣?"
"민 중사님. 제 다리가 어떻습니까? 네? 제 다리가! 으아악!"

젊은 아낙의 가족들이 묻히고 다시 한 달 남짓 지났을 때, 산에서 열댓 명이나 되는 사람들이 마을에 내려왔다. 행색은 거지 패 비슷한 꼴로 어디선가 빌어먹다가 온 듯했다. 남녀가 섞여 있었지만 누가 남자이고 누가 여자인지도 모를 정도로 처참한 몰골이었다. 도대체 산에서 무슨 일이 있었고, 무슨 짓을 하고 다녔는지 알 수가 없었다. 그렇게 외쳐대던 해방이니 만세니 하는 것을 못 하고 있었을 것은 확실해 보였다. 총 몇 자루와 둥글둥글한 수류탄 몇 개, 그리고 봇짐 같은 걸 등에 지고 있는 모습은 서로 비슷비슷했다. 그 봇짐 같은 것 안에 뭐가 들어 있을지는 알 수 없었다. 마을 사람들 중에 그 봇짐의 내용물에 대해서 알고 싶어 하는 사람도 없었다. 마을에 내려오자마자 몇 집에 들러서 감자며 고구마를 덥석덥석 집어 먹었다. 넉넉지도 않은 마을 사람들의 살림을 알면서도 쌀이며, 보리, 김치 같은 것들을 대나무 길게 자른 통에 담고, 남의 집 낫으로 길게 자란 수염과 머리카락을 대충대충 잘라냈다. 우물가에 모여 앉아 몸을 씻기도 했고, 마을 사람들의 주머니에서 강제로 꺼낸 담배를 말아 마을 한가운데 둘러앉아 피우기도 했다. 그러다가 담 높은 집과 마을 입구 첫 집으로 나뉘어서 아무렇게나 누워서 잠을 잤다. 누군가를 기다리는 것인지, 할 일이 없어서 그냥 시간을 보내고 있는 것인지 알 수가 없었다. 마을 사람들과 많은 이야기를 나누지 않았고, 마을 사람들도 그들 곁에는 가고 싶어 하지 않았다. 새벽에 살금살금 내려와서 점심까지 챙겨 먹은 그 사람들은 오후가 되자 갑자기 돌변했다. 들에서 일을 하고 돌아오는 마을 사람들과 담 높은 집 친구의 아버지까지 마을 한가운데 있는 마당으로 불러 모았다. 그러더니 또 해방이니 뭐니 알아듣지도 못할 말들을 하고 만세라고 소리를 질렀다. 마을 사람들에게 따라 하라고 했지만, 누구도 따라 하는 사람은 없었다. 담 높은 집 친구의 아버지만 마을 사람들에게 눈치를 주면서 한 마디씩 따라 했다. 이런 소동을 벌이려고 마을 사람들이 모이는 시간까지 기다린 것 같았다. 점차 그 사람들과 함께 소리치고 손을 흔드는 사람이 늘어났지만, 대부분의 마을 사람들은 그 소동을 빨리 끝내고 보내주기만을 바라면서 시큰둥

했다. 무슨 말을 하는 것인지 알 수가 없었기 때문에 흥이 난 것처럼 보이는 그들과는 함께 할 수가 없었다. 산에서 내려온 사람들은 정신이 나간 사람들 같았다.

"민 중사. 내가 그쪽으로 갈 테니까. 거기 있어."
"예. 소대장님. 부비트랩 같은 게 있는 거 같습니다. 베트콩 놈들이 급조로 몇 개를 뿌려 놓은 것 같습니다. 조심하십쇼."
"그래. 다른 소대원들은 그대로 있어. 안 병장 잘 잡고."
"네. 소대장님."
"소대장님. 으으으."

산에서 가끔 내려오던 사람들은 내려오는 횟수가 점점 뜸해지더니 나중에는 마을 사람들도 그 사람들의 존재 자체를 잊어버렸다. 그 사람들이 왜 그런 몰골로, 왜 그런 소리를 하고 다녔는지 세월이 한참 흐른 후에 알 수 있었다. 그리고 인근 마을에서도 비슷한 일들이 일어났고 수많은 사람이 죽어 나갔다는 것도 알게 되었다. 읍내에서 큰 골짜기로 연결되어 있던 다른 면소 한 곳은 고을 전체가 몰살당했다고 했다. 아이며, 여인들까지 모두 몰살당해서 세월이 지나도 사람들이 제대로 살지 못하는 땅이 되어 버렸고, 그 골짜기를 지나는 사람들은 밤이 되거나 비가 오는 날에는 되도록 피해서 다닌다고 했다. 귀신들이 줄줄이 골짜기를 타고 다닌다는 소문이 돌고부터는 더더욱 그랬다. 괴로움과 눈물만 남겨 놓고 모든 것은 조금씩 잊혀 갔다. 하지만, 한날에 지내는 제삿날에는 괴로움과 슬픔이 한 번에 되살아났다.

"이랴. 이랴. 아 이놈의 소가 오늘따라 왜 이리 안 가는 거야?"

"음매에에. 음매."

"이게 일하기 싫으니까 자꾸 꾀만 늘어가네. 이랴. 이랴. 우리 집 일이라고 지금 꾀부리는 거지? 내가 다 알아."

"음무우우. 음무우."

"아아. 정말 이놈의 소가 내 키가 작다고 말을 안 듣는 거야 뭐야? 그러지 말고 내가 여물 많이 넣어 줄 테니까 오늘은 우리 집 일 좀 제대로 하자. 이 나무들 빨리 옮겨야 한다고. 응?"

"푸우우. 푸우."

"엇? 저, 저게 뭐지?"

"땡그렁. 땡그렁. 우어. 우어. 땡그렁. 땡그렁. 우어. 우어."

'무슨 귀신들이 줄을 서서 산에 올라가네! 밤도 아닌 대낮에 무슨 귀신이 저렇게 많아? 이거 꼼짝없이 죽는 날인가 보다. 으으윽. 산에 있던 나무를 다 잘라가 버려서 숨을 데도 없는데, 하필 저 귀신들이 내 앞에 나타나다니. 으으윽.'

"우어. 우어. 땡그렁. 땡그렁. 우어. 우어. 땡그렁. 땡그렁."

'어? 저 귀신들이 날 못 봤나? 그냥 산으로 올라가네? 하기야 뭐 낮에 돌아다니는 귀신이 뭐가 무섭겠어? 나 같은 애가 뭐 쓸 데 있다고 잡으러 오겠어? 그냥 나무나 해서 얼른 돌아가야겠다.'

"땡그렁. 땡그렁. 우어. 우어."

"……"

'어! 저 귀신들이 왜 나한테 오는 거지? 응? 아이구! 아까 그냥 도망갈걸. 무슨 놈의 귀신들이 저렇게 많아? 아이구. 내가 오늘 여기서

떼거지로 다니는 귀신들한테 걸려서 죽는 날인가 보네.'

"어이!"

'응? 귀신이 말을 하네? 나 말인가?'

"어이! 거기 너 혼자 뭐 하는 거야?"

'아이구. 진짜로 귀신이 말을 거네. 내가 벌써 죽은 건가?'

"이 깊은 산에 너 혼자 뭐하니? 무섭지도 않니?"

'귀신이 내 걱정을 다 하네? 지들 때문에 무서워 죽겠구만.'

"애야. 이리 와 봐. 응?"

'아이구. 귀신이 이제 나보고 오라고 하네. 잡을 먹을 건가? 이게 꿈인가?'

"너 왜 혼자 여기 있니? 다른 사람은 없어? 어른들 없어? 귀엽게 생겼네."

'아이구. 귀엽다구? 내가? 무슨 놈의 귀신이 내 눈앞에 있다니! 귀엽다고 하는 거 보니 바로 잡아먹을 건가 보네. 아이구. 엄마아! 괜히 혼자 나무하러 온다고 했다가 이게 무슨 꼴이야. 대낮에 귀신들한테 잡아먹히겠네. 아이구.'

"너 어디 사니?"

"저기 윗마을요."

"근데, 왜 혼자 여기서 이러고 있어? 안 무서워? 이 산중에."

"네가 무서워요! 귀신이면 저리 가고 사람이면, 음 사람이라도 저리 가요."

"하하하. 내가 무서워? 하하하."

"저 혼자 아닌데요. 저기 사람들 많아요."

"응? 어디? 사람들 많으면 좀 데리고 올래?"

"네? 아이구. 사람들 데리고 오면 다 잡아먹을라고? 싫어요!"

"하하. 그 녀석 참. 그게 아니고 뭐 좀 나눠 주려고 그래! 맛있는 거 줄 거라고."

"이 귀신이 나를 바보로 아네. 그렇게 해서 데리고 오면 다 잡아 먹으려고? 내가 모를 줄 알아? 그냥 나만 잡아먹어. 자. 우리 소는 두고. 솔직히 우리 소도 아니지만. 저건 빌려 온 소니까 그냥 보내 줘요. 엉엉."

"윗마을이면. 그래 거기 담 높은 집 주인이 면소에 일하지?"

"어? 귀신이 그런 걸 어떻게 알아요?"

"그 사람이 내 친구야. 하하하."

"네? 휴우! 그럼 귀신은 아니네요? 근데, 왜 전부 하얀 옷을 입고 줄을 서서 산으로 올라가면서 종을 치고 울고불고."

"하하. 녀석. 그게 아니라 우리 마을에 어른이 돌아가셔서 초상 치고 나서, 저기 위에 묻고 오는 길이야. 하하하."

"네? 아아! 휴우! 전 귀신들이 대낮에 왜 저렇게 많이 나와서 돌 아다니나 했어요."

"그래. 다른 사람 데리고 와라. 저기 음식 있는 거 나눠 줄 테니."

"다른 사람은 없어요. 그냥. 무서워서 그렇게 말한 거예요. 하하."

"그래? 음식이 좀 많은데. 그럼 다 줄 테니까 저기 달구지에 싣고 가거라."

"네? 음식요?"

"저기 대나무 광주리에 담긴 거 다 가지고 가거라. 우린 마을에서 벌써 다 나눴으니까, 혼자 다 가지고 가도 된다."

"네? 저렇게 많은걸요?"

"그래. 네가 오늘 귀신을 만난 게 아니고 횡재를 한 거야. 하하하."

"아. 고맙습니다."

세월은 그렇게 흘러갔다. 귀신이 있는지 없는지는 아무도 몰랐다. 그저 그런 말이 있으니, 사람들은 산에 혼자 가는 것을 좋아하지 않았다. 안용근과 안용근의 아버지는 귀신이 나타나도 상관이 없다고 생각했다. 다만, 나무를 해서 가족을 먹여 살리는 데 도움만 된다면 아무런 문제가 되지 않았다.

"민 중사. 안 병장 살 수 있겠나?"

"네. 발목지뢰 비슷한 거 같습니다. 베트콩 놈들 부비트랩을 급조한 거라 다리가 다 날아가진 않은 거 같습니다. 빨리 옮기기만 하면… 일단 되는 대로 지혈은 했습니다."

"그래. 지뢰지대는 아닌 거 같으니까 일단 옮기자. 빨리만 하면 살릴 수 있을 거 같다."

"네! 소대장님."

"야! 너희 둘이. 내가 안 병장 업을 테니까, 윤 일병은 내 뒤에서 받치고 박 상병은 장비 챙겨서 바로 따라와라. 민 중사! 앞장서라."

"네! 소대장님."

"네.

마을 사람들은 모두 좋았지만, 이 세상 그 무엇도 저주스러운 가난을 벗겨 낼 수는 없었다. 매년 가뭄이 들었고 매년 태풍이 불어 가을이 되어도 이웃들의 걱정 소리가 마을에 가득했다. 사정이 크게 좋아지는 해도 없이 거의 매년 그랬다. 담이 높은 집을 빼면 거의 모든 마을 사람들이 힘든 세월을 온몸으로 이겨 내며 살아야 했다.

아이들의 세월은 조금 덜했다. 부모들은 자식들이 자신들보다는 조금이라도 허기에서 벗어나 있기를 바랐다. 그래서 쉬는 시간이나 세월을 아껴 가며 죽도록 일했다. 어른들보다는 조금이라도 나은 곳에서, 조금이라도 좋은 옷과 좋은 음식으로 살기를 바랐다. 특히나, 배를 곯는 일은 없기를 바랐다. 마을 사람들은 아이들에게만큼은 조금이라도 더 먹이고 더 입히려고 했다. 담 높은 집 친구의 아버지와 그 집 사람들도 마을 사람들이 힘들 때 나 몰라라 하지 않았다. 여전히 힘든 시기에 돈이나 쌀을 꾸어 주면서 이자를 받지 않았다. 공부하거나 직장을 구하려고 외지로 나가는 사람들에게는 얼마간의 지전을 쥐여 주면서 보냈다. 그동안 얼마를 빌렸건 지나간 일들에 대해서는 개의치 않았다. 외지로 나가서도 건강하게 잘 지내라는 당부를 잊지 않았고 언제라도 돌아오면 같이 살 궁리를 해 보자고 위로했다. 고마운 사람들이었다.

"소대장님. 소대장님. 저 죽는 겁니까?"

"야! 쓸데없는 소리 하지마! 정신 똑바로 차려. 내가 꼭 살려낸다. 조금만 버텨라. 지금 나가는 중이야."

"민 중사님. 저 죽기 싫습니다. 집에 가야 합니다. 저어⋯ 끄으으윽. 끄으으."

"그래. 넌 절대 안 죽는다. 정신만 차리고 있어."

"소대장님 다와 갑니다. 저기 중대본부 보입니다. 바로 이송하면
됩니다."

"헉! 헉! 그, 그래. 헉! 헉! 어서 가서 의무병하고 차량 대기 시켜
라. 어서."

"네. 소대장님. 아까 무전은 넣었습니다."

"그래. 헉! 헉! 먼저 가. 어서."

이번 작전은 애초에 주둔지 인근에 있는 밀림 지역 상시 수색 정
찰 임무였다. 늘 소대별로 돌아가면서 하는 임무라 단독군장에 가벼
운 무장만 하고 출발했다. 박격포나, 중기관총 같은 지원화기는 주둔
지에 남겨 두었고, 가지고 나간 화기 중에는 미군이 준 M60 기관총이
가장 화력이 좋은 화기였다. 월남 파병 전, 강원도 산골에서 훈련받으
면서 사용하던 칼빈 소총이나 LMG 같은 구닥다리와는 비교도 할 수
없는 무시무시한 기관총이었다. 칼빈 소총은 총열 덮개를 나무로 만
든 가모식 소총으로, 몇 발 쏘지도 못하고 탄 클립을 다시 장전해야 했
다. 연사도 안 되고 명중률도 떨어지는 한물간 소총이었다. 하지만 미
군으로부터 받은 M16 소총은 가벼웠고 총알도 훨씬 많이 들어갔으며
연사까지 되는 엄청난 총이었다. M16 소총을 지급받은 이후로 본국에
서 가지고 갔던 칼빈 소총은 찬밥 신세가 되었다. 살아남으려면, 그리
고 베트콩을 한 놈이라도 더 잡아내고 죽이려면 미군들이 가진 좋은
무기들이 필요했다. 크레모어라는 지뢰 역시 든든한 지킴이가 되어 주

었다. 위치를 잘못 정해서 뒤에 있게 되면 몸이 다 날아갈 만큼의 후폭풍이 있었지만, 한밤중에 아군들 진지 가까이로 발가벗고 조용히 침투하는 베트콩에게는 날벼락 같은 타격을 줄 수 있는 무기였다.

미군들이 먹는 씨레이션을 처음 보급받았을 때는 고향에서 먹던 음식과 본국에서 지급되던 음식과는 너무 차이가 나 눈만 껌벅거리기도 했다. 들어 있는 내용물도 많았고 맛도 각양각색이었다. 하지만 무게는 가볍고 가지고 다니기 편해서 인기가 좋았고, 심지어 본국으로 몰래 보내기도 했다. 가족들이 받는 파병 장병들의 봉급과 소포로 보내는 물건들이 본국의 가족들에게 얼마나 큰 도움이 되고 있는지 안용근과 전우들은 잘 알고 있었다. 이런 이유로 안용근과 전우들은 위험한 전투나 작전에 망설이지 않고 뛰어들었고, 대열의 선두에 서는 것도 망설이지 않았다. 미군으로부터 받은 든든한 방탄복도 무모한 행동을 하는 데 한몫을 했다. 안용근이 처음 월남 호이안 해변에 도착했을 때 미군이 그처럼 엄청난 장비와 무기들을 가지고 있으리라고는 상상도 하지 못했다. 막연하게 들은 것들만 겨우 생각하는 정도였다. 큰 나라, 전쟁에서 우리나라를 구해 준 나라, 배고플 때 먹던 밀가루를 나눠 준 나라, 하얀 피부와 검은 피부를 가진 사람들이 사는 나라, 그냥 좋은 나라 같은 이미지가 있었지만 실상 눈앞에서 보니 예상했던 것보다 더 엄청난 나라였다. 그런 나라에서 나눠 주는 장비들이니만큼 믿음도 더 갔고, 고향으로 보내는 돈까지 주니 고마운 나라라고 생각했다.

부대 주변이나 해변의 술집에서 만나는 미군들은 한국군 전우들에게 친절하게 대해 주었고, 가끔은 시원한 맥주를 사 주기도 했다.

좋은 친구라고 생각했다. 미군들은 키와 덩치가 커서 밀림 안에서는 한국군 전우들보다 움직일 때 힘들어했다. 그러나 그들이 무거운 기관총을 가볍게 들고 탄띠를 줄줄이 몸에 두르고 다니는 모습을 볼 때면 같은 편이라 다행스러웠다. 미군들이 지나간 월남 마을이나 베트콩의 은거지는 남아나는 것이 없었다. 살던 사람들은 다른 곳으로 이동시켰고 남아 있는 것들은 모두 불 질러 버렸다. 삶을 위한 바탕은 아무것도 남지 않게 하는 것이 미군의 전략이었다.

하지만 안용근과 한국군 전우들이 지나간 자리에는 크게 달라지는 것이 없었다. 조용히 접근해서 베트콩이 숨어 있을 만한 마을이나 땅굴 같은 은거지를 작전 전까지 며칠이고 상세하게 살펴본 후 위협이 되는 지점들만 골라 확실하게 제압해 나갔다. 베트콩들이 숨어 있는 땅굴은 맨몸에 권총과 수류탄을 가지고 들어가서 더 이상 사용할 수 없도록 철저하게 파괴했고, 숨어 있는 녀석들은 마지막 한 명까지 사살하거나 포로로 잡아냈다. 월남의 주민들에게 주는 피해는 최소화하는 것이 기본 원칙이었다. 체구가 작은 베트콩들이 들락거리던 수많은 땅굴은 한국군들에 의해서 하나하나 각개격파 되었다. 땅굴이 발견되면 들어가는 순서를 정한다고 잠시 시간이 걸렸지만, 일단 인원이 정해지기만 하면 여지없이 최고 깊숙한 근거지까지 철저하게 소탕했다.

이런 한국군 전우들의 작전을 보면서 월남 사람들, 베트콩, 심지어 미군들도 무서워했다. 미군들도 한국군 전우들이 같은 편인 것을 다행이라 생각했을 것이다. 대부분 전우들은 본국을 떠나올 때 어지간한 위험은 각오하고 출발했다. 전쟁의 아픔, 그리고 배고픔과 맞서야 했던 기억은 더 잃을 것이 없다는 식으로 튀어나왔다. 그래서 더욱 무서울 게 없었다. 저승길로 먼저 간 전우들 중에 스스로를 무서워할 줄 아는 감정이 있었다면, 살아남는 전우가 더 많았을 것이다. 전우들은 그런 감정도 제대로 가질 수 없는 환경에서 자란 사람들이 많았고, 그런 행동들은 용기라는 허울에 뒤집어씌워진 채 죽음으로 내달리게 하는 망상이 되었다.

"후우… 민 중사 수고했다. 근데, 안 병장 저거 살 수 있겠나?"

"네. 살 수야 있을 거 같지만, 다시 돌아오기는 글러 보입니다. 발목 위까지 아예 없습니다."

"이런 썅! 정보 쪽 새끼들은 뭐 하길래 베트콩 저 새끼들이 기다리는 것도 안 알려 줘! 우리가 무슨 총알받이야 뭐야? 우리 팔다리 하나에 정보 한 줄씩 얻으려고 하는 거야?"

"소대장님. 그나마 다행입니다. 우리 애들 하나도 안 죽고 빨리 빠져나와서 다른 애들은 무사하지 않습니까? 힘내십시오."

"후우! 씨발. 이래 가지고 언제 집에 가겠어? 몇 명을 더 병신 만들고, 몇 명이 더 죽어 나가야 되는 거야?"

"정보 쪽 애들도 주둔지에서 얼마 안 떨어진 곳이라 방심을 한 모양입니다. 거기서 뭔 탈이 난 적이 없어서 그런 걸 겁니다."

"아무리 그래도 그렇지. 베트콩 새끼들이 부비트랩 깔고 기다리고 있을 정도면 뭔가 얘기를 해 줬어야지. 이건 장님처럼 해가 지고 그 새끼들 아가리 앞으로 간 거잖아."

"안용근이 저거 얼마 안 있으면 본국행인데 참! 저놈 저거 정말 불쌍하게 됐습니다."

"아. 아. 내가 앞장섰어야 했는데. 내가."

"소대장님. 안 병장이 평소에 다른 작전 때도 선두에 서는 걸 좋아했습니다. 지 말대로라면 베트콩 새끼들은 제일 앞은 안 쏜답니다. 그 뒤에 있는 애들을 제일 먼저 노린답니다."

"더러운 새끼들."

"원래 저놈들이 한 사람만 노리고 뭘 하지는 않잖습니까!"

"그렇긴 하지. 정말 더러운 놈들이야. 이건 뭐 제네바 협정이고 뭐고 다 없고 사람 힘들게 죽이는 방법만 연구하는 놈들 같아."

"요즘 들어 특히나 발목이나 신체 중에 움직이기 힘든 부위만 골라서 노리는 부비트랩을 많이 만들어 놓는 거 같습니다. 옆에 있는 애들까지 제대로 못 움직이게 하는 것들 말입니다."

"하여튼 빨갱이 족속들은 다 씨를 말려 버려야 해. 저것들은 대가리 속이 전부 사람 죽이는 것만 연구하는 족속들이야. 우리가 여기 안 왔으면 저 베트콩 빨갱이 새끼들이 벌써 월남 다 잡아먹고 눈에 띄는 대로 사람들 도륙했을 거야."

"후우우. 그러게 말입니다."

"개새끼들. 다음 작전 나가면 아예 씨를 다 말려 버릴 거야. 싹도 못 나오게 다 쓸어버릴 거라구."

"소대장님. 휴우!"

"흑흑. 불쌍한 놈들. 안용근이나 우리 애들 거의 다 말이야. 여기가 어딘 줄 알고 왔겠어? 가라니까 그냥 돈 몇 푼 번다고. 응. 아니면 그냥 빨갱이 잡는다니까 그냥 온 거 아냐? 흑흑. 불쌍한 놈들. 산목숨

들고 생지옥으로 온 줄도 모르고. 흑흑."

"소대장님. 흑흑."

베트콩들의 땅굴은 거미줄처럼 얽혀 있어 어느 한쪽 입구만 틀어막는다고 해서 끝나는 것이 아니었다. 여러 개의 입구를 가지고 마을여기저기에서 튀어나오고 사라졌다. 그들이 설치해 놓은 부비트랩은사람의 신체 전부를 공격하기보다는 발목 등을 노려 인접해 있는 다른 사람들까지 제대로 이동하거나 전투하지 못하게 했다. 전우들의몸은 매일매일 조금씩 찢기고 파이고 뜯겨 나갔다. 이런 악랄한 전술에 전우들은 조금씩 이성을 잃어 갔고 받은 만큼 갚아 줘야 한다는 생각이 의무감처럼 자리 잡았다. 베트콩이 있을 만한 마을이나 근거지는 적당히 처리하지 않았다. 재생 불능 수준으로 근거부터 확실히 잘라 없앤다는 표현이 정확했다. 살아 있는 적들은 잡히거나 죽임을 당하는 것 중에 하나를 선택해야 하는 칼날 위에 서 있었다. 전투 중에베트콩 부상병이 필요하다고 생각하는 전우는 거의 없었다. 정보병과 전우들은 살아 있는 베트콩들이 필요했지만, 다른 대부분의 전투병들은 더 많은 베트콩을 죽일 수 있는 정보만 필요했다.

"후두둑. 후두둑. 두두두둑. 두두둑."

"야. 잠시 나와 봐. 저거 맞아야지."

"아. 이놈의 벌레들. 이젠 좀 덜하겠네."

"미군 애들이 역시 약을 잘 만들어. 하하하."

"그렇지. 우리 고생한다고 하늘에서도 저렇게 약을 뿌려 주니. 참 대단한 나라야. 하하하."

"야야. 너무 많이 맞으면 나중에 더 찝찝해. 대충 맞고 들어가."

"그래. 오늘 밤에는 벌레가 덜 물겠네.

"근데 이거 냄새는 별루야. 하하하."

"이봐. 몸에 좋은 약이 입에는 쓴 거야. 냄새가 안 좋으니까 벌레들이 도망가겠지. 뭐."

"하하. 그렇겠지."

세월이 한참 흐른 후에 알았다. 하늘에서 뿌려지던 하얀 비가 전우들 자신뿐만 아니라 자식들까지 대대로 고통받게 하는 고엽제라는 독약이었다는 것을. 그렇게 기승이던 벌레들을 없애는 고마운 살충제를 하늘에서 뿌려 주니 웃통을 벗어젖히고 참호 밖으로 나가서 맞기까지 했다. 그 독약을 맞으면서 한국군은 가장 위험한 곳에 제일 먼저 뛰어 들어갔고, 최악의 상황에서 가장 긴 시간을 버텼고, 전우들의 시체와 팔다리를 들고 맨 뒤에서 빠져나왔다.

한국군은 지구상에서 가장 용감하다는 말과 언제 어디서라도 승리를 쟁취한다는 그 사람들의 목소리와 문구들은 전우들을 사지로 끌고 들어가는 무서운 선동이었다. 항상 자유와 평화를 위하여 자랑스럽게 최전선에서 빨갱이들을 무찌르고 우방을 지키라고 외치던 정부의 그 잘난 관리들은 전우의 팔다리와 목숨값을 산업 발전의 밑거름이라는 명분으로 남김없이 뜯어 갔다.

베트남 국민들은 한국군을 우러러보고 존경한다는 연예인들의 위문공연이 한창일 때, 보이진 않는 밀림의 작전 지역에서는 온 마을의 흔적을 지워 버리는 작전이 진행되고 있었다.

시간이 조금 아주 조금 지난 시점에, 그러니까 안용근이 병원에서 정신을 차리고 아주 조금 시간이 지났을 때 생각했다. 차라리 자신이 그때 죽어 버렸더라면 좋았을 것이라고, 부비트랩에 걸렸을 때 정신만 차리고 있었다면 베트콩이 있었던 지점으로 총이라도 실컷 쏘고 죽어 버렸으면 좋았으리라 생각했다.

그러면 미래에 대한 고통도, 가족에 대한 미안함도 없을 텐데. 눈앞에 뭔가가 보이기 시작했을 때, 안용근은 아버지의 손길이 기억났고 어머니의 품이 그리웠다. 어릴 때 항상 붙어 있던 어머니의 품이 그리웠다. 형의 웃는 모습이 다시 보고 싶어졌고, 기다리는 동생들을 돌봐야 한다는 생각에 고통은 배가 되어 돌아왔다.

안용근의 몸은 혼자만의 몸이 아니었고 안용근의 삶은 혼자 행복하기 위한 삶이 아니었다. 기다리는 가족들은 안용근 인생의 목표였고 신체의 일부였다. 죽어 버렸어야 한다는 생각이 제일 먼저였지만, 잘려 나간 발목의 고통이 심해질 때마다 살아서 돌아가야 한다는 의지는 가슴 가장 깊숙한 곳으로부터 아주 조금씩 무게를 더하면서 무섭게 튀어나왔다. 헐렁해진 한쪽 바짓가랑이를 보면 캄캄했던 작전 지역에 대한 기억이 되살아났고, 살아났다는 생각도 동시에 일었다. 살고 싶다고 외치던 그 시간도 잊히지 않았다.

전우들은 모두가 좋은 사람들이었다. 바로 옆에서 친구가 죽어 가고, 팔다리가 잘려 나가도, 자신을 희생해서 전우들을 구하려고 했던 장면들을 안용근은 기억하고 있었다. 아무것도 보이지 않는 밀림의 참호 안에서 살아남기 위해서 서로를 격려한 전우들이었다. 끈적한

땀 냄새를 풍기면서 다가오는 벌거벗은 베트콩들을 막아 내면서도 자신의 목숨처럼 전우들의 안위를 챙긴 사람들이었다. 살아남기 위해서 그렇게 발버둥 치고, 무서운 날들을 함께 이겨 냈다. 하지만 안용근에게 다가오는 날들은 소 잔등 하나를 넘고 넘는 여름날의 계곡 소나기였다. 삶은 한순간에 바뀌었고 또 한순간에 다르게 이어져 갔다.

2. 입 하나를 줄이다

마을에서 학교에 다니는 아이들은 대부분이 남자아이들이었다. 여자아이들은 살림이나 배우다 나이가 차면 시집을 보내는 것이 당연한 일로 받아들였다. 하지만 안용근의 집은 분위기가 달랐다. 국민학교에 다니는 형과 안용근이 제대로 된 학용품을 갖기도 어려운 형편이었지만, 부모님은 동생들까지 학교에 보냈다. 끼니를 걱정해야 하는 어려운 나날이지만, 부모님은 필사적으로 아이들을 학교에 보냈다. 공부를 잘하라고는 하지 않았다. 그냥 학교에 다니기를 바랐고, 학교에서 하나라도 보고 듣고 오기를 원했다.

학교 가는 길은 산길로 이어져 고개도 넘고 냇가도 건너야 하는 힘든 길이었다. 안용근과 형제들은 학교에 다니는 것 자체가 즐거워 힘든 줄 몰랐다. 학교에 가면 친구들도 많았다. 널찍한 운동장이 있어 차고 놀 공도 있었다. 학교는 즐거운 곳이었다. 그렇지만 학교에서 맞는 점심시간은 달랐다. 몇몇 다른 아이들과 안용근의 형제들은 점심시간에 학교 우물이나 수도꼭지에 매달려 고픈 배를 채울 때가 많았다. 도시락은 생각해 볼 수가 없었다. 새벽에 일찍 아침을 먹고 나온 뱃속은 수업이 시작되기 전에 이미 아무것도 남아 있지 않았다. 곧이어 빈 뱃속에서는 끊이지 않고 밥 달라는 소리가 나왔다. 수업이 끝나고 집으로 돌아오는 길에, 진달래, 머루, 다래, 마, 산딸기, 칡, 소나무껍데기 같은 것들로 배를 채웠다. 집에서 먹는 밥은 아주 잘 먹어야 보리알 몇 개가 붙어 있는 것이 전부였다. 퉁퉁 불은 보리알은 쌀과는 사이가 좋지 않은지 밥그릇 안을 온통 휘젓고 다녔다. 쌀 한 톨 먹어 볼 욕심으로 숟가락을 쑤욱 넣어 보면 큼지막한 보리알 하나가 숟가락 한가운데에 자리를 틀고 앉아 있었다.

하얀 쌀밥을 먹는 날은 없었다. 어린 안용근은 하얀 쌀밥을 원 없이 먹고 배가 터져 죽어도 좋겠다고 생각했다. 보리 추수가 끝난 후 풍구에 쭉정이를 날렸다. 제일 가까이에 내려앉은 작은 낟알들과 그나마 부드럽게 남아 있는 보릿겨를 한데 넣어 삶았다. 귀한 꿀이나 조청을 한두 숟가락 풀어서 만든 보리개떡은 거칠기는 했지만, 세상에 태어나 제일 처음으로 맛보는 달콤한 간식이었다. 입안에 살짝 들러붙는 기분이 떡 같이 느껴져 좋았다. 달콤함이 피어나는 맛은 이제껏 느껴 보지 못한 행복한 맛이었다.

봄이면 지천으로 널려 있는 부드러운 쑥을 캐 오면 쑥털털이를 만들었다. 안용근의 아버지는 담 높은 집에서 나눠 준 밀가루를 받아 왔다. 쑥과 밀가루를 한데 버무려 넣고 쪄내는 쑥털털이는 보리개떡과는 또 다른 맛이었다. 입안에서 거친 기운을 느낄 필요도 없고, 소금이나 조청에 찍어 먹으면 각각 다른 맛을 볼 수 있었다. 한동안은 밥 생각이 나지 않을 정도로 맛있었다. 밀가루가 조금 여유 있을 때는 수제비가 밥상에 올랐다. 멸치 몇 마리를 삶아 낸 국물에 밀가루 반죽을 떼서 만든 수제비를 넣고 소금 간을 했다. 파와 무, 그리고 호박을 썰어 넣고 만든 수제비는 가족들이 둘러앉아 먹는 또 다른 잔칫상이었다. 수제비 먹는 날, 어머니는 작은 종지에 간장을 준비해서 밥상 아래에 두었다. 간간하게 만든 수제비는 다시 간을 맞출 필요가 없었지만, 가족들은 버릇처럼 간장을 조금씩 더 넣어서 먹었다.

　모든 음식은 어머니의 손에서 나오기 때문에 안용근과 가족들은 어머니의 손과 목소리를 기다렸다. 어머니의 손이 움직이면 언제나 먹어도 세상에서 제일 맛있는 음식이 만들어졌고 어머니가 부르는 목소리는 배를 채우는 소리였다. 황토에 짚을 썰어 넣어 만든 부뚜막 위에 얹혀 있는 가마솥은 집안의 가장 중요한 재산 중 하나였다. 어머니는 하루도 빠짐없이 가마솥과 부뚜막을 짚으로 만든 행주로 닦아 내었고, 그래서인지 항상 윤기가 흘렀다. 기름칠을 한 것처럼 깨끗하고 윤이 났다. 큰 가마솥에 넣을 수 있는 것은 별로 없었지만, 솥뚜껑 사이로 김이 새어 나올 때의 구수한 냄새는 가족들이 항상 기다리는 냄새였다. 그 냄새로부터 시작되는 가족들의 밥상은 거친 밥과 험한 반찬일지라도 행복한 밥상이었다. 넉넉지 않은 살림으로 가족들을 먹여 살려야 했던 부모님은 항상 쌀과 보리, 밀가루 대신 나물이나 푸성귀들을 넣어 가마솥을 채워야 했다. 겨울에는 그것마저도 귀했다.

　“학교에서 친구들하고 재미있게 잘 놀았어?”
　“네. 노래도 부르고 책도 읽고. 신작로에서 자동차도 봤어요.”
　“선생님께 인사도 잘하고?”
　“네. 학교 마치고 올 때도 인사하고 왔어요.”
　“책에 신기한 게 많지?”

"네. 비행기는 하늘을 날아다닌대요. 바다에는 큰 우리 집보다 더 큰 배가 떠다닌대요."

"그래? 언젠가 한 번 볼 수 있으면 좋겠네! 하하하."

"제가 어른이 되면 보러 갈 거예요. 하하하."

형이 중학교에 들어가자, 안용근도 형과 함께 집에서 제법 거리가 있는 면소의 중학교에 다닐 수 있으리라 생각했다. 하지만, 그해에 너무나 혹독한 가뭄과 이어진 흉년으로 안용근은 중학교에 갈 기회가 사라졌다. 가 본 적도 없는 먼 남쪽의 산과 큰 섬에는 아직도 남아 있는 빨갱이들과 군인들의 전투가 겨우 끝을 보고 있었지만, 애먼 사람들이 엄청나게 죽어 나갔다. 서울에서도 쌀값이 너무 올라 사람들이 먹고살기가 힘든 상황이라는 소문도 돌았다. 전쟁이 끝나도 세상은 여전히 어지러웠다. 세상이 어지럽고 먹고사는 것 자체가 이렇게 힘에 부치다 보니 안용근의 부모님은 결정해야 했다. 우선은 먹고사는 것부터 해결해야 했다. 어디서 나오는 게 없으니 먹는 입을 하나라도 줄여야 했다. 오래 생각할 수는 없었다. 담 높은 집에 더 이상 기댈 수도 없었다.

안용근의 부모님은 너무나도 힘든 결정을 해야 했다. 이제 더 이상 공부는 문제가 아니었다. 다 같이 굶어 죽지 않으려면 뭔가 수를 내야 했다. 가족을 함께 살려 내야 했던 아버지는 이곳저곳에 소식을 넣어 아이들이 살 수 있는 방법을 찾아 나섰다. 선택할 수 있는 것은 별로 없었다. 안용근을 양자로 보내는 것이 아버지의 결정이었다. 가족 모두가 울었고 결정을 한 아버지는 더 많이 울었다. 말이 양자로 가는 것이지, 실상은 남의 집 머슴으로 가는 것이나 다름이 없었다. 먹여 주고, 재워 주고, 입혀 준다는 약속 하나만 믿고 걸어서 한나절이나 가야 하는 마을로 보냈다. 아버지는 안용근의 손을 꼭 잡고 걷는 내내 울었다. 안용근은 처음 가 보는 먼 길에 겁이 났지만, 자신이 가면 가족들은 조금이라도 사는 게 수월해지리라 믿고는 울음을 그쳤다. 안용근이 울음을 그치자, 아버지는 더 크게 울었다. 세상과 자신의 운명이 저주스러웠다. 한순간이라도 떼어 놓을 수 없는 것이 자식이었다. 얼굴에는 눈물이 흘렀지만, 아버지의 가슴에는 피눈물이 흘렀다. 형은 장남이니 집안에 머물러야 했고, 동생들은 여자아이들이고 어리다 보니 다른 집으로 보낼 수 없었다. 줄일 수 있는 입은 안용근뿐이었다. 어린 안용근도 잘 알고 있었다. 형은 부모님과 동생들을 보살펴야 하고 공부도 계속해야 하니 자신이 가는 것이 당연하다고 생각했다. 살아 있는 입 하나와 밥상에 올라가는 숟가락 한 개가 얼마나 무서운지 부모님은 잘 알고 있었다. 우선은 살아남아야 했기에 부모님의 결정은 어쩔 수가 없는 것이었다.

"용근아. 아버지가 미안하다."

"아버지. 저 괜찮아요. 그 집에 가면 맛있는 것도 주고 공부도 시켜 준다고 했다면서요. 걱정하지 마세요. 저 괜찮아요."

"용근아. 가기 싫으면 지금이라도 말해도 된다. 아버지는 괜찮으니까."

"힘들면 집으로 보내 달라고 할게요. 그리고 저, 집으로 오는 길도 알아요. 하하하."

"용근아. 아버지가 미안하다."

"저 괜찮아요. 근데, 아버지."

"그래. 용근아. 왜?"

"저 여기 두고 가서 잊으면 안 돼요. 네?"

"용근아. 흐흐흑. 용근아. 흑흑. 흑흑. 아버지가 죄인이다. 죄인. 으흐흐 흑."

"아버지이."

안용근이 양자로 간 집의 형편도 그다지 좋지는 않았다. 하지만 아이가 없던 집에 밝은 얼굴의 아이 하나가 들어오니 집안에는 생기가 돌았다. 안용근은 그 집 부모를 큰아버지, 큰어머니라 불렀다. 들일을 하거나 산에 나무를 하러 갈 때도 안용근은 양부모를 따라다녔다. 주변에서 생글생글 웃으며 어디서든 말벗이 되어 주니, 양부모는 이내 안용근과 오랜 시간 함께 있었던 것처럼 느끼게 되었다. 강아지가 꼬리를 흔들며 따라다녀도 귀여운 법인데, 하물며 얼굴이 밝은 아이가 따라다니면서 웃어 주니 마음이 움직일 수밖에 없었다. 들일 하는 양아버지에게는 친구가 되어 주었고, 집안일을 하는 양어머니에게는 손이 되어 주었다. 하루 일을 마치고 집 안에 들어서는 양부모님이 어디선가 구해다 준 책을 큰 소리로 읽었고, 재미있는 부분이라면서 가끔 두어 번씩 읽어 드리기도 했다. 눈치가 있는 안용근은 양부모의 앞에서 가족들이 보고 싶다는 내색을 하지 않았다. 하지만 양부모는 알고 있었다. 어린 안용근이 가족을 얼마나 보고 싶어 하는지, 아무런 내색을 하지 않는 것만 보아도 알 수 있었다. 어린아이의 마음이 기특

하고 불쌍하기도 했지만, 이제 집안으로 들였으니, 자신들의 자식이라 생각하며 키우는 것이 자신들의 도리라고 스스로 위로했다.

자식이 없다 보니 양부모의 집은 그래도 먹고사는 것을 걱정할 필요는 없었다. 손재주가 남달리 좋아 양아버지는 대나무와 나무를 이용해 물건을 만들어 팔았고, 양어머니도 베를 짜면서 양아버지의 일을 도왔다. 이렇게 해서 만든 물건들은 매 오일장에 내다 팔아 돈을 만들었고, 그 돈은 곧바로 양식이나 귀한 물건으로 바뀌어서 집으로 돌아왔다. 오일장에는 세 가족이 자주 나갔다. 물건을 하나라도 더 가지고 가야 하는 이유도 있었지만, 부모와 자식이 함께 장날 구경을 하는 것을 양부모는 가슴에 그리고 있었다. 그래서 안용근을 데리고 장날에 나갔다. 눈치가 빠른 안용근은 양부모와 함께 장날에 나가서는 '큰' 자를 빼고 양부모를 불렀다. 이 집에 아이가 없다는 것을 주변 사람들이 다 알고 있었다. 이런 안용근의 모습에 양부모는 점차로 양아들이라는 생각도 잊어가게 되었다.

흉년의 고통이 조금씩 줄어들고 들어오는 돈이 제법 생기자, 양부모는 약속대로 안용근을 학교에 보내 주었다. 남들보다 더 좋은 옷에 더 좋은 책과 가방을 사 주지는 못했지만, 들로 나가 일하는 시간을 줄여 학교에 보냈다. 학교에서 돌아온 안용근이 읽어 주는 이야기를 듣는 재미는 양부모가 힘겹게 하는 일의 피곤함을 날려 주었다. 사실, 양부모는 살면서 이런 날이 오리라고는 생각도 못 했다. 달랑 부부 둘이 늘 할 수 있는 일은 얼굴만 멀뚱멀뚱 보는 것이 전부였다. 하지만 안용근이 들어온 첫날부터 사람이 제대로 사는 것처럼 집안에 생기가 돌았다.

양부모는 행복했다. 중학교에 입학한 안용근에게 가방은 없었다. 학교에 가방을 메고 가는 아이들이 거의 없었기 때문에 양부모도 가방을 사 줄 생각은 하지 못했다. 가방 대신 보자기를 넓게 펴고 제일 안쪽에 공책과 책을 순서대로 놓고 그 위에 도시락을 얹었다. 필통이라고 해 봐야 들어 있는 것은 연필 두어 자루에 자동차 타이어에서 뜯겨 나온 고무지우개가 전부였다. 이 필통까지 가지런히 놓고 돌돌 말아 어깨에서 허리까지 대각선으로 묶어 주면 훌륭한 가방이 되었다. 집으로 돌아올 때 빈 도시락에서 달그락거리는 숟가락 소리가 아이들 발걸음과 장단을 맞추었다. 여자아이들은 같은 방법으로 책보자기를 쌌지만, 어깨가 아닌 허리에 두르고 다녔다. 책보라고 불렀다. 학교에 가면 가방을 가지고 다니는 친구를 볼 수 있었지만 그다지 부러워하진 않았다. 안용근에게는 학교에 다닐 수 있다는 것만 해도 충분히 고마운 일이었다.

"용근아. 오늘 학교에서 잘 놀았니? 공부도 열심히 했고?"

"네. 큰아버지."

"우리 용근이 배고프겠다. 저녁 먹을 테니까 얼른 가서 헛간에 닭 좀 보고 오너라."

"네. 큰어머니."

"큰어머니. 달걀이 네 개나 있어요. 하하하."

"그래? 우리 용근이가 가면 닭들이 알을 더 낳는 거 같아. 아버지가 가면 늘 두 개만 있는데 말이야. 하하하."

"그건 당신하고 용근이가 한 개씩 생달걀을 마셔 버리니까 그렇

74

죠. 하하하."

"아 이 사람아. 부자간에 달걀 한 개도 못 먹나? 으하하하."

"둘이 사이가 그리 좋으니 이제 달걀 구경하긴 힘들어지겠네요. 호호호."

"많이 먹어라. 우리 용근이."

"우리 용근이 키가 이제 엄마만큼 컸네! 호호호"

"네. 잘 먹겠습니다. 하하하."

양아버지는 어린 안용근에게 자신이 가진 손재주로 물건 만드는 기술을 시간이 날 때마다 가르쳐 주었다. 큰 기술이라고는 생각하지 않았지만, 주변 사람들은 양아버지의 손기술을 잘 알고 있었고 부러워했다. 양아버지가 가르쳐 주는 손기술에 어린 안용근은 감사했고 열심히 배웠다. 그것 또한 양아버지의 즐거움이었다. 설대와 대나무로 키, 조리, 바구니 등을 만들었고 가끔은 양어머니를 위해 대빗도 정성껏 만들었다. 매일 사용하는 것 중에서 양아버지가 제일 잘 만드는 것은 나무바가지였다. 굵은 나무를 잘라 틈이 벌어지지 않도록 물에 담가서 잘 손질한 다음, 끌과 작도를 가지고 만든 나무바가지는 물을 뜨고 소죽을 퍼 나르는데 아주 좋았다. 가을에는 잘 익은 박을 골라서 안을 파내 나물로 먹고, 껍질은 잘 삶아서 겉을 긁어내 바가지를 만들었다. 박 바가지는 가벼워서 부엌일을 하는 데 최고였다. 군인들이 버리고 간 철모 안에서 빼낸 내피는 중앙을 열십자로 만든 손잡이를 달고 못을 박아 줄을 달면 두레박이 되었다. 물이 흘러넘치지 않고 손잡이로 쓸 수 있도록 적당한 크기의 열십자 나무를 만들어 다는 것이 기술이었다. 양아버지의 손에 닿은 물건은 쉽게 버려지지 않았고 항상 새롭게 쓸모 있는 도구로 다시 만들어졌다.

양아버지는 여름이 오기 전에 논일과 밭일을 빨리 끝내고 대 부채를 만드는 일을 시작했다. 나이 든 노란 대를 골라서 잘 말리고 자른 후에 가늘고 얇게 쪼개어 부챗살을 만들었다. 마을 담벼락 그늘진 곳이나 마루에 널어놓았다. 양이 많아 집 안에 다 말리지 못하는 것은 마을 안에 있는 나무 그늘 이곳저곳에 뿌려 놓았다. 마을 사람들도 일을 거들었고, 아이들도 이런 부채 재료들을 발로 차거나 함부로 대하는 행동을 하지 않았다. 갑작스럽게 비라도 내리면 너나 할 것 없이 집 안으로 부챗살을 옮겼다. 대 부채를 만드는 일은 마을 사람들 전부의 부수입이 되었기 때문이었다. 양아버지는 마을 사람들의 생계를 도와주는 훌륭하고 고마운 사람이었다. 적당히 마른 살대에 조금 넓은 대를 세우고 기름칠을 한 종이를 정성스럽게 붙이면 부채는 외형이 만들어졌다. 종이에는 솜씨 있는 사람들이 그림을 그려 넣기도 하고 글자를 써넣기도 했다. 어떤 때는 다 만든 부채를 다른 마을로 보내 유명한 사람들의 그림이나 글자를 써넣기도 했다. 가끔 안용근은 양아버지를 따라 그 길을 함께 다녀왔다. 양아버지는 양아들과 함께 가면서 나누는 이야기들이 재미있었고, 양아들은 양아버지와 함께 돌아오는 길에 먹는 국밥과 가끔 사 입는 작은 옷가지들에 행복해했다. 힘든 길이었지만 힘이 들지 않았고, 제법 먼 길이었지만 멀다고 느껴지지도 않았다. 고갯마루를 넘어설 때 불어주는 바람도 좋았고 옆에 있는 사람들도 깊은 행복이었다. 양아들과 양아버지라는 거리는 이미 없어진 지 오래되었고 둘 사이는 그저 행복한 부자지간이었다.

"용근아아."

"예에. 큰아버지."

"이번에 이 부채 다 팔고 나면 우리 용근이 신발을 한 켤레 사 줄까? 옷을 한 벌 사 줄까?"

"저는 괜찮아요. 학교도 다니고 있고 큰어머니도 맛있는 거 많이 해 주셔서 별로 필요한 게 없어요. 하하하."

"어허. 우리 용근이가 다 컸구나. 그래도 갖고 싶은 거 있으면 말해 봐라. 이번에 다녀올 장에서 네 어머니 것하고 네 것은 좋은 것으로 두어 개 장만해 오자."

"예. 큰아버지. 필요한 게 생각나면 말씀드릴게요. 고맙습니다."

"그래. 다른 것도 필요한 게 있으면 생각해 둬라. 같이 갔다가 보이면 가지고 오자꾸나. 하하하."

"네. 근데, 너무 돈을 많이 쓰시면 안 되잖아요."

"괜찮다. 돈은 쓸 데 써야 하는 법이다. 괜히 아껴봐야 돈이 짐이 될 때가 있거든. 그러니까 써야 할 곳이 생기면 잘 쓰면 되는 거야."

"아아. 알겠습니다. 큰아버지. 하하하."

"하하하. 우리 용근이가 더 크면 이 아버지 얘기를 잘 알아들을 수 있을 거다. 그때까지 내가 건강하게 잘 살아야 할 텐데. 하하하."

안용근의 양부모는 배움이 짧아서인지 천성이 착해서인지 욕심도 없고 착한 분들이었다. 철마다 장에 내다 팔 물건들을 만드는 양아버지의 손재주는 단연 최고였다. 좋은 기술은 사람들이 나눠 가져야 한다면서 마을 사람들에게 친절하게 가르쳐 주었고, 그 집 아들이 된 안용근도 인사를 잘하고 밝은 얼굴이라 마을 사람들의 귀여움을 받았다. 그 누구도 안용근이 양아들이라고 수군대지 않았고, 비슷한 또래의 아이들도 놀리는 법이 없었다. 안용근과 양아버지가 함께 산에 나무를 하러 가는 길에 마을 사람들과 마주치면, 자기네 아이들은 산에 따라오지도 않는다며 오히려 부러워했고 밭일을 마치고 오는 양어머니의 옆에는 별일 없으면 거의 늘 안용근이 붙어 있었다. 여름과 겨울, 농사일이 한가할 즈음에 약간의 돈이라도 만질 수 있도록 작은 일감을 내어주는 안용근의 양아버지에게 마을 사람들은 진심으로 고마운 마음을 가졌다. 일을 하거나 장에 갈 때 찰싹 붙어 다니는 착한 모습의 안용근에게 칭찬을 아끼지 않았다.

사고팔 거리가 딱히 없어도 양아버지는 장날에 가끔 나가곤 했다. 먼 세상의 사람들 사는 이야기도 듣고 친구들도 만날 수 있기 때문이다. 장날 구경을 갔다 오는 길에 가끔 돼지 껍데기 한 뭉텅이를 사 오기도 했다. 평소에 살코기를 사 먹을 만큼의 여유가 없기 때문이다. 기름기 꽉 들어찬 비계는 음식을 만드는 데 넣었고, 나머지 껍데기는 세 식구가 아궁이 앞에 둘러앉아 왕소금을 치고 더덕, 송이버섯을 왕대나무 속에 함께 넣어서 구워 먹었다. 도라지, 더덕, 송이버섯, 죽순 등은 양아버지가 마음만 먹으면 얼마든지 구할 수 있는 것들이었다. 양어머니는 김치 한 조각 썰어 와서, 장날에 있었던 이야기도 하고 안용근이 학교에서 배운 것도 즐겁게 이야기했다. 세 식구는 밤이 깊어가고 아궁이의 숯불이 다 타들어 갈 때까지 웃음으로 가득 찬 이야기꽃을 피웠다.

양아버지가 혼자 장날에 갈 때는 혹여나 하는 마음으로 안용근의 친가에 관한 이야기를 듣고 싶어 했다. 안용근이 평소 친가에 대한 소식을 전혀 묻지 않았기 때문에 더더욱 신경이 쓰였고, 마음이 아팠다. 안용근의 양아버지는 원래부터 다른 사람에 대한 배려심이 많았고 양아들에 대해서도 깊은 정을 가지고 있었다. 내색하지 않는 아이의 마음을 모를 리 없었지만, 이제는 내 자식이려니 하는 마음에 선뜻 안용근의 속내를 묻지도 못했다. 이런 양아버지의 마음을 잘 알고 있는 안용근은 절대로 친가의 소식을 묻지 않았다. 안용근은 마음이 깊은 아이였다.

"용근아. 한번 다녀올래?"

"네? 어딜요?"

"형하고 동생들 사는 동네 말이야."

"……"

"괜찮다. 어머니랑은 얘기했다. 가고 싶으면 한번 다녀오자."

"큰아버지. 저는 괜찮아요. 보고 싶기는 하지만, 다들 잘 지내고 있을 거예요."

"으음. 그래. 알았다. 한번 가고 싶으면 언제라도 얘기해라. 같이 다녀 오면 되니까."

"네. 큰아버지. 고맙습니다."

"아니다. 아니야. 혹여나 우리 눈치 본다고 참지 말아라."

"정말 괜찮아요. 큰아버지."

"허허. 그래. 우리 용근이가 이 애비보다 마음이 낫구나. 허허."

안용근이 양자로 가고 난 이후 친가의 가족은 힘든 시간을 보내고 있었다. 마을 사람 모두가 흉년에 죽을 고생을 하고 있었다. 산으로 들로 먹을 수 있는 모든 것들을 구하러 다녔다. 거친 산나물과 소나무 껍질까지 벗겨 먹으면서 연명하고 있었다. 담 높은 집에서 곳간을 열고, 나라에서는 미국에서 오는 원조 밀가루를 마을 사람들에게 풀면서 그나마 조금씩 나아지기는 했지만, 한 집의 노력으로 마을 전체가 허기에서 벗어나기는 어려운 일이었다.

안용근의 친가가 있는 마을 사람들 대부분은 천성이 순박했다. 어릴 때부터 서로 돕고 사는 것이 삶의 원칙처럼 몸에 배어 있었다. 제법 오랜 시간이 지나서야 겨우 흉년의 구렁에서 벗어나 차츰 제자리를 찾아갈 수 있었다. 안용근의 친아버지 역시 많이 배우지는 못했지만, 사람이 살아가는 데 가장 근본이 되는 미덕을 생활에서 배운 사람이었다. 사람이 살면서 좋지 않은 일이 생기는 것은 항상 욕심 때문이라고 평소에 아이들에게 이야기해 주었다. 남아도는 것보다 조금 모자란 듯 사는 것이 좋으니 항상 다른 사람들과 나누며 살라고도 했다. 안용근의 어머니는 아이들에게 그다지 많은 말을 하는 분이 아니었다. 남편이 아이들에게 이야기할 때면, 조용히 남편의 얼굴을 바라보면서 고개를 끄덕이고 몇 마디만 거들 뿐이었다. 안용근과 형제들은 이런 부모님의 이야기를 항상 마음에 새겼다. 친구들과 사이좋게 지내는 가장 큰 이유도 어지간한 일에 대해서는 양보했기 때문이었다.

안용근이 양자로 가기 전의 일이었다. 담 높은 집만큼 잘 살진 못했지만, 이 마을에 제법 그럴싸한 대문을 가지고 사는 집이 있었다. 기와로 지붕을 얹었고 사랑채도 따로 두 칸 넓이로 있었다. 그 집도 크게 넉넉하지는 않았지만, 자식들을 전부 외지로 보낸 집이었다. 그런데, 웬일인지 외지로 나간 그 집은 아이들이 집으로 돌아올 때면 낯빛이 어둡고 하는 일도 잘되는 것 같지 않았다. 그런 이유로 그 집에서 무당을 불러 굿판을 벌이고, 마을 사람들을 불러 음식을 대접하는 일이 있었다. 가끔이지만 무당이 마을에 들어와서 울긋불긋한 옷을 입고 북과 장구, 징, 꽹과리 등을 치면서 춤을 추고 노래를 부르는 것을 아이들도 본 적이 있었다. 그러다가 갑자기 옛날 돈을 던지기도 하고 그 귀한 쌀을 뿌리기도 했다. 그 집 어머니는 뭘 그렇게 잘못했는지, 아침부터 시작한 굿판이 끝이 날 때까지 빌고 또 빌었다. 중간중간 무당에게 욕도 실컷 들었다. 안용근은 이런 모습을 보면, 이해가 되지 않았다. 다만, 굿판이 끝나고 난 후에 나눠 주는 음식에만 관심이 있었다. 한 번은 시끌벅적하게 한바탕 마을 전체를 시끄럽게 하던 굿판이 끝나고 사람들이 모두 돌아갔을 때, 마을 아이들이 안용근을 불러냈다. 마을 아이들은 안용근을 그날 무당이 굿을 했던 바로 그 집 뒤편에 있는 감나무 아래로 데리고 갔다. 감나무는 아이들의 한 아름보다 훨씬 더 큰 나무였다. 안용근이 아이들의 손에 이끌려 감나무 아래로 가 보니, 한 되 남짓한 쌀을 종이 위에 부어 놓고 그 위에 마른 명태 한 마리가 몸에 색색깔의 실을 감고 올라가서 자리를 잡고 누워 있었다. 그 옆에는 과자와 고기, 그리고 동전과 지전이 올려져 있었다. 그 귀한 것들이 왜 거기 있는지 안용근은 몰랐다. 마을 아이들은 무당과 대문이 있는 집 사람들이 그곳에 그것들을 올려놓고 간 것을 알고 있었다. 굿을 하고 난 뒤의 물건이라 아이들은 손대는 것에 겁을 먹고 있었다. 하지만 안용근의 생각은 달랐다. 굿판에 사용한 것들이니 깨끗할 것이고, 이미 무당이 신님들한테 바친 것들이니 이제는 누가 가져도 아무 문제가 되지 않으리라 생각했다. 안용근은 집으로 뛰어가 보자기를 들고 가서, 음식과 돈들을 모두 쓸어 담아 집으로 가지고 갔다. 돈도 있으니 의기양양했다. 부모님도 별말씀이 없었다. 어머니는 음식을 깨끗하게 손질해서 반찬으로 올렸고 쌀은 먼지와 돌을 가려내서 쌀독에 넣었다. 돈은 모두 아버지께 드렸다. 다음 날, 안용근은 아버지께 받은 돈으로 사탕을 한 봉지나 사서 마을 아이들에게 나눠줬다. 그때야 비로소 마을 아이들은 무당이 손을 댔던 음식이나 돈에 대해서 더 이상 겁을 내지 않게 되었다. 당연히 안용근이 나누어 주는 사탕을 행복한 얼굴로 받아 주머니에 넣었다. 그 귀한 사탕을 바로 입으로 넣는 아이는 없었다. 어디에서도 욕심을 내는 안용근이 아니었다. 어릴 때부터 부모님과 마을 어른들로부터 보고 배웠기 때문이었다. 나이가 들어서도 안용근은 욕심을 부리지 않고 복을 지으면서 살려고 노력했다. 자라면서 형과 양부모의 모습을 보았기 때문이었다.

"용근아. 우리 용근이 어디 있니?"

"네. 큰어머니. 저 여기 있어요. 헛간에서 달걀 가지고 오는 중이에요."

"아! 그랬구나. 오늘도 아침에 아버지가 두 개나 가지고 왔는데, 또 낳았나 보네. 우리 용근이 동생들이 알도 잘 낳는구나. 호호호."

"……"

"호호. 아이구! 아니다. 어미가 괜한 소릴 했나 보다."

"하하. 괜찮아요. 큰어머니. 강아지도 제 동생이고 닭들도 제 동생인걸요."

"용근아. 우리 용근이. 아이그어. 예뻐라. 호호호."

"네. 큰어머니."

"우리 셋이 한번 다녀올까? 나도 한번 가 보고 싶어서 그래."

"네? 어딜요? 장날요?"

"친가에 말이다. 너도 가 보고 싶은 거 아니냐?"

"어머니. 저는 괜찮아요. 전 큰아버지하고 큰어머니하고 사는 게 좋아요. 친구들도 좋고 학교도 갈 수 있어서 전 좋아요. 지금도 재미있어요. 하하하."

"아니다. 용근아. 며칠 있다가 아버지랑 다 같이 한번 다녀오자."

"집안일 할 게 많은데요. 큰어머니."

"네가 철이 나서. 어이구. 우리 용근이. 네가 이 집에 온 지도 벌써 두 해가 다 넘어가는구나. 가족들 많이 보고 싶지?"

"아니에요. 큰어머니."

"그러지 말고 다녀오자. 아버지 들어오시면 내가 이야기해 보마. 아마 좋다고 하실 거다. 호호호."

안용근의 어머니는 심성이 고운 분이었다. 배움도 있었고 사람이 바르게 사는 법을 어른들께 들어서 머리와 마음으로 많은 것을 익힌 분이었다. 한순간에 집안이 풍비박산 나서 움막 같은 집에서 살아야 하는 안용근의 아버지에게 시집을 왔지만, 외모와 마음이 흐트러지는 경우가 없었다. 아는 것이 있다고 해서 다른 사람들 앞에 함부로 나서

지 않았고, 남을 속이는 일은 절대 없었다. 너무나도 소중한 자식들에게도 절대로 남을 속여서는 안 된다고 가르쳤다. 다른 어느 것보다도 정직하게 살아야 하고 남의 눈을 속여서는 사람 구실을 하고 살 수 없다고 가르쳤다. 남의 눈은 속일 수 있을 것 같지만, 실상은 자신을 속이는 일이고 그 결과는 자신에게 피할 수 없는 비수가 되어 돌아올 것이라고 여러 차례 엄하게 일러 주었다. 혹시라도 남을 속여야 할 일이 생긴다면, 두말하지 않고 뒤돌아서 집으로 돌아와 버리라고 이야기해 주었다. 안용근의 어머니는 남과 함께 서로 도우면서 살아도 살아가기 힘든 세상인데 남을 속이면서 사는 것은 지옥이나 다름없다고 생각했다. 안용근의 아버지도 집사람의 마음을 잘 알고 있었다. 자신에게는 과분한 사람이라 생각했다. 늘 아껴 주었고, 한 번이라도 더 손을 잡아 주었다. 표현이 크지 못했지만, 자신이 할 수 있는 한 좋은 표정이라도 지어 주면서 살았다.

안용근의 친구들은 가을이 되면 논과 밭에서 보리 서리, 콩 서리, 고구마 서리, 대추 서리를 한다면서 온 들판을 휘젓고 다녔다. 하지만, 안용근과 형제들은 그런 아이들의 무리에 끼는 일이 없었다. 배가 고팠지만, 어머니의 손에서 나오는 음식에만 관심을 둘 뿐이었고, 그런 가을걷이를 서리해서 먹는 아이들의 행동이 이해되지 않았다. 다른 집안의 곡식을 서리하다가 들켜서 혼이 나고 쫓겨난 친구를 집으로 데리고 와서 놀아 주기는 했다. 다른 아이들은 학교에 오가다가 길가에 보이는 과실 한두 개는 아무 생각 없이 그냥 따 먹었다. 하지만 안용근과 형제들은 그것조차도 손대는 일이 없었다. 안용근과 가족들은 살아가면서 남으로부터 오해나 의심받을 일을 일절 하지 않았다.

부모님의 가르침을 잘 따랐고 부모님도 아이들에 대해 어떠한 의심도 하지 않았다. 의심받을 만한 행동을 하지 않으니, 어떠한 상황에서도 떳떳하고 당당하게 행동했고 시간이 흐르면서 다른 사람들과의 사이도 점점 더 허물없이 호의적으로 잘 지낼 수 있게 되었다.

"용근아아."

"예. 큰아버지."

"이 집이지?"

"네. 흑흑."

"계십니까? 용근이 아버지, 용근이 어머니. 계십니까?"

"네에. 누구신지? 아이고. 여긴 어떻게? 응? 용근아!"

"안녕들 하셨어요? 허허."

"아버지이. 흑흑."

"용근아. 아버지 어머니께 절 올려야지."

"예에. 큰아버지."

"아이고. 됐습니다. 그 집 자식 된 애를.⋯"

"괜찮습니다. 우리 용근이가 얼마나 똑똑하고 야무진지. 하하하. 괜찮으니 절 받으시지요."

"아이고. 감사합니다. 크흐흑. 용근아."

"용근아. 흐흑"

집으로 돌아와 형제들과 부모님을 만난 안용근은 하룻밤을 보낸 다음 양부모와 다시 양부모의 집으로 돌아갔다. 부모님과 형, 동생들은 힘들었지만 모두 잘 버티면서 지내고 있었다. 양아버지는 쌀과 보리 한 말씩을 안용근의 친가에 내려놓았다. 형과 동생에게도 약간의 돈을 쥐어 주면서 오래되지 않아 다시 오겠다는 인사를 하고 밝은 모습으로 나왔다. 안용근 부모님과 양부모의 인사는 이것이 마지막이었다. 안용근의 친가에 들렀다가 집으로 돌아온 양부모는 마을 이장에게 들은 이야기 때문에 얼굴이 굳어졌다. 평소 인심이 후해서 마을 사람들과 사이가 좋았던 양부모가 다른 사람에게 너무 잘 대해 준 것이 문제가 될 줄은 상상도 하지 못했다.

몇 해 전, 전쟁이 끝나갈 무렵 북쪽과 산에서 내려온 사람들에게 호의를 베푼 것이 문제가 되었다. 총에 맞아 피고름으로 엉망이 된 데다가 제대로 치료받지 못해 다리가 퉁퉁 부어오른 노란색 군복의 군인들을 집안에 들여 씻기고 먹여 준 일과 산에서 내려온 거지꼴의 사람들에게 먹을 것을 내 준 적이 있었다. 안용근의 양아버지는 배가 너무 고파 눈이 뒤통수에 들러붙을 정도가 된 사람들을 보고 모른 체할수가 없었다. 안용근의 친가에서 돌아온 후 며칠이 지난 후 지서에서 경찰과 군인 몇이 집채만 한 군용 트럭을 타고 마을로 들어왔다. 양부모는 마루에 걸터앉은 경찰, 군인들과 이야기했다. 묻는 말에 있었던 일 그대로 순순히 대답했다. 나중에 그 대답들이 문제가 되리라고는 전혀 알지 못했다.

노란색 군복을 입었던 군인들은 북쪽에서 내려온 인민군이었다. 양부모는 그 군인들이 인민군인지 뭔지 몰랐다. 그냥 다친 사람들이라 씻기고 쉬게 해 주었을 뿐이었다. 산에서 내려온 사람들은 빨치산이었다. 빨치산이 뭔지도 몰랐고, 그냥 그 사람들이 굶어 죽을 것 같아서 먹을 것을 조금 내준 것뿐이었다. 다 죽어 가는 사람들을 먹이고 치료해 주는 것은 당연한 것이 아니냐고 되물을 정도로 양부모는 순수한 사람들이었다. 곁에서 조용히 대화를 듣고 있던 이장이 이상한 낌새를 느끼고, 양부모의 말을 막아서면서 자초지종을 설명했다. 하도 총칼로 위협하면서 들이대니 어쩔 수 없었노라고 이야기했다. 하지만 양부모는 스스로 한 일이라고 말했다. 순간이었다. 양부모의 말을 말리던 이장이 내쳐지고 순식간에 살기가 가득 찬 분위기로 바뀌었다. 경찰과 군인들의 태도가 험악해진 것은 당연했다. 양부모는 왜 그런지 알 수가 없었다. 빨갱이라는 말이 나오고 연이어 몽둥이와 발길질이 양부모의 온몸에 쏟아졌다. 그리 오래되지도 않은 지난날에 마을 사람들을 괴롭히던 왜놈을 도와준 것도 아니고, 불쌍한 사람들 도운 것이 무슨 죄가 되냐고 항변할수록 더한 매질이 날아왔다. 온몸으로 쏟아지는 매질에 양부모의 몸은 얼마 버티지 못하고 마당에 나뒹굴었다. 말도 못 하고 벌벌 떨면서 흙바닥에 얼굴을 박고 급한 숨을 겨우 내쉴 정도가 되자 매질이 끊어졌다. 안용근은 경찰과 군인들 앞으로 나가 부모의 무고함을 알리려고 소리치고 몽둥이를 든 무지막지한 팔을 잡으려고 했지만, 빨갱이 새끼라는 소리와 함께 힘없이 구석으로 내쳐졌다. 양부모는 절대로 해서는 안 되는 잘못된 대답을 했다. 어쩌면 그들이 원한 대답인지는 모르겠지만 절대로, 절대로 해서는 안 되는 말이었다. 밀려나 있던 이장과 곁에서 지켜보든 마을 사람들이 한꺼번에 경찰과 군인들에게 매달렸다. 안용근의 양부모는 빨갱이도 아니고 인민군인지 빨치산인지 뭐 하는 사람들인지 모르는 사람이라고 계속해서 항변했다. 그동안 안용근의 양부모가 마을 사람들에게 얼마나 잘 대해 주었는지를 설명했고, 항상 바르고 착하게 살아온 사람들이라고 입을 모아 애원했다. 몰라서 한 일이고 총칼이 무서워한 일이니 살려 달라고 통사정도 했다. 면소에 나가면 가끔 보던 경찰도 이런 험악한 분위기에 군인들 앞에 나서지 못하고 쭈뼛쭈뼛하며 뒤로 물러났다. 하지만 군인들의 눈은 양부모를 한입에 잡아먹을 듯이 험악했고 무섭기 그지없는 얼굴로 몽둥이를 이리저리 허공에다 돌리고 있었다. 등에 진 무전기로 한참이나 뭔가를 이야기하던 군인들이 잠시 쉬고 있을 때, 자그마한 지프차를 타고 번쩍이는 계급장을 단 군인이 왔다. 안용근의 양아버지만 데리고 갈 테니 모두 물러서라고 했다. 마을 사람들이 살려 달라고 다시 매달려 애원했지만 물러서지 않으면 온 가족을 다 데리고 가겠다고 소리를 질렀다. 사람들은 물러날 수밖에 없었다. 지프차에 시동이 걸리고 양아버지가 뒤 칸에 실리자, 이번에는 한쪽 구석에 쪼그려 있던 안용근이 달려들었다. 그러자 마을 사람들이 다시 매달렸다. 지프차가 출발하려 해도 떨어지지 않고 매달리는 안용근을 옆에 있던 군인들이 뜯어냈다. 바닥에 끌려 나가면서도 안용근은 양아버지를 살려 달라고 소리쳤다. 양어머니도 겨우 정신을 차려 안용근과 함께 필사적으로 매달렸다. 지금 끌려가면 제대로 살아서 집으로 돌아오지 못하리라는 것을 직감으로 알았다.

"살려 주세요. 우리 큰아버지 살려 주세요."
"어? 큰아버지? 그럼 네 아버지는 어디 있냐?"
"네? 몰라요. 우리 아버지 살려 주세요. 엉엉."
"야. 이놈아. 네 큰아버지라면서? 응? 아버지 어디 있냐고요?"

"큰아버지 없어요. 우리 아버지 살려 주세요. 엉엉."

"아아 이이 빨갱이 새끼도 거짓말을 하네!"

"우리 아버지 놔주세요. 엉엉."

"이거, 빨갱이 새끼도 잡아가서 족쳐야겠네. 하여튼 빨갱이들은 부모나 자식새끼나 다 잡아다 죽여 버려야 돼. 냅둬 놔 봐야 또 사람들 죽이고 전쟁 질 이나 할 테니까. 아예 씨를 말려 버려야 해."

"어이. 박 일병. 그만하고 가자. 애를 데리고 가 봐야 뭘 하겠어? 제깟 놈이 알아봐야 뭘 안다고?"

"대장님. 그래도 저런 것들은 싹을 잘라놔야 합니다. 저런 것들은 전부 다 속에 시뻘건 생각만 하는 거 아시지 않습니까?"

"빨갱이들한테 부모 잃은 사람이 박 일병 너 하나만이겠어? 그래도 애들이나 여자들은 그대로 두라고. 이놈의 전쟁이 문제지. 사람이야 무슨 문제겠어? 그러지 말고 어서 출발하자구."

"네. 알겠습니다."

"우리 아버지 살려 주세요. 제발."

"야! 이놈아. 너도 잡아가 버리는 수가 있어. 저리 떨어져. 어서!"

"그럼 저도 잡아가세요. 우리 아버지 살려 주세요. 엉엉."

큰아버지를 살려 달라는 안용근의 말에 신경이 쓰였는지 높은 군인은 마을 이장에게 다시 여러 가지를 물었다. 안용근이 보이지 않는 곳에서 한참이나 이야기를 들은 그 군인은 안용근을 불러 머리를 쓰다듬었다. 무슨 영문인지 그 군인은 울고 있었다. 남의 집에 양자로 와 있는 안용근의 신세가 처량해서인지, 사람을 잡아가는 일을 계속

해야 하는 자신의 신세가 처량해서인지는 알 수가 없었다. 이장과 마을 사람들도 그 군인이 왜 우는지 알고 싶은 생각이 언뜻 들었으나 감히 물을 수는 없었다. 잠시 후 그 군인은 지프차 안에서 작은 주머니 같은 것을 꺼내서 안용근에게 주며 몇 가지 이야기를 했다. 자신도 집안 사정이 어려워 양자로 가서 머슴살이한 적이 있다고 했다. 하지만 열심히 공부하고 노력해서 지금은 장교가 되었다고 했다. 그러니 뭐든 열심히 하고 포기하지 말라고 했다. 안용근은 그 군인의 말을 이해할 수 없었다. 살려 달라는 양아버지를 잡아가면서 쓸데없는 말을 자신에게 하는 이유를 알 수가 없었다. 높아 보이는 그 군인은 이장과 경찰들에게, 안용근의 양아버지는 일단 조사해야 하니 데리고 갔다가 곧 보내 주겠다며 안심시키고는 출발했다. 양어머니는 안용근을 안심시키며 마루에 앉혀 두고 곧장 지프차를 따라나섰다가 밤이 늦은 시간에 혼자 집으로 돌아왔다. 이튿날 정말 양아버지는 지프차에 태워져 집으로 돌아왔다. 하지만, 몸은 엉망이 되어 있었다. 걷지도 못하는 양아버지는 피딱지가 엉기고 들러붙어 있는 국방색의 들것에 실려 있었다. 차이고 맞은 데는 독이 올라 온몸에 열이 펄펄 끓었고, 다리는 부러져 뒤로 돌아가 있었다. 차에서 내려지는 양아버지를 보고 양어머니는 그 자리에 주저앉아 버렸다. 양어머니는 아무 말도 못 하고 남편이 실려 있는 들것을 부여잡고 울기만 했다. 집 앞에 모인 마을 사람들이 들것 내리는 것을 도와주자, 양아버지의 입에서 작은 신음이 새어 나왔다. 안용근은 양아버지의 손을 잡았다. 감촉을 느낀 양아버지는 고개를 돌려 안용근의 이름을 부르면서 작은 미소를 보였다. 누구도 양부와 양자로 보지 않았다. 양어머니도 울면서 안용근의 머리를 쓰다듬었다.

　훗날 양아버지를 데리고 갔던 그 높은 군인을 안용근은 월남에서 만났다. 안용근은 한눈에 그 높은 군인을 알아보았고, 지난날에 있은 일들을 이야기했다. 좋지 못한 감정은 없었다. 양아버지를 살려서 돌려보내 준 것에 대해서 감사한 말을 전했을 뿐이었다. 하지만 이후에 안용근이 투입되었다가 다리가 잘린 그 작전을 수습하러 나갔던 그 높은 군인은 베트콩 저격병에 의해 전사했다. 둘은 다시 만나지 못했지만, 같은 작전, 같은 장소에서 한 사람은 다리가 잘리고 한 사람은 목숨을 잃었다. 알지 못하는 사이에 사람들 간에는 많은 일들이 일어나고 있었다.

　"큰아버지. 힘내세요. 엉엉."

　"그래. 우리 용근이. 걱정 안 해도 된다."

　"엉엉. 큰아버지."

　"어허. 우리 용근이가 울보가 된 모양이구나. 울지 마라."

　"크흑. 큰아버지."

　"그래. 우리 용근이. 아버지는 괜찮을 거다. 울지 마라. 어서 아버지 모시고 들어가자."

　"네. 큰어머니. 흑흑."

　"용근이 아버지. 정신 바짝 차려요. 이제 집으로 들어가요. 네?"

　"그래. 어서 들어가자. 휴우."

　"이봐. 거기 좀 잘 들어줘. 조심히."

　"어. 그래. 조심히 들고 들어가세. 자자."

"사람을 이 지경으로 만들다니. 에이. 독한 놈들."

"이 사람아. 그래도 살아 돌아온 게 다행이네. 요즘 군인들이 잡아가면 살아 돌아오는 사람이 드물다잖아."

"그래. 살아 돌아왔으니, 어서 치료도 받고 기운을 차려야지. 마음 단단히 먹게나."

안용근이 양자로 가서 산 시간은 오래되지 않았다. 양아버지의 부러진 다리는 제대로 치료받지 못해 불구가 되었고, 무거운 짐을 지거나 오래 걷지도 못했다. 집 안에 앉아서 하는 일이나 제대로 할 뿐, 들이나 산에서 하는 일은 몸이 감당해 내지 못했다. 하루하루 눈에 띄게 집안 사정은 기울었고 끝내 안용근도 들일을 하기 위해 나서야 했다. 양부모로서는 차마 보고만 있을 수 없는 일이었다. 남을 도와준 것을 후회한다는 것도 힘이 드는데, 마음과 가슴으로 키우는 안용근의 손이 부르트고 학교에도 보낼 수 없는 지경이 되자 다른 방법이 없었다. 돌려보내야 했다. 친자식이나 다름이 없었지만 데리고 올 때와 크게 다르지 않은 상황이었다. 먼저 안용근의 집에 양어머니가 다녀왔다. 그간 일들을 얘기하고 사정이 조금이라도 나아지면 안용근을 다시 데리러 오겠다고 약속했다. 진심으로 한 말이었다. 그러나 안용근이 다시 양부모에게로 돌아가는 일은 일어나지 않았다.

"용근아. 미안하다. 내가 괜한 짓을 하고 괜한 말을 해서 우리 집이 이 모양이 되어 버렸구나."

"큰아버지. 몸조리해서 얼른 나으셔야죠."

"그래. 얼른 나아야지."

"용근아. 내가 며칠 전에 친가에 다녀왔다. 나는 아버지를 돌봐야 하니까, 너 혼자 집으로 돌아가야겠구나."

"네. 큰아버지. 큰어머니. 저도 알고 있었어요. 너무 걱정하지 마세요. 한 번 가 본 길이라 혼자 갈 수 있어요."

"우리 용근이. 아버지가 얼른 데리러 갈 테니까 학교 열심히 다니고 있거라. 응?"

"네. 큰아버지. 큰어머니도 몸조심하시구요. 제가 빨리 커서 모시러 올게요."

"아니다. 조금만 참고 있거라. 내가 곧 데리러 갈 거야. 흑흑."

"네. 절 받으세요."

"아이고오. 아이고오. 흑흑. 너를 보내고 내가 어찌 살겠누? 아이고오."

"흑흑. 흑흑."

안용근이 친가로 떠날 때 마을 사람들도 나와서 배웅했다. 지켜보던 사람들이 친부모와 생이별하는 것도 그렇게 애달퍼지는 않을 것이라 했다. 양아버지는 다리를 절며 마을 입구까지 나왔고 마을 사람들도 그 뒤를 따랐다. 안용근의 어깨에는 약간의 곡식과 책이 짊어져 있었고 주머니에는 얼마간의 돈도 들어 있었다. 아무리 힘든 형편이지만 양부모는 안용근에게 해 줄 수 있는 것은 다 해 주고 싶었다. 심지어 마을 사람들에게 융통한 돈까지 넣어 주었다. 누가 보아도 양부모와 양자의 사이가 아니었다. 거리가 멀어져 보이지 않을 즈음에 안용근은 참았던 울음이 터졌다. 그동안 보살펴 준 양부모가 고마웠고, 언제 다시 돌아올지도 모르는 길을 나서는 자신에게 가진 것 전부를 내어 주는 양부모에게 미안한 마음이 들어서였다. 양부모와 마을 사람들은 안용근이 보이지 않을 때까지 울고 있었다. 언제 다시 볼지 모르는 이별이었다. 사람들에게 세월은 그렇게도 흘러가고 있었다.

"아버지, 어머니. 저 왔어요. 형! 나 왔어."

"아이구. 용근이 왔구나. 오늘 온다고 기별이나 했으면 우리가 데리러 갔을 텐데. 온다고 힘들었지? 그래. 양부모님은 좀 어떠셨니?"

"아는 길이라 힘든 거 없었어요. 큰아버지 하고 큰어머니는 그만 저만하세요. 안부 전해 달라고 하셨어요."

"휴우. 그분들이 그런 모진 고생을 하실 분들이 아닌데. 전쟁 통에 세상이 함부로 돌아가서 그러니 참 큰일이다. 큰일."

"오빠아. 오빠아. 보고 싶었어. 오빠아."

"혀엉. 작은형. 나도 보고 싶었어. 히히."

"그래. 그래. 나도 얼마나 보고 싶었는지 몰라."

"고생 많았지? 내 동생. 형이 미안하다."

"왜 그래? 나 이제 다시 왔잖아. 참! 아버지. 저거 양부모님이 주신 거예요. 그리고 이건 돈인데, 이것도 주셨어요."

"아이구. 그 집 형편도 힘들 텐데, 이런 걸 다 보내 주시고. 나중에 내가 한번 찾아봬야겠다."

"저도 걱정이에요. 두 분 다 엄청 잘해 주셨는데."

"오빠아. 저거 뭐야? 저거."

"그거? 책하고 공책이야. 공부 열심히 하라고 넣어 주신 거야."

"작은형 공부하는 거야? 이제 우리도 학교 다시 가는 거야?"

"그래야지. 공부를 해야 사람처럼 살 수 있는 거야. 무슨 일이 있더라도 배우고 또 배워야 한다. 얘들아. 꼭 그렇게 해야 한다."

"네. 아버지."

"자. 우리 가족이 다 모인 게 얼마 만이야? 오늘은 제대로 된 밥 먹자. 엄마가 잔칫집에서 일해 주고 얻어 온 반찬들이 아직 남아 있을 거야."

"용근아. 흑흑. 용근아."

"어머니. 흑흑."

안용근이 집으로 돌아오자, 부모님과 형제들은 밤을 새우면서 지난 시간을 이야기했다. 무슨 일이 생기더라도 다시는 떨어지지 말자고 다짐했다. 부모님은 어떻게든 아이들을 중학교까지는 보낼 수 있도록 살림을 살아 볼 궁리를 했다. 아버지는 잘 나가지 않던 장날에 나가 사람들의 이야기를 들었고 소문으로 들리는 세상 이야기에 귀를 기울였다. 라디오를 듣는 사람들 옆에 서서 넓은 세상의 이야기도 들었고, 다른 지방 사람들이 먹고사는 다른 방법에 대해서도 열심히 들었다. 흔하지는 않지만, 물건을 싸 주는 신문을 구해서 한 자 한 자 정확히 읽어도 보았고, 밤에는 담 높은 집 친구를 찾아가 살아갈 방도를 찾는 데 조언을 구했다. 아이들이 자신과는 다른 삶을 살아야 한다는 것은 확실했다. 그리고 지금처럼 살아서는 나아질 것이 없다는 것도 확실했다. 하루 이틀 지나고 새로운 소식을 접하면서 안용근의 아버

95

지는 단지, 입에 풀칠하면서 사는 것이 제대로 된 삶이 아니라는 것을 절실하게 깨닫게 되었다. 자신이 살고 있는 현재의 삶이 아이들을 위해서는 결코 도움이 되지 않으리라는 것이 확실해졌다.

"아무래도 생각을 다르게 해야겠소. 우리 애들이 배곯아 하지 않고 학교도 제대로 다니게 하려면 여기서는 안 될 것 같아."

"저도 그렇게 생각하지만, 지금 당장에 우리가 어디로 가겠어요?"

"사람들 이야기가 큰 도시로 가면 어떻게든 먹고는 산다고 하고, 애들도 학교는 다니게 할 수 있다는데…"

"큰 도시요?"

"장날에 나가서 사람들도 만나 보고, 라디오도 들어 보고 뭐 이것저것 읽어도 보니까 세상 사람들 사는 게 우리하고는 천지 차이고, 우리가 모르는 사이에 엄청나게 변했더라고."

"세상이 변해요?"

"전쟁 끝나고 사람들이 사는 게 옛날 하고는 완전히 딴판이 된 거 같소."

"전쟁에서 겨우 살아남은 게 어딘데, 그새 또 뭐가 변했어요?"

"일본 놈들이 우리 식량 다 빼앗아 갈 때는 아무 소리도 못 하고 고개만 숙이고 있었는데, 지금은 미국 사람들이 우리나라에 식량이며 귀한 물건을 엄청나게 준다더라고."

"아이구. 세상에 공짜가 어디 있어요?"

"그렇지. 당신 말대로 세상에 공짜가 어디 있겠소? 하지만 말이야, 미국 사람들이 우리나라에 그렇게 많이 뭔가를 준다는데 정작 우리가 받는 건 없잖소! 그것만 받아도 이렇게 끼니 걱정은 하지 않아도 될 거 같단 말이요."

"아이구. 우리보다 더 못 사는 사람들이 많겠지요. 우리야 지금은 그래도 음… 애들 밥은 먹이잖아요."

"그렇겠지. 우리보다 형편이 좋지 못한 사람들도 많겠지. 하지만 밥만 겨우 먹고사는 건 사는 게 아닌 것 같소. 우리 살던 때랑 우리 애들이 살아야 하는 시대는 완전히 다를 거요."

"사람이 밥 먹고 살고 가족들끼리 모여 살면 되지, 너무 욕심을 내면 다 힘들어지는 건 당신도 잘 알잖아요."

"우리 용근이 저리 보냈다가 얼마나 힘들었는지 나도 잘 알고 있소. 하지만 이제는 그게 전부가 아닌 시대가 올 거요. 내 생각엔 그렇소. 나는 배운 것이 짧아 너른 세상도 구경 한번 제대로 하지 못하고 살았지만, 당신은 어른들께 배운 것도 많고 하니 우리 잘 생각해서 애들은 다르게 살게 합시다."

"저야, 당신이 하자는 대로 하지요. 제가 배워 봐야 얼마나 배웠겠어요? 다 옛날 어른들 얘기만 들었지요. 지금은 제가 들은 게 필요가 없잖아요."

"그래도 사람 사는 도리가 분명하니까, 당신 생각이 나보다는 나을 거요."

"우린 가진 기술도 없고, 당장 나가서 뭐라도 하려면 그동안 지낼 곳도 필요할 텐데요. 휴우."

"바닷가 도시로 가는 게 어떨까 싶소. 뭐 안 되면 배라도 타고 물고기라도 잡으러 다니면 되지 않겠소? 선원 일도 할 수 있을 것이고."

"도시라곤 가 본 적도 없고, 아는 사람도 없어 그게 걱정이네요."

"그래도 여기서 사는 것보다는 낫겠지. 우리 동네 사람들이야 다들 좋지만, 먹고사는 게 힘드니 여기서는 더 이상 안 되겠소."

"어디 생각해 둔 데는 있으세요? 무작정 나갈 순 없잖아요."

"바닷가 도시라고 하면, 부산이 제일 큰 도시긴 한데."

"부산요? 듣기만 들었지 거긴?"

"거긴 왜?"

"전쟁 통에 사람들이 몰려가서, 지금 우리가 가면 살 자리 나 있겠어요? 지금 거기 사는 사람들도 힘들 텐데."

"그럼, 어디가 좋겠소? 혹시 들어 본 게 좀 있소?"

"저야, 잘 모르지요. 당신이 생각한 곳이 있을 테니 얘기해 봐요."

"음. 그럼 그 옆에 있는 진해로 갑시다."

아버지와 어머니의 대화 후 며칠간을 더 고민한 끝에 결정이 내려졌다. 살림살이라고 해 봐야 어디 다른 곳에서 쓸 만한 것은 거의 없었다. 하지만 그나마 도시에 나가서 처음 사는 살림살이에 도움이 될 만한 것만 골라서 짊어지고 진해로 출발했다. 이웃집 사람들을 불러 남겨 둘 것 중 쓸 만한 물건들을 다 나눠 주고, 작별 인사도 했다. 안용근은 친구들에게 작별 인사를 하고, 마을 여기저기와 뛰놀던 들이며 산을 한 번씩 더 보고 돌아왔다. 양부모에게도 가서 인사를 드렸다. 하루 꼬박 걸리는 거리를 혼자 다녀왔다. 또박또박 정성 들여 부모님 전상서라는 편지도 써서 읽어 드렸다. 양아버지는 띄엄띄엄 글을 읽을 줄 알았지만, 양어머니는 한글을 전혀 몰랐다. 양아버지와 양어머니는 안용근에게 돈을 조금 주었다. 노잣돈이라고 했다. 혹시나 다시 돌아오게 되면 꼭 들러야 한다고도 했다. 셋이 또 같이 울었다.

아버지는 담 높은 집 친구 아버지에게 사정을 얘기해서 약간의 돈을 빌렸다. 그 돈은 진해로 가면서 길 위에 써야 할 돈과 도착해서 안용근의 가족이 며칠을 버틸 수 있는 적은 금액이었지만 가족들에게는 목숨 줄과도 같은 돈이었다. 담 높은 집 친구의 아버지는 오랜 친구가 마을을 떠난다고 하자, 면소에서 일하는 도중에 나와 안용근 가족이 버스를 타고 출발할 때까지 손을 흔들었다. 두 사람은 버스에 오르기 전까지 손을 놓지 못했다. 어릴 때부터 한마을에서 자라고 집안에 어떤 일들이 있었는지 잘 알고 있는 친구 간이라 헤어지기 쉽지 않았다. 친형제지간 같은 마음들이었다. 하지만, 고향을 떠나온 것은 잘한 일이었다.

3. 살길을 찾아 물가로 가다

"아이구. 쯧쯧. 어쩌나? 아랫집 아저씨가 또 손을 찍었다네요."

"그러게 말이오. 참 큰일이네. 나도 들었소. 아침에 그랬다는데. 병원에서 아직 못 오고 있다는 것 같은데. 크게 다치지는 않아야 할 텐데."

"어제저녁에 콩나물 사서 오다 보니, 밑에 집 아저씨가 일 마치고 막걸리 한잔하면서 그렇게 그렇게 고향 얘기를 하더라구요. 아마 오늘 아침에 술도 안 깨고 일하러 갔던 모양이에요."

"그러게 말이오. 술 마신다고 고향 가고 싶은 마음이 사라지는 것도 아닌데, 얼마나 답답했으면 그럴까 싶기도 하고. 애들 중학교도 보낼 수 있으니 고향보다는 그래도 여기가 나은데, 그나마 블록공장에서 우리같이 아무 기술도 없는 사람들 써 주는 것만 해도 고마운데."

"다음 주에 사모님이 여기에 수도도 달아 준다네요. 건너편 우물 물 긷는 것도 눈치가 보였는데 다행이에요."

"그래? 블록공장에 물 대는 것도 힘들다고 사장님이 불만이 많았는데, 다행이오. 요즘 같은 힘든 시기에 그래도 여기 분들은 다들 좋은 것 같소."

"수도만 놓으면 우리 여자들도 일할 수 있는 시간도 많아지고, 집안일 하기도 얼마나 수월하겠어요? 정말 다행이에요. 애들도 물 한 모금 마시려면 우물까지 가야, 겨우 눈치 보면서 마시는데."

"차츰 나아질 거요. 지금도 고향보다는 낫잖소. 남들이 뭐라 해도 우리는 우리가 해야 할 일 열심히 하면서 살면 되는 거요."

"네. 알겠어요."

"우리 애들 저리 있는 거 보면 얼마나 좋소. 난 애들이랑 당신이 있으니 일을 해도 힘이 나고, 잠을 자도 좋은 꿈만 꾸는 것 같소."

"저도 그래요. 호호. 큰 욕심 부리지 말고 지금처럼 열심히 일하고 애들 키우면 그걸로 된 거 아니겠어요?"

"그렇지. 고향에서 배곯던 거 하고는 천지 차이니까, 열심히 살아봅시다. 허허허. 열심히."

안용근의 가족이 제일 먼저 정착한 곳은 시멘트 블록을 손으로 찍어 내는 공장이었다. 손으로 시멘트와 모레를 섞어 나무로 된 곽에 넣고 말려서 블록을 만드는 곳이었다. 모든 일이 사람의 손으로 이루어지다 보니, 주문받은 물량을 맞추기 위해서는 해뜨기 전 새벽 일찍 일어나 점심을 먹는 시간 빼고는 온종일 삽질하고 블록을 옮겨야 했다. 안용근의 아버지가 산에 가서 일을 하던 때와 크게 다르지 않았지만, 힘은 덜 들었다. 책상에 앉아 일하는 사람들처럼 편안하지는 않았지만, 산과 들에서 하던 일보다는 수월했다. 남의 산 나무를 자른다고 눈치를 볼 필요도 없었고, 일하는 중간중간에 쉴 수 있는 시간도 있었다. 허허벌판에 있는 블록공장 주변 빈터에 몇 가지 자재를 가지고 급하게나마 지은 집은 고향집보다 훨씬 살기 좋았다.

큰 바위들이 나오지 않아 땅을 파기도 좋았고 그렇다 보니 집터를 만드는 데 오랜 시간이 걸리지도 않았다. 안용근의 가족들은 블록 공장에 도착해서 사장과 몇 가지 이야기를 나누고는, 먼저 와서 자리를 잡아 살고 있던 이웃집의 부엌에서 며칠 신세를 졌다.

일을 시작하고 난 후, 사람들과 인사를 나누고 사장과 집터를 살펴본 다음 곧바로 가족들이 살 집을 지었다. 기초를 정리하고 나서, 블록공장에서 나오는 불량 블록을 가져다가 담을 올렸고 속이 비어 있는 블록의 안은 시멘트를 부어 넣어 단단한 벽돌처럼 만들어 벽이 서도록 했다. 바닥에는 공장에서 버려진 모래를 깔고 그 위로 쇠 파이프를 넣어 온돌처럼 만들었다. 그 위에 시멘트와 모래를 섞은 반죽을 다시 깔아 바닥을 정리했다. 하루 정도 말리고 아궁이를 만들었다. 곧이어 보일러를 연결하자 고향의 구들장보다 훨씬 나은 집이 되었다. 불을 지피면서 손을 비비는 사이에 바닥은 곧장 따뜻해졌다. 지붕은 공사장에서 얻어 온 각목을 덧대고 그 위에 가벼운 슬레이트를 얹었다. 일주일도 되지 않아 집이 지어졌다.

안용근도 집 짓는 것을 거들었다. 나무를 자르고, 벽을 세우고, 시멘트를 섞고, 여러 가지 재료들을 가지고 왔다. 널려 있는 것들이라 주인에게 물어볼 필요도 없었다. 신기한 일이었다. 흙이나 돌, 짚도 필요가 없었다. 아무렇게나 펼쳐져 있는 자재들을 가지고 와서 몇 명이 며칠 일하니 집이 지어졌고 문이 붙었다. 오래 지나지 않아 수도까지 들어오니 가족들과 주변 사람들 모두 모두 손뼉을 치며 기뻐했다. 고향에서 집 짓는 일과는 비교도 되지 않을 정도로 쉬운 작업이었다.

안용근을 제외한 형제들은 할 일이 없었다. 봄이 되기 전 야간 고등학교로 2년이나 늦게 진학한 형과, 1년이 늦었지만, 중학교 3학년이 된 안용근, 그리고 중학교와 초등학교에 다니는 동생들까지 형제들 모두가 학교에 다닐 수 있게 되었다. 이제는 학교만 열심히 다니면 될 것 같았다. 더 이상 산에 가서 땔감을 할 필요도 없었고, 높은 나무에 올라가서 새알을 꺼내 올 필요도 없었다.

안용근의 동생들은 가끔이라도 씻을 수 있어 겨울에도 깨끗하게 지낼 수 있었고, 부모님의 얼굴도 고향에서의 얼굴보다 훨씬 밝아졌다. 손이 부르트도록 일하는 것은 마찬가지였지만 학교에 다니는 아이들 얼굴을 보면서 고향에서 나온 일은 잘한 일이라 생각했다. 따뜻한 물이 아침마다 나오고, 색이 여러 가지인 예쁜 옷도 입을 수 있었다. 그렇다고 옷을 살 필요는 없었다.

작은 산을 하나 넘기만 하면 어른들과 아이들의 옷이 길가에 버려져 있었다. 찬장으로 쓸 수 있는 멀쩡한 가구가 버려져 있는 경우도 있었다. 그릇을 비롯한 가재도구들이 주인 없이 버려져 있어서 시간이 날 때 주워 오기만 하면 됐다. 옷은 빨래하면 당장 입어도 되는 것들이 많았고 가재도구들도 아버지와 안용근의 손을 거치면 충분히 쓸 수 있는 좋은 것들이었다. 직접 손으로 자르고 깎은 시골의 찬장이나 가재도구들이 정은 더 갔지만 사용하는 데는 주워 온 것들이 훨씬 가볍고 편리했다. 고향을 떠나 도시로 나온 사람들의 처지는 비슷비슷했다.

도시의 삶에 정착하는 과정은 암울함과 참담함을 이겨 내는 과정이었다. 고향에서 겪은 배고픔, 제대로 씻지도 못하는 환경, 제대로 배우지 못한 이유로 인한 미래에 대한 두려움, 아이들의 장래에 대한 불안을 그대로 안고 살아야 하는 수많은 무력감이 이제, 이겨 낼 수도 있겠다는 생각을 가지게 되었다. 죽어라 땅만 파고 하늘만 쳐다보는 것보다는 나은 삶이었다. 적어도 안용근의 부모님은 그렇게 생각했다. 가끔, 아주 가끔 고향의 풍광들이 떠오르고 마을 사람들과 친구들이 생각나기도 했지만, 당장은 돌아가기 싫었다.

"큰애는 제대로 공부시켜야 하는데, 주간 고등학교로 옮기게 되면 학비가 걱정이에요. 제가 다른 일을 좀 알아볼까요? 지금은 야간이라 그래도 학비가 좀 싸고 낮에는 어른들 일을 도우니까 좀 낫기는 하는데…"

"아니요. 아무래도 내가 다른 일이 있는지 더 알아봐야겠소. 아이들이 커 가니 방도 하나 더 있어야겠고, 고향에서 친구에게 빌려 온 돈도 좀 갚아야 하고."

"다른 일이 있겠어요? 사람들 얘기 들어 보니 요즘도 일거리가 없어서 놀고 있는 사람들도 많다는데요."

"찾아만 보면 뭐라도 있을 거요. 힘든 일이라 다들 하기 싫어서 그렇지, 찾아보면 뭐라도 있을 거요. 걱정하지 말아요."

"아버지. 저 주간 고등학교로 안 옮겨도 돼요. 이제 저도 다 컸으니까 돈 벌게요. 제가 일을 나가면 동생들은 다 공부시킬 수 있을 거예요. 아버지. 예?"

"아니다. 돈은 어떻게 해서든지 내가 벌어 볼 테니까, 너는 공부하고 기술 배우는 것만 열심히 해라. 야간 고등학교지만 기술 하나 제대로 배워 놓으면 어딜 가나 대우받고 살 수 있을 거다. 지금 내가 하는 일도 손에 익어서 이젠 물량도 많이 늘었고 월급도 조금 올려 준다고 하니까 너무 걱정하지 마라."

"그래. 엄마도 시장 둘러보니까 뭐라도 할 일이 있겠더구나. 버스 타고 어시장 가서 생선이나 조금 떼다가 팔면 제법 남을 거 같다. 지금보다야 우리 집 사정은 차츰 나아질 테니까 넌 너무 걱정하지 마라."

"그래도 동생들 공부해야 하고, 시골에 돈도 갚아야 하잖아요."

"하하. 우리 장남이 집안 걱정을 다 하고. 하하하."

"아버지는 우리 가족들이 이렇게 열심히 살면서 행복하면 그만이다. 고향 떠나올 때 큰 부귀영화를 바라고 온 게 아니란다. 너희들 공부시켜서 우리보다는 낫게만 살 수 있으면 그게 다라고 생각하면서 나왔단다."

"아버지."

"당신은 배운 게 없다고 하지만, 많이 배웠다고 떠들면서 자기 일도 못 하는 사람과는 천지 차이예요. 우리 애들이 당신만 닮았으면 좋겠어요. 좀 배웠다고 으스대고 좀 가졌다고 기고만장해서 사람을 사람으로 보지 못하는 사람들이 좀 많아요? 호호호."

"하하하. 오늘은 네 엄마까지 나를 칭찬하니, 무슨 좋은 날인가 보다. 하하하."

"저야 늘 당신, 존경하지요. 처음 시집온 날부터 지금껏 늘 당신만 존경하고 살고 있는데, 그걸 몰랐어요?"

"하하하. 고맙소. 하하하. 고마워. 으허허허. 우리가 이렇게 사는데 내가 더 이상 무슨 욕심을 부리겠소?"

세상이 변한 것을 느끼는 것은 한순간이었다. 안용근의 집안 사정이 조금씩 나아질 것 같은 희망도 시간이 지날수록 커졌다.

하지만 블록공장에서 작은 기계를 들여와 사람을 대신하게 되고 콘크리트로 집을 짓기 시작하면서 블록은 주문량이 조금씩 줄어들었다. 일자리에서 밀려난 사람들은 다른 일들을 찾아야 했다. 안용근의 아버지는 그나마 성실하다는 평을 받아서 블록공장에 남아서 일을 했다. 하지만 들어오는 물량이 조금씩 줄어들다 보니 하루 종일 일을 하지는 못했다. 바쁜 날도 있었지만, 쉬는 시간도 조금씩 늘어나기 시작했다.

안용근은 형 대신 돈을 벌어야 했다. 야간 고등학교지만 고등학교로 진학한 형의 뒷바라지를 하기 위해서는 가족 중에서 한 사람은 더 일을 해서 돈을 벌어야 했다. 형이 제대로 된 일을 하지 못하니 가족들이 먹고살고, 동생들이 학교에 다니는 비용을 만드는 것도 거들어야 했다. 중학교를 졸업하는 안용근까지, 한집안에서 두 명이나 고등학교에 간다는 것은 어쩌면 다른 가족들의 먹고사는 문제를 위협하는 힘든 일이 될 수도 있었다. 밤이면 불빛이 많이 보이는 강 건너 동네에 가면 뭐라도 돈이 되는 일이 있을 것 같았다.

안용근은 아버지의 일을 거들고 남는 시간이나 일요일에는 종이를 주웠다. 사람들은 안용근과 같이 종이를 줍고 다니는 사람들을 넝마꾼이라 불렀다. 아버지는 안용근에게 대나무로 만든 가벼운 망태기를 주었고 자신은 판자로 만든 망태기를 지고 다녔다. 하루 종일 종이와 헌 옷 같은 것들을 주워서 밤늦게 집으로 돌아오면 어머니의 따뜻한 손과 눈물이 기다리고 있었다. 동생들의 밝은 웃음소리가 아버지와 안용근을 반겨 주었다. 형은 야간 고등학교에 다니고 있어서 밤늦게 집으로 돌아왔지만, 매일 안용근의 손을 잡고 꼬옥 안아 주었다. 안용근이 얼마나 부끄러움을 참고 일을 하면서 스스로를 희생하는지를 잘 알았고, 그 희생은 자신의 몫이었다고 생각했기 때문이었다. 미안한 마음을 표현도 하고 힘든 일은 형인 자신이 해야 한다고 생각했지만, 한편으로 자신이 다니는 학교를 열심히 다니는 것이 이런 미안한 마음을 조금이라도 줄여 줄 수 있는 일이라고 생각했다. 형도 안용근도 서로의 마음을 잘 알고 있었다.

넝마꾼들은 사람들이 생각하는 만큼 아귀다툼을 하지 않았다. 푼돈이라도 생기면 술을 마시고 신세 한탄을 하는 사람들이 많았고 대부분 가족이 없이 혼자 사는 사람들이었다.

간혹 가족이 있는 넝마꾼들은 남들보다 조금이라도 일찍 일어나 일했고, 남들보다 늦게 집으로 돌아갔다. 서로 경쟁하면서 하는 일이라고 볼 수는 없었지만, 남들보다 부지런하면 조금이라도 더 많이 돈을 벌 수 있다는 것을 알고 있었다.

가끔이지만 가전제품 중에서 조금만 손을 보면 그런대로 작동되는 것을 만나는 행운도 있었다. 라디오가 그랬고 손잡이가 헐렁한 가재도구들이 그랬다. 나사 한 개를 구해서 조여 주거나 떨어진 선 하나를 이어 주기만 하면 되는 그런 경우가 있었다.

안용근은 가전제품이나 가재도구가 보이면 모조리 집으로 가지고 와서 밤새 고쳤다. 다시 고쳐서 내다 파는 물건들은 생각지도 못한 좋은 수입이 되기도 했다. 큰돈 벌 수 없는 자질구레한 물건들이 거의 전부였지만, 쌀도 사고 동생들의 학용품까지도 사 줄 수 있을 정도의 벌이는 되었다.

종이와 옷가지들을 줍고, 낡은 가전제품을 주워다 고쳐서 팔았지만, 안용근은 주변 사람들의 눈을 무서워하지 않았다. 다른 사람의 눈을 전부 의식하고 살 여유가 없었다. 그저 하루하루 조금이라도 더 많은 돈을 벌어서 조금이라도 더 여유가 생기고, 그러다가 학교에 다시 다닐 수 있기를 바라는 마음뿐이었다. 마음은 그랬지만 안용근 가족들의 삶은 쉽게 나아지지 않았다.

블록공장에서 나오는 돈은 시간이 갈수록 점점 더 줄어들었다. 살고 있는 집이 앉아 있는 땅에도 나라에서 돈을 내라고 했고, 편하게 쓰고 있던 수돗물에도 돈이 붙어 나왔다. 고향에서 본 완장과는 다르지만, 노란색 완장을 두른 사람들이 나와서 다른 곳으로 나가라고 했다. 집도 곧 허물 예정이니 하루빨리 다른 곳을 알아보라고 했다. 들어오는 돈은 일정하지 않고 나가는 돈은 늘어 가기만 했다.

고향에서 나올 때 담 높은 집에서 빌린 돈은 그나마 다 갚아서, 혹시라도 고향으로 돌아가거나 들를 일이 생기면 마음은 가벼울 것으로 생각했다. 날이 갈수록 고향에 대한 그리움은 커졌다. 그렇다고 돌아갈 수는 없었다. 한밤중에 아버지와 어머니는 전기를 아끼기 위해서 켜 놓은 작은 등불 아래서 우두커니 앉아 있곤 했다. 말은 하지 않았지만, 고향 생각을 하는 것이 분명했다.

힘들게 사는 것은 고향이나 진해나 마찬가지였지만, 그래도 먹는 것은 나았다. 보리, 쌀, 옥수수, 고구마, 감자, 더덕, 도라지, 마, 감, 호박, 콩, 새알, 메뚜기, 여치, 각종 나물처럼 논과 밭 그리고 산에서 나는 것으로 끼니를 때우고, 반찬 역시 김치, 나물, 소금, 간장, 된장

뿐이었던 고향에서의 밥상과는 달랐다. 바닷가에서 나오는 미역과 다시마가 있었고 고향에서는 그렇게 귀했던 멸치도 자주 볼 수 있었다. 고향에서는 가끔 볼 수 있었던 다 썩어 문드러진 생선이 아니라 제법 싱싱한 생선들도 밥상에 올라왔다. 안용근의 가족이 먹을 수 있는 생선은 크기가 작아 머리까지 한입에 들어가는 정도였지만, 비린내라도 맡을 수 있어서 좋았다.

"용근아. 이건 동생들 나눠 줘라."

"네. 어머니."

"용근아. 이거 형 갖다 줘라."

"네. 아버지."

"용근아. 이건 너 먹고"

"네. 어머니."

"용근아. 이건 동생들 연필이고, 이건 형 책이니까 방에 가져다 둬라."

"네. 아버지."

"용근아. 내일 일찍 나가야 하니까 어서 자거라."

"네. 아버지."

"용근아. 다니다가 그릇 작은 거 있으면 잘 챙겨 뒀다가 가지고 오너라."

"네. 어머니."

"용근아. 배고프면 밥 더 줄까?"

"아니에요. 이젠 됐어요. 그만 먹어도 돼요."

"좀 모자란 것 같은데?"

"괜찮아요. 하하하. 동생들 더 주세요. 하하하."

안용근은 가족들을 위한 일이라면 어떤 것이고 열심히 했다. 학교에 가지 못하는 것도 불평하지 않았다. 형과 동생들이 학교에 다니는 것만 해도 감사할 일이라고 생각했다. 글도 읽을 수 있었고 영어도 몇 마디 할 줄 아는 것이 자랑스러웠다. 지나가는 외국인들에게 인사를 하기도 했다. 넝마 일을 하면서 물건을 줍는 사람들 중에 영어를 할 수 있는 사람은 없었다. 그래서 외국인들이 내다 버리는 물건은 안용근의 차지가 되는 경우가 많았다. 길에서 외국인들이 버린 물건들과 마주치면 가져가도 되냐고 묻는 정도의 영어가 전부였지만, 그 이상의 영어 실력이 필요치도 않았다. 뭐라도 배워야 한다는 부모님의 말씀이 옳았다. 버려진 물건을 줍고 다니는 것은 아직도 부끄럽지 않았다. 게다가 외국인들을 가끔 볼 수 있는 진해에서 영어 몇 마디 하는 것은 다른 사람들이 봐도 신기한 일이었다. 어린 안용근이 버린 물건들을 소중하게 가지고 가는 모습을 외국인들은 신기하게 보았다. 그리고 가끔은 쓸 수 있는 물건들도 내주었다. 그럴 때면 '땡큐, 땡큐'를 연발하면서 머리 숙여 인사했고, 외국인들은 안용근의 머리를 쓰다듬어 주었다.

'한나, 두울, 세앤, 네엣."

"네. 알게씀니돠아."

"똑바로 해. 새끼들아. 응"

"네. 알게씀니돠아."

"빠져가지고 말이야. 한번 디져봐야 정신 차리지?"

"아닙니다아."

"국가와 민족을 위해서 목숨을 바쳐야 할 새끼들이 이 정도도 못해? 응?"

"아닙니다아. 또옥빠로 하겠슴니돠아."

"뛰엇!"

"한나, 두울, 세앤, 네엣."

"충성!"

진해에는 군인들이 많아서 지나치다 보면 사탕이나 껌도 가끔 얻을 수 있었다. 훈련받는 군인들도 볼 수 있었고 멋진 제복을 입은 간부들도 볼 수 있었다. 군인들은 옷도 많았고 쓰고 다니는 모자 종류도 많았다. 번쩍거리는 계급장이 모자와 옷에 붙어 있었고, 걸음걸이도 절도가 있었다. 멋있어 보였다. 한 번은 하수구에서 시커먼 군인들이 줄줄 나오는 걸 보고, 커다란 쥐가 나오는 줄 알고 동네 아이들이 혼비백산한 적이 있었다. 하얀 이와 눈만 내놓고 아이들에게 손을 흔들던 그 사람들은 특수부대 군인이라고 했다. 아이들이 바가지와 양동이에 맑은 물을 떠다가 내주자 씻을 생각은 하지 않고 벌컥벌컥 마셔버렸다. 그 옆에서 깨끗하고 멋진 군복을 입은 군인들이 이상하게 생긴 모자를 쓰고 악을 쓰면서 양동이를 걷어내고 바가지를 뺏고 있었다. 급하게 물을 마신 군인들은 아이들을 향해서 한 번 웃어 주고 손을 흔들면서 부대 담장 안으로 사라졌다. 아이들은 군인들이 받는 훈련이 생각보다는 힘들지 않을 거로 생각했다. 시간이 흐른 후 알게 되었지만 그 생각은 잘못된 생각이었다. 가끔 군부대 주변을 지날 때 들리는 군가 소리는 뭐가 그리 즐거운지 끊어지는 법 없이 계속 이어졌다. 아이들과 안용근도 그 군가를 줄줄 외면서 같이 부를 정도였다. 휴가나 외출을 받은 군인들이 담장 밖으로 나오면, 아이들은 그 뒤를 졸졸 따라다녔다. 그럴 때는 군가를 불러 가면서 따라붙어야 했다. 아이들의 군가 소리에 인심 좋은 군인들은 먹을 것이나 동전을 주기 때문이었다. 다 그렇게 인심이 좋은 군인만 있는 것은 아니었다. 어떤 군인들은 아이들이 지저분하다고 손을 휘휘 내저으며 내치기도 했다. 군복에 손이 벨 정도로 다림질해서 줄을 세웠고, 소매와 어깨 그리고 등까지 각을 맞춰서 입고, 모든 옷에 줄을 세운 군인들은 함부로 앉지도 않았다. 국방색 무늬 군복을 입은 군인들이 대부분이었지만, 가끔 얼룩무늬 군복을 입은 군인들도 보였다. 얼룩무늬 군복을 입은 군인들은 두어 명씩만 모여 다녔고 말도 거의 하지 않았다. 아이들에 대한 인심은 좋은 축에 들었다.

하지만, 아이들은 군복 무늬에 관심이 없었다. 다만, 인심 좋게 뭔가를 나눠 주는 군인들에만 관심이 있었다. 안용근이 본 군인들은 대체로 멋진 군인들이었다.

4. 입대, 희망은 어딘가에 있다

"아버지, 남들 다 가는 군대인데 너무 걱정하지 마세요."

"그래도 첫째 네가 고등학교 마치고 정비소에서 일하니까 이런 셋방이라도 얻어서 사는데, 앞으로가 걱정이다. 용근이도 이제 다시 학교에 가야 하고 동생들도 상급학교로 진학해야 하는데 말이다."

"그러게요. 어제 옆집 사람들끼리 얘기하는 걸 들어 보니 블록공장이 김해 쪽으로 완전히 이사한다네요. 여기는 나라에서 버스 정류장을 짓는다고 해서 모두 다른 곳으로 옮겨야 하구요. 우리도 이제 정말 다른 곳으로 가야 하는데, 방 두 개 있는 셋방은 너무 비싸고."

"우리처럼 아이들이 많은 집은 시끄럽다고 주인들이 싫어한다는데. 걱정이오. 우리 아이들이야 이제 다 컸고 제 할 일만 하면서 조용히 지내는 아이들인데. 참."

"방법이 없을까요?"

"어떻게든 방법을 찾아야지. 딱히 부탁할 곳은 없지만 알아봐야지 어떻게 하겠소!"

"아버지. 그럼 제가 먼저 군대 갔다 올게요. 형은 지금 일하는 정비소에서 기술도 더 배우고 해야 하고 동생들도 돌봐야 하니까 제가 먼저 군대 갔다 올게요. 군대 가면 뭐 입고, 자고, 용돈도 준다고 하고 운이 좋으면 기술도 배울 수 있다던데요."

"용근아. 넌 나 때문에 고등학교도 못 가고 고생만 했는데, 또 네가 군대까지 먼저 가면 내 마음이 편치가 않아. 군대는 내가 먼저 갔다 올 테니까 용근이 넌 어머니, 아버지 잘 모시고 동생들 잘 보살피고 있어. 내가 군대 가서 받는 돈은 다 집으로 보내 줄 테니까."

"형! 난 뭐 특별히 기술도 없고, 내가 벌어 봐야 형이 지금 받는 거에 비하면 반도 안 되니까 내가 먼저 군대 가서 입 하나라도 줄여야지. 군대 가면 뭘 많이 배울 수 있다고 저기 해군들이 얘기해 줬어. 괜찮을 거야. 걱정 마."

"그 군인들 말 다 믿으면 안 돼. 그냥 자기들 말이지. 훈련도 힘들고 먹을 것도 제대로 안 준다고 하던데."

"훈련이야 당연히 힘들겠지. 힘들어야 훈련 아닌가? 하하. 걱정마. 형. 내가 먼저 갔다 올게."

"넌 참 성격도 좋다. 걱정을 안 할 수가 있냐? 휴우."

"용근이 말이 틀린 건 아니지만, 이제 곧 고등학교 가야지. 늦었지만 그래도 공부는 해야지."

"아버지. 학교에서 배우는 것도 좋지만 사람들 사이에서 배우는 것도 좋아요. 일하러 다니며 얘기 듣는 것도 배우는 거잖아요."

"우리 용근이가 이 못난 아버지 때문에 애 어른이 되어 버렸구나. 미안하다. 휴우."

안용근은 형의 수입이 집안에 더 도움이 된다는 것을 알고 있었다. 안용근이 잡일을 하면서 벌어 오는 것과 형의 월급은 비교가 되지 않았다. 야간 공업고등학교를 졸업하는 것과 동시에 집 근처의 정비소에 출근하는 형은 일거리가 많은지 늘 야근했고 그만큼 받아오는 돈이 많았다. 집안 형편을 생각하는 형은 돈을 주는 날은 늘 출근해서 일을 했다. 어린 나이에 비하면 상상도 못 한 금액이었다. 부모님 말씀대로 공부한 것은 잘한 일이었다.

안용근은 선택의 여지가 없었다. 3년이라는 세월 동안 집안에 입 하나 줄이고. 어차피 가야 할 군대라면 형보다 일찍 가도 상관없다고 스스로 위로했다. 전쟁도 끝난 지 십 년이나 되었고 군대 가면 기술도 가르쳐 준다는 주변 사람들의 말이 안용근을 군대로 이끌었다. 병사구에 가서 지원서를 쓰고, 한 달 정도 지나자, 입영통지서가 왔다. 신체검사를 받은 후 자진해서 아무 군대나 보내 달라고 애원하는 안용근을 보며 병사구 사령부 직원들은 이상하게 생각했다. 자원입대하는 이유가 단지 입 하나 줄이고 군대 가서 먹고 살길을 찾기 위해서라는 안용근의 대답 때문이었다. 안용근은 진심이었지만 병사구 직원들 눈에는 정상으로 보이지 않았다. 군대를 모르는 철부지의 모자라는 생각으로 받아들여졌다.

육군 보충대로 6월 1일까지 입대하라는 통지서가 집으로 오자, 안용근은 자신이 가지고 있던 물건 중에서 소중한 것들을 형과 동생들에게 나눠줬다. 라디오는 형에게, 장갑이나 목도리는 동생들에게 주었다. 막내는 중학생이 되었지만, 그동안 사 주지 못한 장난감이라도 하나 주고 싶었다. 하지만 안용근에게는 가지고 있는 장난감도 없고 장난감을 사 줄 돈도 없었다.

"막내야. 미안하다."

"작은형. 뭐가 미안해?"

"장난감이라도 하나 주고 싶은데, 내가 가진 게 없어서 미안해."

"작은형. 나 이제 중학생이야. 중학생이 장난감 가지고 노는 거 봤어? 하하하."

"형이 아직껏 너한테 장난감 하나도 못 사 주고. 미안해."

"작은형. 난 괜찮으니까 건강하게 잘 다녀와."

"그래. 건강하게 잘 다녀와야지. 휴가 나오면 우리 막내 맛있는 거 하고 좋은 학용품도 사 줄게. 부모님 말씀 잘 듣고 공부 열심히 하고. 응?"

"군대 가는 작은형이 지금 날 걱정하는 거야? 작은형 나도 이제 다 컸어. 걱정하지 마. 나 잘할 수 있어. 하하하."

"그래. 우리 막내 잘해야지. 흑흑."

"작은형. 우는 거야? 울지 마아. 나 잘할 수 있다니까."

"그래. 그래. 우리 막내 잘해야지. 형도 알아."

입대 전날 아버지는 안용근을 끌어안고 밤늦도록 울었다. 어머니는 옆에서 이웃들이 걱정할 정도로 목 놓아 울었다. 끝내 이웃집 아주머니가 집으로 와서 말리고 나서야 울음을 그쳤다. 전쟁터에 가는 것도 아니고, 좋은 기술 배우고, 건강히 잘 갔다 올 것이라 위로해도 아무 소용이 없었다. 형도 울었고 여동생들도 울었다. 막내는 그냥 따라 우는 것 같았다.

다음 날, 마산으로 가서 기차를 탔다. 머리를 깎은 사람, 깎지 않은 사람, 나이가 조금 들어 보이는 사람, 아직은 군대 갈 나이가 되지 않은 것처럼 보이는 사람, 철에 맞지 않게 긴 옷을 입은 사람, 짧은 소매만 입은 사람, 혼자 온 사람, 가족이 함께 나와 있는 사람, 연인인 듯 보이는 여자와 함께 와서 울고 있는 사람, 친구들과 웃으며 손을 흔드는 사람… 갖가지 모양으로 기차를 탔다. 입영열차를 타는 사람들 중 행색이나 행동거지가 비슷한 사람들은 전혀 보이지 않았다. 개중에는 이상하게도 두부를 싸 와서 먹는 사람도 있었다. 기차 타기 직전까지 기차 안에서 술병을 들고 벌겋게 달아오른 얼굴로 박자도 맞지 않는 군가를 부르는 사람도 있었고, 우두커니 벽만 바라보는 사람도 있었다. 군대 가면 별의별 사람을 다 본다고 들었는데, 입대하기 전부터 그 별의별 사람들을 다 보는 것 같았다. 제각기 다른 사연을 가지고 입대하는 모습이었다.

보충대로 가는 기차는 새로운 여행길처럼 느껴졌다. 이제껏 제대로 된 여행 한번 가 보지 못한 안용근은 어릴 때 양자로 남의 집에 갈 때와 별다를 게 없다고 생각했다. 그때는 걸어서 갔지만 지금은 편하게 기차를 타고 가는 게 다를 뿐. 차창 밖의 세상도 구경할 수 있고 함께 입대하는 사람들을 보니 괜한 동질감이 느껴져 마음이 편안해졌다. 대구와 대전을 넘어 처음 들어보는 역에 우르르 내리자, 하얀색으로 '헌병', '조교' 등의 글자를 새긴 둥글둥글한 모자를 쓴 군인들이 기다리고 있었다. 모자를 너무 눌러써 눈이 제대로 보이지 않는 것 같아 안용근의 눈에는 조금 답답해 보였다. 잠시 어수선한 분위기가 있었지만, 둥근 모자들이 지르는 소리에 줄을 서고 앉았다 일어서기를 몇 번 하니 조용해졌다.

"야! 너 뭐 할 줄 알아? 특별히 사회에서 뭐 잘한 거 없냐고?"

"저요?"

"요? 야! 이 새끼가. 대가리 박앗!"

"네?"

"현 시간부로 다, 까로만 대답한다. 요 자는 머리에서 지운다. 알겠나?"

"……"

"이 새끼들 봐라. 대답 안 해?"

"네."

"예."

"응? 뭐라고?"

"알았다고요."

"하아. 이 새끼들 봐라! 앉아. 일어서. 앉아. 일어서엇!"

"지금부터 요 자 쓰는 새끼들은 다 대가리 박는다. 알겠나?"

"예에에. 알겠씀니다아아!"

"죽었다고 복창해. 여기가 어딘지 몰라?"

"네. 보충대입니다."

"야이. 새끼야. 보충대가 아니라 군대야. 군대."

지급받은 군복은 헌 옷이었다. 새 옷을 입으리라는 기대는 한순간에 날아가 버렸다. 소고기뭇국이라고 해서 입맛을 다셨는데, 나오는 건 소가 헤엄을 치고 갔는지 손톱 조각만 한 무 한 조각에 기름 덩이들이 몇 방울 둥둥 떠다니고 있는 것이 전부였다. 김치도 소와 함께 개울에서 헤엄을 쳤는지, 아니면 빨래터에서 세탁했는지, 묻어 있는 고춧가루가 몇 개 되지도 않았다. 보리밥은 밥그릇 바닥에 깔려 있어서 식사 시작 소리와 함께 곧바로 긁어먹어야 했다. 소가 지나간 물도 이것보다는 낫겠다고 수군거렸고 기름기가 식기에 붙어 있다 보니 씻는 데 애만 먹을 뿐이었다. 새 옷은 누가 다 가지고 갔고, 고기는 누가 다 먹어 버렸는지 알 수 없었다. 알 수 없는 일이니, 원망할 대상도 없었다. 그저 주는 대로 받기만 하면 되는 것 같았다. 쉬지 않고 불러야하는 군가 때문에, 집에 있을 때보다 배는 더 자주 고파왔다. 밤이 되면 뭐가 그리 마음에 들지 않는지 조교들과 간부들의 몽둥이가 매일 날아다녔다. 함께 훈련받던 동기 중 한 명이라도 작은 신음 같은 걸 내는 날이면 동기들 모두가 연병장으로 끌려 나가 기합을 받아야 했다. 정신없이 뛰고 달리고를 반복하고 허리춤보다 약간 긴 칼빈 소총을 늘 몸에 지니고 있다 보니 몸은 힘들었고 마음은 귀찮았다. 허기가질 때는 그런 마음이 더 했다.

같이 훈련받는 동기들과는 힘든 시간을 함께하다 보니, 그 와중에도 시간 나는 대로 많은 이야기를 했다. 마산역에서 입영열차를 타던 모습들은 훈련소에 와서도 비슷했다. 별의별 사연을 다 가지고 군대에 왔으니 서로 나눌 이야기가 끝이 없었다. 나이가 한참이나 많은 형들과도 말을 놓고 지내는 데는 오랜 시간이 걸리지 않았다. 서로 말을 높이는 걸 들켰다가 군홧발에 몽둥이질까지 당하는 꼴을 여러 번보았기 때문이었다. 상상도 하지 못했던 참 이상한 방법으로 동기들과 친해졌다.

"여기가 어디야?"

"신병교육대입니다아."

"햐아. 이 새끼들 봐라. 그걸 알면서 이렇게 느릿느릿 움직여?"

"빨리 움직이겠습니다아."

"이 새끼들 말은 잘해. 말 많은 게 빨갱이 새끼들인데, 말만 잘해!"

"아닙니다아."

"아니라고? 뭐가 아니야?"

"네?"

"이 새끼들 봐라. 지금 시작하게 되면 은행나무 돌아서 오는데 선착순 두 명. 뛰엇!"

"네?"

"이 새끼들 봐라. 뛰어 갔다 오라고오. 시작이라고오."

"야야. 뛰어. 뛰어. 어서. 어서."

"하나, 둘. 다시 돌아."

"야. 거기 너. 이리 와."

"네? 저요?"

"뭐? 저요오? 넌 다시 돌아. 이 새끼야."

"헉헉. 헉헉."

"너 인마."

"23번 훈련병 아안요옹그은!"

"너 이 새끼 정신 안 차려? 응?"

"정신 차리겠습니다. 헉헉."

"뭘 차리겠다는 거야?"

"정신 차리겠습니다."

"그래? 말은 잘 알아듣는구만. 너 주걱들 일 좀 해라."

"네? 주걱이 뭔지 잘 모릅니다."

"야. 취사병들 일 좀 도우라고. 배식조도 하고. 끝나면 식당 일도 좀 돕고. 말귀를 알아들으니까 시키는 거야."

"예. 알겠습니다."

훈련병들 사이에 배식조는 최고의 인기였다. 남는 것이 거의 없는 배식이었지만, 배식조에 들어간 동기들은 반찬 한 조각이라도 더 먹을 수 있었다. 취사병들이 조리하는 시간에 던져 주는 약간의 간식도 최고였고, 훈련을 빼먹고 막사 뒤편에서 음식 재료들을 손질하는 것도 그렇게 편할 수가 없었다.

"야. 용근아."

"응? 왜?"

"넌 집안에 힘 좋은 친척이라도 있냐?"

"아니. 근데, 왜?"

"없다고?"

"응. 없어."

"근데, 어떻게 배식조에 들어간 거야?"

"몰라. 그냥 말귀를 알아듣는다고 시키던걸."

"야. 그 자리가 그렇게 쉽게 들어가는 자리가 아니야. 넌 정말 운이 좋은 거야."

"글쎄. 그냥 시키는 대로 하기만 하는 걸 뭐."

안용근은 훈련 시간과 조교들이 시키는 일을 죽기 살기로 했다. 시키는 일 외에는 별로 할 것도 없었고 고향 마을에서 하던 일이나 진해에서 돈벌이를 위해서 죽어라 했던 일보다는 군대 훈련이 훨씬 편했다. 훈련 시간 외에 간부들의 개인적인 작업을 돕거나 조교들의 군화를 손질해 주면 작지만, 늘 보상이 따라왔다. 누룽지 조각을 얻어먹거나 구멍 난 양말이나 입었던 속옷과 장갑도 얻을 수 있었다. 버리려고 하는 것들을 안용근은 사정사정해서 얻었다. 얻어온 물건들은 밤에 손질만 하면 충분히 사용할 수 있었다. 담배도 얻고, 건빵도 얻었다. 필요한 물건들을 소소하게 구할 수 있었다. 입대하면서 속옷 깊숙이 숨겨온 돈이 있는 동기들은 안용근으로부터 갖가지 물건들을 사 갔다. 훈련받으면서 안용근은 생각지도 못한 돈까지 벌었다.

3주 정도 지나자, 안용근은 훈련소에서 그냥 살고 싶다는 생각이 들었다. 다른 훈련병보다 더 열심히 훈련받는 데다, 무슨 일이든지 시키는 대로 하고, 남들이 하기 싫다고 생각되는 일까지 열심히 했다. 이렇다 보니, 조교들뿐만이 아니라 간부들까지도 안용근을 곁에 두고 일을 시켰다. 신교대 안에서 조금 부서지거나 탈이 난 물건들은 양아버지에게 배운 손재주로 금세 고쳤고, 조교들 대신 보급품을 나눠 줄 때는 하나하나 꼼꼼하게 수량을 확인했다. 물건 하나하나의 소중함을 잘 아는 안용근은 단 한 개의 보급품이라도 정성껏 관리했다. 새 물건을 거의 써 본 적이 없는 안용근에게 지급되는 보급품들은 경험해 보지 못한 즐거움을 주었다. 훈련을 마치고 일과 후 시간에도 조교들이

나 간부들이 해야 하는 물품관리를 하다 보니, 가끔 훈련도 열외로 해주었다. 열외가 되고 나서 내무실이나 부대 한편에서 쉬고 있으면서도 안용근은 시간을 허투루 보내지 않았다. 같이 훈련받고 있는 동기들의 옷이나 물건들을 수선해 주었고, 부대 안에서 고쳐야 할 것이 있으면 알아서 고쳐 놓기도 했다. 휴식하는 안용근을 보면서 훈련을 마치고 복귀하는 동기들은 부러워했지만, 안용근이 자신들의 물건까지 수선해 놓으니, 불만을 가지지 않았다. 안용근은 아무런 보수도 바라지 않았다. 어차피 군대에서 먹고 자고 있으니 더 이상의 욕심이 필요가 없었다. 입대 전에 생각했던 것보다 군대는 편한 곳인 것 같았다.

"동작 그만. 추웅서엉! 1중대 2소대 휴시익쭈웅!"
"그래. 쉬엇!"
"쉬엇!"
"야. 너희들 말이야. 내부반 뒤편에 있는 것들 정리도 안 하고 말이야. 나자빠져서 휴식하니까 좋지? 응? 단체로 연병장 기어보고 싶어서 안달이 난 거야? 소원대로 해 줄까?"
"아닙니다아."
"뭐가 아니야? 이 새끼들아. 슬슬 기어 나가서 한번 굴러 볼까?"
"아닙니다."
"대답은 잘해. 이 새끼들. 하라는 것만 하니까 이 모양인 거야! 이 새끼들아."
"네? 아. 아닙니다."
"눈치 없는 새끼들. 아. 됐고. 신교대장님 관사 입구 목문을 고쳐야 하는데 말이야. 지원할 사람 손들어 봣! 정신 나간 새끼들 아무나 막 손들지 말고. 응! 뭐 좀 할 줄 아는 놈 없어?"

"야야. 용근아 네가 나가 봐"

"에이, 내가 뭘 할 줄 안다고?"

"그러지 말고 네가 나가 봐. 덕분에 우린 좀 쉬자고. 흐흐흐."

"야. 거기 말하는 새끼. 엇? 안용근 훈련병. 그래 네가 나와 봐."

"23번 훈련병 아안요옹그은. 저 말씀이십니까?"

"그래. 그래. 너 말이야. 동기들 대신 가겠다고 자진해서 손을 들고. 참! 희생정신이 좋다. 5분 뒤에 상의는 런닝만 입고 중대본부 입구로 와라. 이상!"

"추웅서엉!"

"야. 난 손 안 들었어."

"손 안 들었어도 조교 저 새끼 너 시키려고 작정을 하고 왔을걸?"

"아이참. 오늘은 우물 바가지도 두 개 고쳐놔야 하는데."

"그냥 가라. 저 꼴통 조교 새끼. 지 맘에 안 들면 막 패더라구. 훈련시킬 생각은 없고 만날 훈련병 두들기는 재미로 사는 독종이야."

"휴우. 뭐 하면 되겠지만. 알겠다. 가면 되지 뭐. 별 어려운 것도 아니고."

"고맙다. 용근아. 네 덕에 우리가 좀 산다. 고마워. 히히."

조교들이 일과 후의 작업에 자원하라고 했을 때, 안용근은 솔선수범이나, 희생정신으로 손을 든 적이 없었다. 물론 조교들도 그런 마음으로 자원하는 훈련병들이 있으리라고는 기대하지 않았다. 조교들이 서슬 퍼렇게 내무반으로 들어왔을 때, 씻지 못해서인지, 겨드랑이에 숨어 있던 이 때문인지 가려운 곳을 슬슬 긁다가 걸려서 손을 조금 움직인 것이 발단이었다. 아무것도 모르고, 아무런 생각이 없던 안용근이었다. 하지만 조교들이 안용근에게 훌륭한 자원병이라고 부르자 그 길로 안용근은 훌륭한 자원병이 되고 말았다.

맨 처음 일과 후에 지시된 작업을 마쳤을 때 칭찬과 함께 건빵 한 봉지를 얻었다. 다음 날이었다. 역시나 일과시간 이후에 다들 지쳐서 개인 정비를 하려고 했지만, 안용근은 누룽지 한 그릇 준다는 얘기에 작업조에 손을 들었다. 새로운 삶이 본격적으로 시작되었다. 신교대 생활은 슬슬 안용근의 적성에 맞는 것 같고, 차츰 군대가 살기 좋은 곳이라 생각되었다. 내무반 생활도 그다지 힘들지 않았다. 단체로 몽둥이질을 당할 때는 어쩔 수 없이 힘들고 아팠지만, 며칠을 맞다 보니 이것도 익숙해졌다.

내무반에서 옆에 자는 동기는 코를 심하게 골지도 않고 먹는 것도 많이 먹지 않아 남는 것은 안용근에게 주었다. 남길 것도 없는 밥그릇이고 돌아서면 배가 고파 다들 안달인데, 이 동기는 그렇지 않았다. 여러 날을 함께 보내고 이야기를 나눠 보니 옆자리에 동기는 아버지가 사관학교 출신에다 군대서 높은 자리에 있다고 했다. 그 이야기를 듣고 보니 조교나 간부들이 함부로 하지 않았고, 눈에 띄게 열외도 되고 있었다. 일과시간 이후에도 작업을 자주 나가는 안용근을 그 동기는 불쌍하게 바라보았다. 자신은 이유 없이 열외도 하고 쉬고 싶으면 말만 하면 되는데, 안용근은 일과 이후에도 작업을 나가서 항상 뭔가에 쫓기듯이 생활하고 있기 때문이었다.

그렇지만, 안용근은 옆자리 동기의 침구도 깔아 주고 새벽에 먼저 일어나 기상 시간에 늦지 않도록 깨워 주기도 했다. 단 한 명이라도 기상 후 집합 시간에 늦으면 단체로 기합을 받으니, 서로 깨워 줘야 하는 것은 당연한 일이었다. 한 명은 이유도 없이 훈련에서 열외되고, 한 명은 급한 작업을 한다고 열외가 되니 함께 열외 되는 상황이 되었다.

자연스럽게 둘이 붙어서 다녔다. 밤이 되면 둘은 군대 오기 전에 있었던 일들에 대해서 소곤거렸고, 서로 가족이나 고향, 여자 친구에 대해 이야기까지 하면서 둘도 없는 친구가 되었다. 이야기를 나누면서 안용근은 그 친구가 살아온 것에 대한 이야기 중 대부분이 이해되지 않았다. 사관학교를 졸업한 아버지와 귀한 집에서 자란 어머니, 그리고 좋은 학교에 다니고 있는 남동생과 여동생. 모든 이야기가 다른 세상 사람들 이야기처럼 느껴졌다. 안용근의 생각에 그 친구의 이야기는 수돼지가 새끼를 낳는 날이 되면 자신이 이해할 수 있을 것 같았다. 한 달 정도 지나니 제일 좋은 친구로서 서로 의지하는 사이가 되었다. 배고프지 않고 가족들과 행복하게 살면 된다고 생각했던 안용근은 그 친구의 이야기를 들으면서 자신도 그런 여유와 풍족함을 느껴보고 싶다는 꿈을 꾸게 되었다. 하지만, 정말로 수돼지가 새끼를 낳고 장사꾼이 남는 것 없이 장사할 때만 이루어질 수 있는 일이라 생각하며 스스로 웃었다.

안용근은 신교대 생활에 불만이 없었다. 그야말로 먹여 주고, 재워 주고, 운동시켜 주고, 재미있는 총까지 쏘게 해 주고, 돈도 주는 군대가 좋았다. 몸은 피곤해도 마음은 가벼웠고 입대 전 사회에서 힘들게 살아온 날들에 비하면 현재는 비교도 할 수 없을 정도로 복 받은 생활이라 여겼다. 보충대와 신교대를 거치면서 처음 며칠 동안은 배가 고파서 힘들었지만, 이제는 그다지 배고픔을 느끼지도 않았다. 건빵도 있고 누룽지도 있었다. 일과를 마치고 자원해서 나가는 작업 후에 내려지는 포상이 너무나도 큰 행복이었다. 신교대의 조교나 간부들은 안용근의 우상이었다. 어릴 때 진해에서 본 그 군인들과 같은 느낌이었다. 깨끗하고 절도 있고 멋있었다. 조교와 간부들은 훈련병들과는 다른 식탁에서 귀한 생선이나 고기들을 먹고 있었고, 군복의 주름은 항상 빳빳하게 서 있어서 칼날처럼 보였다. 옆자리에서 자는 친구와 신교대의 조교, 간부들은 안용근과는 다른 세상에서 살고 있는 사람들이었다.

"야 이 새끼들아. 저거 누가 버렸어? 응? 이 새끼들이. 여기가 돼지우리야? 응? 너 이리 와 이 새끼야."

"제, 제가 안 버렸습니다. 저거 누가 버렸는지 저도 모릅니다."

"누가 저거 버렸냐고 내가 물었어? 응? 내가 물어봤냐고요. 이 새끼야."

"퍽. 퍽."

"윽. 윽. 아이고. 아이고."

"네가 안 주웠으니까 저렇게 쓰레기가 있는 거 아냐! 이 새끼야. 중대장님 저거 보시고 응. 이 새끼들아 나만 작살났잖아. 어?"

"퍽. 퍽."

"윽. 윽. 커헉. 아이고. 잘못했습니다. 조교님."

"여긴 군대야 이 새끼들아. 알아서 기어. 어? 알아서 기라고 이 새
끼들아."

"네에. 알겠습니다아."

"여기 놀러 온 줄 알아? 이 새끼들아. 한 번만 저런 걸로 나한테
걸리기만 해 봐. 응. 그날이 제사상 받는 날인 줄 알아. 에이 씨."

"네에. 알겠습니다."

안용근에게는 편한 신교대였지만 다른 동기들에게 군대는 힘든
군대였다. 누구나 처음 오는 군대였고, 누구나 처음 해 보는 훈련이
었다. 자신만 잘하면 되는 줄 알았지만, 이유 없이 몽둥이와 군홧발
이 날아올 때가 많았다. 생각지도 못한 일들이 갑자기 생겼고, 예정
되어 있던 훈련 대신 작업만 할 때도 있었다. 죽어라 훈련하다가도 높
은 사람이 온다고 하면 훈련장은 작업장으로 금세 바뀌었다. 작업을
열심히 하다가도 갑자기 한곳에 모여 쉴 때도 있었다. 나무 그늘은 간
부들과 조교들의 차지였다. 하지만, 신교대의 시간은 생각보다 빨리
지나갔다.

"야아! 안용그이."

"네. 23번 훈련병 아안요웅그언."

"너 말이야. 담 주에 수료하고 나면 신교대에 남아라."

"네? 저 말씀이십니까?"

"그래!"

"제가 남아도 되는 겁니까?"

"야야. 신교대 기간병 하면 대우가 좋아. 네 손재주 정도면 다들 좋아할 거야."

"넵. 알겠습니다. 감사합니다."

"그래. 딴생각 말고 정리 잘하고 있어."

"넵. 알겠습니다아. 근데, 저. 혹시 조교님. 제 옆에 동기는 어디로 가는지 물어봐도 됩니까?"

"물어보면서 인마. 뭐 물어봐도 돼? 하하. 정이 들었나 보다. 하하. 그건 네가 알아서 뭐 하게? 그냥 넌 인마 네 일이나 신경 써. 까불지 말고."

"넵. 알겠습니다아."

"야. 안용근이"

"넵 23번 후울려언벼엉 아안요옹그언."

"알고 싶냐?"

"네? 뭐 말씀이십니까?"

"네 동기 말이야. 하하."

"넵. 알고 싶습니다."

"자식들. 정이 많이 들긴 들었나 보네. 보기 좋다. 그 자식은 부모 잘 만나 보수대로 갈 거다. 뭐 만날 보급품이나 불출하면서 지내겠지. 이제 우리도 그 자식한테 잘 보여야 해. 그 자식 맘만 먹으면 우리 신교대 괴롭게 할 수 있을 거야. 그러니까 인마. 안용근이 너도 네 걱정이나 해. 걘 잘 살 거야. 하하하."

"넵. 알겠습니돠아아. 흐흐."

"야 인마. 뭐가 좋아서 실실 웃어? 보수대가 우리 신교대 바로 옆에 있다고 그러는 거야? 친해 보이던데. 수료하고 나서도 잘 지내라. 군대에서는 동기가 최고다."

"네엣. 알겠습니돠아아. 흐흐"

"자식. 되게 좋아하네. 하하하."

안용근에게 신교대에서의 생활은 신기하고 즐거운 경험이자 삶의 한고비가 되었다. 수료식 날 옆자리 동기를 담 너머에 있는 보수대로 떠나보내면서 안도의 숨을 쉬었다. 헤어지면 영영 못 볼 수도 있는데, 담 하나를 두고 생활하게 되니 더할 수 없이 좋았다. 신교대(신병교육대)와 보수대(보급수송대)는 담 하나를 사이에 두고, 200여 명의 기간병이 근무하는 작은 규모의 대대급 부대였지만, 다른 부대들이 부러워하는 최고의 자대였다. 담 하나를 사이에 두고 있지만 쉽게 왕래하기 위해서 눈에 보이는 담은 애초부터 거의 없었고, 외곽 울타리는 두 부대가 함께 사용하고 있어서 멀리서 보면 한 부대처럼 보이기도 했다. 두 부대 사이의 담이라고 해 봐야 강당으로 사용하는 퀸셋막사 뒤편의 낮은 담장뿐이었다. 부대 간의 경계는 비가 내려야 제대로 구분이 되었다. 비가 제법 내려야 물이 흐르는 작은 배수로 하나가 두 부대 가운데를 세로로 나눠 주었다. 하는 일이 다를 뿐이지 거의 한 부대나 마찬가지였다. 그동안 친해진 다른 동기들과는 눈물로 이별을 했지만, 안용근과 보수대로 가는 둘은 즐거웠다.

"충성! 이병. 안용근."

"야. 너 인마. 요새 군기가 빠져 간부들한테 살살거리면서 똥개마냥 꼬리 흔들고 다닌다면서. 어?"

"아, 아닙니다. 그런 적 없습니다."

"이 새끼가 어디 말대꾸해?"

"퍽. 퍽."

"윽. 윽. 죄송합니다아."

"자꾸 그렇게 살살거리고 다니면, 담엔 아주 묵사발을 만들어 버릴 테니까 알아서 해라. 어. 알아서 하라고 인마."

"네. 알겠습니다."

"그리고 내일 오후 배수로 정비조에 나 대신 네가 나가 인마. 알겠어?"

"네? 배수로 정비조 말씀이십니까?"

"그래. 뭐? 가기 싫어?"

"아, 아닙니다. 제가 가겠습니다."

"이런 일들은 너 같은 쫄따구들이 알아서 가야 하는데, 넌 도대체가 말이야 눈치가 없어. 이 새끼야. 넌 아무래도 갔다 와서도 좀 맞아야겠다."

"죄 죄송합니다. 다음부터는 제가 알아서 손들고 나가겠습니다."

"그래? 그럼. 뭐. 지켜본다. 안용근이. 응?"

"넵. 앞으로는 제가 작업조 열심히 나가겠습니다."

"그래. 그렇게 해야 군 생활이 피는 거야!"

"넵. 알겠습니다."

"어딜 가나 사람이 말이야. 눈치가 있어야 해. 눈치가. 특히. 군대서는 눈치가 반이야. 반. 알겠어?"

"넵. 알겠습니다."

함께 군복을 입고 있지만 심성을 도저히 알 수 없는 사람들도 있었다. 기분 나쁜 일이 없어 밝은 얼굴로 다니는 것도 군대에서는 죄가 되었다. 덕분에 인상 좋지 못한 고참들이 안용근을 불러내 괜히 이유 없이 괴롭혔고 구타도 일상이었다. 그래도 안용근은 크게 화가 나지도 않았고 충분히 참을 수 있었다. 사소한 잡일에는 이등병과 일등병들이 수시로 불려 나갔다. 작업조가 아닌데도 고참들 대신 작업을 나갔고, 힘든 일은 당연히 후임들이 도맡아 했다. 밤이면 그래도 좀 나았다. 불침번 근무를 설 때는 모두가 잠을 자니, 고참도 없었고 구타도 없었다. 외곽 경계근무를 나가면 항상 2인 1조였다. 고참들과 함께 근무를 나가다 보니 처음에는 한두 대씩 때리다가 차츰 입대 전 사회에서 있었던 이야기를 하거나 개인적인 이야기를 나눈 이후부터는 조용히 지나가는 날이 많아지게 되었다. 그러면서 정이 들어갔다. 안 맞았으면 더 빨리 정이 들었겠지만, 어쩔 수 없이 그렇게 정이 들어갔다. 맞는 것도, 때리는 것도 시간이 어느 정도 해결해 주었다. 악독한 고참들도 있었다. 그 사람들은 눈에 보이지 않는 곳만 골라서 때렸다. 일명 5파운드. 5파운드라고 불리는 곡괭이 자루는 보기만 해도 무시무시했다. 크기도 모양도 무지막지했고 잘못 맞으면 병신이 될 수 있다는 말을 들었다. 그래서인지 악독한 고참들은 엉덩이만 골라서 때렸다. 5파운드의 끝에 약간 넓은 부분이 엉덩이에 내리꽂히면 온몸이 전기에 감전된 것처럼 찌릿찌릿했다. 단 한 대 맞고 나서 땅바닥을 구르며 우는 동료, 잘못한 것도 없는데 맞기도 전에 잘못했다고 싹싹 비는 동료도 있었다. 그러다가 어쩔 수 없이 한 대 맞으면 토끼가 뛰듯이 깡총깡총 뛰면서 이리저리 돌아다녔다. 물론 싹싹 빌던 손바닥은 엉덩이를 주무르기에 바빴다. 안용근은 맞는 것이 싫었지만 비는 것은 더 싫었다. 그래서 빌지 않았다. 맞아야 하는 이유가 뭔지, 잘못한 게 뭔지 알려 주면 고치기라도 할 텐데. 이유를 말해 주는 고참은 한 사람도 없었다. 물었다가는 더 맞을 거 같아서 이유를 묻지도 않았다. 군대는 군대였고 별다른 이유는 없었다. 그런 정도는 차츰 눈치로 알 수 있었다.

"야야. 안 이병. 야야. 안용근이."

"어? 야아. 잘 지내? 보수대는 좀 살 만해?"

"젠장! 신교대나 여기나 뭐 별다를 게 없다. 차라리 신교대가 낫지. 만날 몽둥이 욕지거리에. 말도 마라. 그래도 뭐 가끔 작업 나가거나 근무 설 때는 좀 편해. 넌 어떠냐?"

"뭐. 나도 비슷해. 하하. 그래도 오랜만에 보니까 좋다. 난 밥이라도 많이 먹으니까 좋다. 하하하."

"밥? 여기도 밥은 많이 줘. 하하. 야. 용근아. 혹시 필요한 거 있으면 얘기해. 내가 살짝 갖다 줄게. 우리 보수대 창고에 가면 물건들이 엄청 많아. 1종 창고에 가면 먹는 거는 다 있지. 2종 창고에 가면 담요부터 양말까지 천장 꼭대기까지 쌓여 있어. 그 옆 창고에는 기름, 상비약, 공구 뭐 이런 것들도 다 있어. 필요한 거 없어? 잘하면 뭐 총이나 대검도 구할 수 있을 거 같아. 하하하."

"뭐가 그렇게 많아?"

"야야. 1종은 오래 두면 썩어 버리는 게 있으니까 억지로 빼 주기도 해. 우리가 먹는 건 거의 다가 여기서 나가는 거야. 몰랐지?"

"그래? 그래도 그건 함부로 손대면 안 되잖아. 괜히 잘못 건드리다가 혼나지 말고 조심해."

"괜찮아. 이놈 저놈 모두가 다 하나씩 들고 가는 걸 뭐. 그래도 신교대는 좀 많이 주는 것 같더라. 군대 처음 와서 고생한다고 더 주는 거 같아."

"하하. 우리도 수료 전에 좋은 거 받았잖아."

"근데, 다른 부대로 가는 건 엉망이야. 간부들이 퇴근할 때 몇 개씩 들고 가 버린다니까. 이거 수량이 많으니까 표시도 안 나거든."

"물건들이 그렇게 많아? 우리 신교대 때도 동기들이 그렇게 많았는데, 그걸 다 주고도 또 남아?"

"그래. 그렇다니까. 우리가 신교대 수료하면서 받은 건 아무것도 아니야. 퀀셋막사 알지? 그런 창고가 한두 개가 아니야. 그러니까 필요한 거 있으면 얘기해. 걱정 꽉 붙들어 매고. 하하하."

"그래도 조심해. 누가 알면 어쩌려고?"

"야. 고참들 휴가 가면 꼭 몇 개씩 챙겨서 나가. 그거 가지고 술도 마시고 휴가비도 하는 모양이더라. 아까 얘기했잖아. 간부들도 하나씩 아니지, 몇 개씩 챙겨 간다니까."

"아이구우. 알았어. 고마워어."

"어어? 농담으로 듣네? 정말이라니까. 참."

"알았다구우. 고맙다구우. 그래도 조심해. 남의 물건 손대지 말고. 너네 집은 잘살잖아. 죄 하고 복은 지은 대로 간다잖아. 그러니까 괜한 짓 하지 마."

"어? 뭐가 어디로 가?"

"부모님이 늘 하시던 말씀이야. 죄 하고 복은 지은 대로 가니까, 죄지은 사람은 벌 받고 복 지은 사람은 복 받는다. 뭐 이런 말이야."

"아이구우. 그래요오. 선비님에 도덕군자 납셨네요. 괜한 걱정하지 말고 필요한 거 있으면 언제든지 얘기해. 그냥 잠시 넘어와도 되고. 신교대에서 훈련받을 때 네 덕분에 겨우 살았는데, 은혜는 갚아야 도리가 아니겠냐! 하하하."

"그래. 필요하면 얘기할게. 누가 찾을라? 들어가자."

"굿바이. 하하하."

야전부대 병사들은 제대로 먹지도 못했고 입고 신는 것들도 제대로 된 것이 귀했다. 병사들에게 지급되어야 할 보급품들은 어디서 어떻게 사라지는지 알 수가 없었다. 핫바지 방귀 새듯 한다는 말이 딱 맞았다. 보수대 창고에는 그렇게 많다는 물건들이 정작 필요한 야전부대에는 제대로 지급되지 않아 병사들의 사정은 너무나도 좋지 않았다. 신교대에 남아서 잡일이나 하는 안용근의 경우는 사정이 그래도 좀 나았다. 조교는 아니지만 신교대에서 안용근은 손이 안 가는 곳이 없을 정도로 바쁘게 생활했다. 훈련장, 취사장, 화장실, 창고, 무기고, 탄약고, 간부숙소, 관사, 보수대와 함께 사용하는 위병소, 강당, 훈련병 내무반 등 거의 모든 곳에서 생기는 수리는 안용근이 다 뛰어다니면서 해결했다. 주말에도 쉬는 시간이 거의 없었다. 가끔 외부로 나가서 간부들의 잔심부름도 했다. 심지어 간부들과 친분이 있는 민간인들의 집이나 물건들도 고쳐 주었다. 시간도 잘 가고 고참들이 때리지도 않으니 별 불만 없이 할 만했다. 신교대 조교들은 훈련병들에게 지급되어야 할 보급품들 중 몇 개를 빼서 자신들이 사용했고, 훈련병들은 영문도 모른 채 보급품을 받지 못하거나 헌것들을 받아야 했다. 훈련병들은 어떤 보급품을 얼마나 받아야 하는지도 몰랐기 때문에 특별히 불평하는 훈련병이 있을 수 없었다. 고참들이 쓰다 남은 낡은 것들을 두면 안용근은 감사히 잘 받아서 썼다. 가끔 새 물건이 손에 들어오면 더블백 깊숙한 곳에 넣어서 2, 4종 창고에 넣어 두었다. 4종 보급품 그러니까 공사 자재나 공구 등이 자리 잡고 있는 깊은 곳, 안용근은 자기만이 알고 있는 장소를 만들었다. 바람이 잘 통하는 환기구 옆이었고 4종을 재어 둔 곳이라 다른 고참들이나 간부들이 잘 오지 않는 은밀한 장소였다. 물건을 고치는 안용근이 관리해야 하는 곳이었고, 4종은 당장 써야 하는 물건들이 아니어서 물건들을 숨겨 두기에 아주 좋은 곳이었다. 이런 즐거움이 있다 보니 고참들 대신 나가는 작업도 안용근에게는 즐거운 일이었다. 간부들의 개인적인 심부름도 물론 싫지 않았다. 시간은 바쁘게 흘러갔고 불평할 이유가 없었다. 입대 전에 생각했던 삶과는 다른 삶이었다. 즐겁다고 생각하면서 지내는 신교대의 시간은 안용근만이 알고 있는 4종 창고 비밀의 장소에 더블백 개수를 늘려 갔고, 주변으로부터 칭찬과 신뢰도 함께 늘어 갔다. 탄 박스를 뜯어 의자와 탁자를 만들었고 탄통을 손질해서 공구함을 만들었다. 이렇게 만들어진 의자, 탁자들과 공구함은 안용근이 알지도 못하는 높은 사람들의 집으로 들어가거나 시장에서 팔려 나가기도 했다.

안용근이 간부들의 눈에 들기까지는 오랜 시간이 필요치 않았다. 인사계는 안용근에 아예 주말 동안 무얼 몇 개 만들라고 지시하고는 창고 열쇠까지 주었다. 중대장은 안용근이 고친 라디오를 보고는 주변 사람들의 고장 난 물건들까지 들과 와서 고쳐 달라고 했다. 모든 물건을 다 고칠 수 있는 것은 아니었지만 부속을 떼서 이리저리 붙이다 보니, 완전히 망가진 것 빼고는 제구실할 정도로까지는 고쳐 놓았다. 신교대 자충으로 눌러앉은 지 한 달 정도가 지나자, 개인 작업장 같은 장소를 줬다. 2, 4종 창고 옆, 한편에 수리 부속을 넣을 수 있는 선반을 두고 그 옆에 책상과 의자가 놓였다. 가끔이지만 평일에도 부대 밖을 나갈 수 있는 자유도 덤으로 받게 되었다. 아무리 힘든 일을 시켜도 내색하지 않으니, 그렇게도 괴롭히던 고참들의 마음이 점점 안용근에게 호의적으로 돌아서기 시작했다. 더불어 간부들도 안용근에게 무한한 신뢰를 하기 시작했다. 온갖 궂은일을 해 오면서 안용근은 대가를 바라지 않았고, 자신에게 몽둥이질했던 고참들을 간부들에게 고자질하는 짓도 하지 않았다. 전역을 하는 고참들에게는 낡은 담요나 새 양말 한 켤레라도 선물로 챙겨 주었다. 전역을 하면서 부대를 떠나는 사람들에게 작은 선물은 눈물을 흘리게 했다. 이유 없이 안용근에게 몽둥이질하고 자기 일을 시킨 것에 대한 미안함도 있었을 것이었다.

"안용근이"

"이벼엉. 아안요웅그언."

"야. 너 면회를 다 오네? 이거 자대 온 지 얼마나 됐다고 작대기

한 개가 면회를 오게 해? 이거 정신을 못 차렸구만!"

"어? 이상하네! 저도 누가 왔는지 모릅니다. 올 사람도 없습니다."

"몰라 인마. 위병소에서 면회 왔다고 나오란다. 옷 갈아입고 나가
봐. 오후 과업은 내가 나갈 테니까 좀 쉬고 와. 으하하하 놀랬지? 하
하하. 잘 다녀와. 첫 면회잖아."

"아아. 하하. 알겠습니다. 감사합니다."

"우리 신교대는 말이야. 태가 잘 나야 해. 태가. 응? 새 걸로 갈아
입고 잘 다녀와라. 하하하."

"하하. 감사합니다."

"들어올 때는 빈손으로 꼭 들어와야 한다. 알지?"

"하하하. 알겠습니다. 한 손만 빈손으로 와도 되는 거 아니겠습니
까? 하하하."

"그렇지. 그렇지. 요새 안용근이가 잘해. 하하하. 그리고 나간 김
에 사회 냄새 좀 맡고, 사제 음식도 좀 먹고. 알겠지?"

"넵. 감사합니다. 하하하."

고참들의 행패와 몽둥이질은 시간이 지날수록 눈에 띄게 줄어들
었고, 배고픔도 어느 정도 잊고 생활할 수가 있었다. 막무가내로 작업
을 시키고 일과 이후 시간에 집합시키는 일들도 줄어들었다. 다만, 간
부들의 잔심부름은 늘어 갔다. 아는 사람도 없고 배운 것도 짧았던 안
용근은 어디를 가도, 누구를 만나도 늘 자신이 없었다. 하지만 생각했
던 것보다 자신이 할 일이 많은 군 생활은 빠르게 적응해 나갔다. 면
회를 나가는 안용근은 누가 왔는지 정말 알 수 없었다. 진해에 있는

가족들이 신교대까지 면회를 올 수 없다는 것은 잘 알고 있었다. 거리도 거리지만 신교대까지 오는 길도 모르고 비용도 없을 것이었다. 오히려 훈련병 때 예상치 못하게 들어온 돈을 모두 부모님께 보냈다. 밖에서 보이지 않도록 지전을 잘 펴서 몇 겹의 봉투 안에 소중하게 넣어서 보냈다. 당장 군대에서는 쓸 일도 없고 쓸 수도 없으니 집안 살림에 조금이라도 보탬이 되어야 한다고 생각했다. 입고, 먹고, 자는 것이 해결된 이상 집안에 도움이 될 일이라면 무엇이든 하고 싶었다.

"야야. 안 이병. 안용근이. 여기다. 여기."

"어? 보수대는 벌써 외출해도 되는가 보네? 우리 아직 밖에 못 나가는데. 부럽다. 히히."

"야. 나도 알건 다 알아. 하하. 가끔 너도 밖에 나가잖아. 하하."

"쉿. 그건 우리만 알아야지. 큭큭."

"집에서 가족들이 와서 대대장님이 잠시 내보내 준 거야. 여기서 나가 봐야 어디 갈 데가 있는 것도 아니고. 그다지 할 것도 없어. 그래서 말인데, 너 오늘 나랑 외박 나가자. 응?"

"안 돼. 내가 어떻게 외박을 나가?"

"야야. 너만 좋으면 나랑 같이 갈 수 있어. 어때? 괜찮지?"

"첫 면회인데? 면회 나가자마자 다시 외박 나가면 고참들이 또 행패를 부릴 텐데?"

"그 새끼들 신경 쓰지 마. 괜히 부러워서 그러는 것들인데."

"안 돼. 뒷감당이 힘들어져."

"참. 우리 부모님. 인사드려. 동생들은 안 오고 부모님만 오셨어."

"엇! 추웅서엉! 아니. 그게 아니고. 죄송합니다. 버릇돼서."

"하하. 괜찮아. 이리 와서 앉아라. 신교대에서 이 녀석 하고 그렇게 친하게 지냈다면서? 네가 많이 도와줘서 잘 지냈다고 들었다."

"아닙니다. 제가 이 친구한테 신세를 졌습니다. 이 친구 덕분에 신교대에 바로 자충도 되고 지금도 잘 지내고 있습니다."

"야야. 용근이 네가 하도 시키는 일 잘하니까 신교대에서 꽈악 잡은 거지. 내가 뭘 도와준 게 있다고? 이젠 빈말도 잘하네. 하하. 같이 외박 나가자. 응? 부모님은 나중에 집으로 가실 거니까 나 혼자 심심해. 술도 한잔 하고. 응?"

"아무리 그래도 아직 이등병인데. 외박 가면 고참들 눈이. 어휴우! 잘들 대해 주긴 하지만 눈치가 보여. 간부들도 별로 좋아하지 않을 거 같고. 그냥 들어가자."

"안 이병. 여기 신교대 대대장은 내가 잘 아는 후배니까 걱정할 거 없다. 둘러댈 얘기는 내가 대충 해 놓을 테니. 이 녀석 하고 한잔하면서 쉬고 들어가거라. 여긴 워낙 오지라 갈 곳도 마땅치 않겠지만. 버스에서 내려 보니 저기 정류장 옆에 여인숙과 식당도 보이더구나."

"아닙니다. 아버님. 이렇게 늘 이 친구한테 신세만 져서 미안해서 그럽니다."

"야. 안용근이. 너 왜 이래? 나랑 같이 자는 게 싫어?"

"아니야. 그게 아니고. 우리 신교대 동안 매일 같이 잤는데."

"큭큭. 그렇지. 오늘 우리 둘이 푹 쉬고 들어가자. 오케이?"

"그래. 대대장이 승인하면 문제없을 거다. 내가 알아서 처리해 주마."

"네? 대대장님께 직접 말씀이십니까?"

"그래. 친한 후배니까 걱정 말래두."

"그래. 아버지 말씀 들어도 괜찮아. 우리 어머니하고도 잘 아는 사이래."

"그래. 우리가 옛날에 옆 부대 근무할 때는 엄마들끼리 김장도 같이 했단다."

"아. 어머니도 잘 아시는가 봅니다."

"그러니까 아버지 말씀대로 걱정하지 말고 푹 쉬고 들어가요."

"저 때문에 귀찮게 해서 죄송합니다. 감사합니다."

"우리 애 말대로 참 바른 사람이네요. 앞으로도 우리 애 하고 잘 지내도록 해요. 얘가 친구가 별로 없어요."

"아. 엄마. 그만하세요. 안용근이 이 녀석 제가 얼마나 자기를 좋아하는지 잘 알고 있어요."

"그래? 근데, 안 이병이 널 좋아한다는 걸 넌 어떻게 아니?"

"음. 그건 제가 이 녀석을 정말 정말 좋아하니까요. 하하하."

"얘가 군대 오니 이젠, 정말 철이 좀 드는가 보네요. 호호호."

내무반으로 뛰어가서 외박 얘기를 하자 고참들도 놀란 표정이었지만 대대장실에서 걸려 온 전화에 얼굴이 바뀌었다. 고참들은 안용근에게 빨리 나가라고 성화였다. 보수대 동기의 아버지는 꽤 높은 분이었던 모양이었다. 지휘통제실로 가서 생전 처음 외박 신고를 하고, 다시 위병소로 뛰어간 안용근은 보수대 동기와 부대 담 밖으로 첫 외박을 나갔다. 부모님들이 일찍 떠나자, 둘은 곧장 버스 정류장 옆의 여인숙으로 가서 방을 잡았다. 다른 부대에서도 외박을 나온 모양인지 군복을 입은 사람들이 제법 보였다. 벌써 몇 달째 군대 담벼락 안에만 있다 보니 세상 공기가 다르게 느껴졌다. 심부름한다고 잠시 잠시 부대 밖으로 나왔던 기분과는 완전히 다른 느낌이었다.

여인숙에서 따뜻한 물을 준다길래, 오랜만에 편안한 마음으로 대충 씻고 여인숙 방바닥에 편하게 누웠다. 내무반 바닥과는 전혀 다른 느낌이었다. 보수대 동기도 옆에 누웠다. 아직 이른 시간이라 술을 먹으러 가는 것도, 그냥 누워 있기도 어색했다. 딱히 갈 곳도 없었고 할 일도 없었다. 신교대에서 뜻하지 않게 들어온 돈은 가족들에게 보내 버렸기 때문에 쓸 돈도 없었다. 이런 안용근의 마음을 모르는 보수대 동기는 이른 시간임에도 술 한잔하러 가자면서 안용근의 팔을 끌었다. 돈이 없다고 할 염치가 없었다. 돈이 없다고 하면 보수대 동기가 다 낼 것임을 안용근은 알고 있었다. 안용근이 입을 다물고 있자, 보수대 동기는 다 알고 있다는 듯 돈 걱정은 하지 말라며 오백 원짜리와 백 원짜리 지전을 몇 장이나 보여 주었다. 있는 집 사람들은 달랐다.

안용근과 보수대 동기는 이른 시간이라 사람들이 많이 오지 않을 것 같은 부대 담벼락 아래의 외진 곳에 자리 잡고 있는 술집으로 발길을 잡았다. 부대 안에서 생활할 때 거의 매일 들었던 그 집의 소음들이 어떤 것인지 알고 싶기도 했다. 부대와 조금 더 떨어진 곳에 술집이 몇 집 더 있었지만, 왠지 모를 오기와 궁금증으로 그 집에서 한잔하고 싶었다. 술집에 도착해서 울타리 안쪽을 넌지시 살펴보자, 아직 장사 준비를 못 한 여주인이 인기척을 느끼고는 바쁘게 걸어 나왔다. 머리에 수건을 쓰고 있어서 안용근은 순간 어머니의 머리를 기억했다. 잘 볼 수는 없었지만 밉지 않은 얼굴에 작고 마른 체구였다. 어서 오라는 인사는 받았지만, 안용근과 보수대 동기는 대꾸도 하지 않고 마루에 앉았다. 얼굴을 한번 보고 싶었지만, 초면에 빤히 쳐다보기가 부끄러웠다. 보수대 동기는 제일 맛있는 고기로 안주를 만들어 달라고 주문했다. 둘은 안주가 나오기도 전에 소주 한 병을 나눠 마셨다. 돈은 얼마라도 낼 테니 제일 맛있는 안주를 만들어 달라는 건방지고 어린 군인들을 보고 술집 여주인은 살짝 웃어 주었다. 술집 여주인의 머릿속에는 솜씨를 부려 맛있는 안주를 만들기보다는 고기를 조금 더 넣어 몇 푼 더 받을 생각만 있을 뿐이었다. 외상을 달고 술을 퍼마시고는 몇 달이 지나도 갚지 않는 골치 아픈 손님들이 있는 형편이라 돈은 얼마든지 준다는 손님이 이른 시간에 오자 고맙기만 했다. 이런 날, 그동안 못 받은 돈까지 만져 보리라 생각했다. 작대기 하나, 이등병들을 보니 안주는 대충 해서 상 위에 올려놓아도 군말이 없을 것임을 단박에 알 수 있었다. 서로 나누는 얘기만 들어도 오늘 매상은 대충 다 올려 줄 것 같았고, 자기 얼굴도 제대로 못 보는 숙맥들이다 보니 술값도 자신이 대충 계산해서 내라고 하면 다 줄 것 같았다. 안용근은 '살다 보니 이런 날도 오는구나'라고 생각했다. 안용근의 첫 외박 날은 술집 여주인이 횡재를 하는 날이 되었다.

"아줌마아. 어이. 아줌마아."

"네. 아이구 곧 가지고 가요. 잠시만요."

"어이. 그러지 말고 그냥 오늘은 우리로 장사 끝내지 뭐. 응? 꺼으억. 우리 둘이 오늘 팔 거 다 먹어 치울 테니까 여기서 같이 한잔하자구. 으허허."

"아이구. 뭔 젊은 군인들이 낮부터 이리 술을 밝히나? 적당히들 마시고 들어가야지."

"어? 우리? 우리 오늘 외박인데. 우리 오늘 안 들어가요. 으하하하. 그러니까 여기서 같이 한잔합시다. 딸꾹. 으허허."

"아아! 그럼 잠은 어디서 자요?"

"잠? 잠이야 다 잘 데가 있지!"

"아아! 저기 정류장 옆에 여인숙에 가려나 보네! 거기 군인들이 많이 가더구만. 우리 집 건넛방도 하루 정도는 잘만 하니까 술 더 취하면 자고 가도 돼요. 괜히 술 마시고 돌아다니다가 다치면 안 되잖아요. 헌병들에게 걸리기라도 하면 혼쫄이 날 텐데. 호호호."

"어허. 이 아줌마가 참. 꼬리가 아홉 개 달린 구미호구만. 여우야 여우. 으하하하. 우리가 술 취한 거 보고 여기 눌러 앉힐 생각이나 하고. 으허허. 여우야. 여우."

"가고 싶으면 여인숙으로 가요. 걱정해서 하는 말이구만."

"한잔 더해. 한잔 더."

"아이구. 무서워라. 무서워. 무서운 아줌마야."

"남편 하고 자식하고 전부 포탄에 다 날려버린 년이 뭐가 무서워? 홀랑 다 날리고 혼자 사는 년 무서워하는 사람 처음 보네. 자자. 술이나 실컷 들어요들. 호호호."

"뭐가 날아가? 누가?"

"아니에요. 괜한 말을 했네. 안주 한 접시 더 만들어 올 테니까 술이나 더 들어요. 호호호."

"야야. 용근아. 저 아줌마가 뭐라는 거야?"

"글쎄. 나도 잘 모르겠다. 무슨 소릴 하는 건지."

"으허허 그냥 술이나 마시자. 으허허. 용근아. 나 오늘 기분 좋다. 이렇게 웃어 본 게 언제인지 기억도 나지 않아."

"왜? 넌 좋은 집에 학교도 좋은데 다니고 했는데."

"말도 마라. 내가 지금 사는 게 말이야. 내 정신으로 사는 게 아니야. 으허허"

"힘든 게 있으면 부모님하고 상의하면 되지. 큭큭. 내가 보니까 너네 부모님도 엄청 좋으신 거 같던데. 흐흐흐"

"그래? 그렇게 보였어? 크크크."

"우리 부모님은 말이야. 세상에서 제일 좋은 분들이야. 내가 하자는 건 모든 걸 다 해 주시거든. 너도 알겠지만 우리 집은 가난하잖아. 그래도 부모님은 내가 하자는 대로 다 해 주려고 노력하시거든. 내가 못 해 드리는 게 죄송할 뿐이지. 으흐흐. 내가 군대 와서 우리 집에 입하나 줄였어. 크크크. 내가 군대서 받는 돈이 조금만 많아도 우리 집에 도움이 될 텐데. 흑흑. 우리 가족들 보고 싶다. 엉엉. 엉엉."

"야야. 울지 마아. 갑자기 왜 울고 그래?

"아이구. 이 젊은 군인이 전쟁이 난 것도 아닌데 울긴 왜 울어? 나 같은 년도 사는구만. 복에 겨운 줄 알아야지. 참."

"으허허. 이 구미호 아줌마가 오늘 기분 잘 맞춰 주네. 으흐흐. 여자 친구보다 낫네. 으흐흐. 으흐흐. 꺼억."

"아이구. 벌써 취하면 어떻게 해? 실컷 마실 거 같더니만. 호호호. 다른 손님도 없는데. 더 마셔요. 호호호."

술집 여주인의 삶도 만만치 않은 굴곡을 가지고 있었다. 열여섯 살에 시집간 후 남편과는 며칠 살아 보지도 못했다. 전쟁터에서 포탄을 나르다가 죽어 버린 남편과 겨우 걸음마를 떼고 한창 귀여울 때 불발탄에 흔적도 없이 사라진 아이를 기억 속에만 묻고 사는 슬픈 삶이었다. 술집 하는 과부 행색이니, 온갖 잡배들이 다 껄떡대는 바람에 동네 아낙들의 따가운 눈총을 피해서 살아야 했다. 먹고살 길이 막막해서 겨우 시작한 일이 마을에서 떨어진 부대 담벼락 아래에 붙어 있는 술집이었다. 세상 복은 누가 다 가지고 갔는지 가슴속 깊이 한만 쌓여 가는 신세였다. 전쟁 통에 친정집도 폭격으로 몰살당해서 돌아갈 곳도 없고 돌아올 사람도 없는 처지였다. 고향으로 가 봐야 반겨주는 이 없을 테고, 시댁이라고 해 봐야 남편 잃고 자식 잡아먹은 재수 없는 년이라고 뿌려대는 소금만 맞을 뿐이었다. 혈혈단신 도시로 간다고 해도 사람들이 무서웠다. 남편과 아이의 흔적이 있는 곳에서 조금 떨어져 나왔지만, 멀리 갈 데도 없었고 갈 수도 없었다. 그저 죽지 못해 사는 것이라 체념하고 있었다. 남편의 모습은 기억도 없고, 가끔 죽어 버린 아이의 작은 손의 촉감이 기억에서 맴돌았다. 희망이라는 것을 가지고 크게 바라고 살 것도 없었고, 그렇다고 더 이상 나빠질 것도 없었다. 사람들 사이에서 분란을 일으키지 않고 그저 한이나 풀면서 살면 그만이라고 생각하면서 술집을 했다. 술집 여주인은 불쌍한 여인이었다.

"엇? 아줌마. 이게 뭐요?"

"……"

"아줌마아. 이게 뭐냐구요오?"

"뭐긴 뭐야? 자기가 여기서 자고 가겠다고 난리를, 난리를 치는 바람에 친구만 정류장 쪽으로 가 버렸구만. 내가 뭐 여기 있으라고 사정사정한 것도 아니고."

"아아! 정말 미치겠네. 근데, 왜 아줌마가 여기. 응. 여기. 나랑 같이 있냐구요오? 아줌마 방 있잖아요. 쫌."

"이 사람이 정말. 나보고 같이 있자면서? 누나가 없어서 누나 삼자고 했잖아. 그러면서 못 나가게 잡은 사람이 누군데?"

"뭐요? 술 진탕 마시게 해 놓고 이게 뭐 하는 짓이요? 응? 제정신이요? 응?"

"뭐? 짓?"

"아. 몰라요. 난 모르는 일이에요. 기억도 안 나고."

"나 원 참! 기가 차서. 내가 뭐 총각 앞길이라도 막을 줄 알고 그래? 응? 겁나? 걱정 말어. 좋다고 할 때는 언제고! 뭐? 기억이 안 나?"

"아아. 몰라요오. 제 옷 주세요. 미친 것도 아니고. 부끄러운 줄 알아야지."

"뭐? 미친년? 야. 너 말 다 했어? 니가 좋다고 니 입으로 같이 있어 달라면서? 그리고 옷은 온통 토하는 바람에 저기 빨아서 말려 놨으니까 알아서 입어어."

"뭐요? 내가 언제 그랬다고 그래요?"

"잘난 네 친구한테 물어봐아. 나한테 이러지 말고오. 쫌."

"아. 됐어요. 빨리 옷이나 줘요. 전 기억도 안 나요. 아이 씨! 이게 뭐야?"

"뭐? 씨이? 보자 보자 하니까 뭐 이런 놈이 다 있어? 응? 내가 혼자 술집 한다고 만만해? 응? 내가 만만해?"

"내가 언제 만만해 보인다고 했어요?"

"그럼 뭐? 응? 니가 좋다고 안고 난리를 쳤잖아. 내가 싫다고 도망가도 니가 잡고 늘어졌잖아아! 응? 내가 무슨 죄야? 내가. 엉엉."

"아아. 정마알. 울긴 왜 울어요오?"

"아이고오. 내가 무슨 복이 있다고오. 아이고오. 이젠 새파랗게 어린놈까지 나를 괄시를 하고. 아이고오. 아이고오."

"아 참. 그만해요. 그마안. 동네 사람들 다 오겠네!"

"다 오라 그래. 이년 복 없는 거 다 알라고 그래."

"부끄러운 줄 알아요. 쫌. 이게 뭐예요? 이게!"

"이게 뭐? 뭐? 니가 좋다면서? 니가."

"아 몰라요. 옷이나 줘요. 다시는 이 집에 오나 봐라. 에이 씨."

"오지 마. 오지 마. 너 같은 놈 안 와도 잘살아. 오지 마. 오기만 해 봐라. 오지 마아."

"아. 정말. 어떻게 된 거야?"

안용근이 보인 작은 선의에 대해 보수대 동기는 자신이 할 수 있는 이상으로 보답을 해 주었다. 아들의 면회를 와서 자신까지 함께 부대 담 넘어 세상 구경을 시켜 준 부모님도 고마웠다. 태어나서 술이라고는 정월 대보름날 귀밝이술밖에 먹어본 적이 없는 안용근이 소주와 막걸리를 번갈아 가면서 마신 게 발단이었다. 안주가 나오기 전에 마신 소주는 두 사람의 얼굴을 잘 타는 숯불처럼 만들어 놓았고, 고기 안주가 나오고 막걸리를 마시고부터는 술이 두 사람을 마시기 시작했다. 부대 안에서 외곽 경계근무를 서던 병사들이 들을 정도로 군가를 부르고 또 불렀다. 다른 노래를 부르고 싶었지만, 같이 아는 노래가 없어서 군가만 불렀다. 배가 부르니 군가 소리는 온 세상에 다 울려 퍼지도록 크게 부를 수 있었다. 평소에는 질러도 나오지 않던 목소리가 그렇게 크게 나왔다. 외곽 경계근무를 서던 병사들은 군가를 부르는 주인공의 목소리가 안용근과 비슷하다고 생각했지만, 설마 안용근이 이병 달고 그렇게 군가를 부르리라고는 상상하지 못했다. 목소리가 비슷한 다른 부대 병사라고 여겼다. 아마도 알게 되었다면 복귀후, 엉덩이에 불이 났을 거다.

술집 여주인과 실랑이를 벌이다가 다 마르지도 않은 군복을 허둥지둥 집어 입고 버스 정류장 옆 여인숙으로 갔다. 보수대 동기는 술 냄새를 풍기면서 아직도 곯아떨어져 있었다. 겨우 흔들어 깨운 다음 찬물에 씻겼다. 정류장 근처 국밥집에서 허둥지둥 점심 같은 아침을 먹고 나니 또 할 일이 없었다. 그렇다고 복귀하는 날인데, 대낮부터 술을 마실 수는 없었다. 술을 마실 수 있다고 한들, 기억도 나지 않는 지난밤 일이 걸려서 술이 넘어가지 않을 것 같았다. 밤에 있었던 일에 대해서 기억을 더듬어 보았지만, 속만 메슥거렸다. 숙취로 인한 것만은 아니었다. 부대 복귀까지는 아직 한나절이 남아 있었고, 할 일이 없으니, 둘은 정류장 근처 햇볕이 좋은 담벼락 아래에 앉았다. 약간의 돈을 더 내고 여인숙으로 돌아갈 수도 있었지만, 거기서도 할 일은 없었다. 기억도 나지 않는 지난밤 일로 속이 메슥거리는 안용근의 마음을 아는지 모르는지, 보수대 동기는 다시 담벼락 아래 술집으로 손을 끌었다. 특별히 볼일이 있는 것은 아니었지만, 딱히 할 일도 없어서 있는 돈에 그냥 고기나 실컷 먹고 갈 생각이었다. 담벼락 아래 도착해 보니, 술집 여주인은 넋을 놓고 마루에 앉아 있었다. 너른 마당 한쪽에 텃밭이 있고 다른 한쪽 끝에 주방이 있었다. 방이 한 개씩 있는 집두 채가 연결되어 있었고, 가운데 지붕 아래로 툇마루가 있어 오는 손님들 열댓은 한 번에 식사할 수 있는 규모였다. 주방과 툇마루 사이에 솜씨 좋은 장인이 짜 넣은 찬장이 3층으로 되어 있어 어지간한 살림살이를 살기에도 충분한 규모의 집이었다. 마당도 있으니 제법 많은 손님을 치를 수도 있었다. 주방에는 큰 가마솥이 두 개가 걸려 있어 밥과 국을 한 번에 할 수 있었고 작은 아궁이는 반찬을 데우는 데 사용했다. 포탄에 흔적도 없이 날아가 버린 남편이 남기고 간 유물과 같은 집이었다.

"왜 자꾸 거긴 가자는 거야?"

"뭐. 딱히 갈 곳도 없잖아?"

"그렇기는 하지만."

"잔말 말고 따라와. 남은 돈 다 쓰고 들어가야지."

"그러지 말고 돈 아껴. 다른 곳에 쓸데가 있을지 누가 알아?"

"괜찮아. 필요하면 부모님께 연락하면 돼. 알면서 왜 그래?"

"휴우! 그래. 알겠다. 알겠어."

손님도 없는 술집을 지키는 과부 신세나, 갈 곳이 없어 외박을 길 바닥에서 보내는 이등병의 신세나 별로 다를 것이 없었다. 생각지도 않은 밤손님과 밥 손님이 한꺼번에 다시 들어오니, 술집 여주인은 한 달음에 신발도 신지 않고 달려 나가 둘을 맞았다. 술집 여주인이 안용근의 팔을 잡고 자기 허리에 두르는 것을 보고, 보수대 동기는 밤새 무슨 일이 있었는지 짐작했다. 돈은 있는 대로 줄 테니, 제일 맛있는 반찬을 만들어 달라고 주문했다. 술집 여주인은 뭐가 그리 신이 나는지 머리에 쓴 수건도 벗어 버리고, 건넛방과 찬장을 열었다 닫았다 하면서 칼질하고 불을 피웠다. 지난 오후와 저녁에 나온 음식과는 달랐다. 정성껏 하얀 쌀로만 새 밥을 짓고, 고기와 생선은 솜씨를 내어 보기에도 좋은 반찬으로 만들어 내왔다. 어디서 구했는지 북어를 두드려 국도 끓여 왔다. 나물과 김치도 정성껏 만들고 썰어서 내어 왔다. 다른 손님들에게는 쉽게 만들어 주지 않는 반찬들이었다. 밥을 먹는 내내 술집 여주인은 안용근의 옆에서 떨어지지 않았다. 생선의 살을 발라 주고, 김치를 찢어 손으로 얹어 주었다. 보수대 동기가 헛기침하면서 눈치를 줘도 개의치 않았다. 그냥 자기가 하고 싶은 대로 하고 있었다. 처음에는 보수대 동기의 눈치를 보던 안용근도 포기한 것인지, 기분이 좋아서 그런지 슬슬 웃으면서 받아먹기 시작했다. 어느 순간부터, 안용근은 술집 여주인에게 이래라저래라 시키기까지 했고, 술집 여주인은 하늘보다 높은 서방님을 모시듯 깍듯이 대했다. 지켜보던 보수대 동기는 가끔 웃음을 참지 못해 헛기침을 했지만, 잠시 잠시 얼굴에 어두운 빛이 보였다. 한숨을 내쉬기도 했다. 하지만 그런 보수대 동기의 얼굴을 안용근과 술집 여주인은 알아채지 못했다. 남녀 관계는 하룻밤 사이에 달라지는 모양이었다. 맛있는 찬으로 차려진 밥을 실컷 먹고 건넛방에서 느긋하게 낮잠까지 잔 두 사람은 웃돈을 더 준다고 해도 받지 않는 술집 여주인을 뒤로하고 일찌감치 부대로 복귀했다.

술집 여주인이 아끼지 않고 삶아 내온 돼지고기를 종이에 싸 들고 약간의 김치와 다른 음식들까지 조금씩 담아서 부대 안으로 들어갔다. 손에 뭐라도 들고 일찍 복귀해야 고참들의 괴롭힘이 덜하다는 것을 알고 있기 때문이었다. 부대 입구 위병소에서 근무를 서던 고참 두 명이 안용근의 손에 들린 것들을 보더니 머리를 쓰다듬었다. 여느 때와는 다르게 잘 쉬고 왔냐는 인사까지 했다. 그렇게나 괴롭히고 때리던 고참들이 웬일인지 안용근의 손에 든 것을 보고는 마음이 동했던 모양이었다. 안용근은 주머니에 따로 준비한 삶은 달걀 여섯 개를 꺼내 위병소에 넣어 주었다. 파전 세 장도 종이에 따로 싸서 함께 넣어 주었다. 보수대 동기의 얼굴은 일그러졌지만, 안용근이 툭툭 치자 못 이기는 척 발걸음을 바삐 옮겼다. 위병소 고참들의 웃음소리를 뒤로하고 안용근도 바삐 내무반으로 갔다. 복귀 신고를 하지 않고 가지고 온 고기와 몇 가지 음식들을 내무반 고참들에게 내어놓자, 모두 신이 나서 둘러앉아 먹기 시작했다.

보수대 동기는 부대 안으로 들어갔지만, 안용근은 다시 부대 밖으로 나갔다. 위병소에는 심부름하러 간다고 얘기하고, 그동안 모아 두었던 2, 4종 창고의 더블백을 술집 여주인에게 가지고 갔다. 진해 집 주소를 적어 주었다. 소포 보내는 비용은 다음에 따로 줄 것이라 얘기하고 깨끗한 마대에 잘 넣어서 보내 달라고 부탁했다. 그리고 군용 양말 세 켤레를 따로 빼서 술집 여주인에게 주었다. 선물이라고는 받아 본 적이 없는 술집 여주인은 안용근의 품에 안겨 어쩔 줄 몰랐다. 군복에 달린 계급장을 보니 이제 이등병인데 이런 물건들을 가지고 오는 것이 대단했고, 그중에서 몇 개를 자신에게 주니 든든한 낭군님이 온 듯했다. 술집 여주인의 손에 이끌린 안용근은 안방으로 들어가서 짐짓, 신혼인 듯 문을 걸어 잠그고 시간 반이 흐르도록 가슴속 깊은 곳에 떠오르는 마음을 전했다. 평소에 덮지도 않고 보기만 하던 새 이불을 꺼내 깔고, 안용근의 옷은 가지런히 머리맡에 개어 두었다. 안용근의 팔이 술집 여주인의 허리를 감싸안았다. 기뻐서인지, 고마워서인지, 놀라서인지 술집 여주인은 가쁜 숨을 몰아쉬며 안용근의 품에 들어가서 눈을 감았다. 열여섯 살 나이에 아무것도 모른 채 안겼던 남편의 품이 아니었다. 남자를 알게 되는 나이가 된 후 처음으로 몸을 맡기는 것 같았다. 행복했다. 안용근의 품에서 그대로 있고만 싶었다. 사랑이라고 해 본 적도 없고 들어 본 적도 없지만 그냥, 사랑이라 하고 싶었다. 눈을 떴을 때는 복귀해야 할 시간이 코앞까지 와 있었다. 부대 복귀 시간이 다가오자, 술집 여주인은 서둘러 돼지고기와 내장 수육들을 조금씩 종이에 싸 주었다.

"자기 휴가는 언제 나와요? 다시 외박은 나올 수 있는 거죠? 네?"
"아. 몰라아. 뭐 작대기 하나 이등병이 뭘 알겠어? 그냥 시키는 대로 하고 눈치 보면서 사는 거지. 아 자꾸만 좀 들러붙지 말아. 참!"
"피이이. 그래도 저 정도 물건들 가지고 나올 수 있는 거 보니까 눈치 하나는 엄청나게 좋은 것 같은데요? 우리 집에 부대 간부들도 가끔 나오는데요. 군용은 인기가 좋아서 따로 사 가는 사람들까지 있대요. 어떤 때는 한 사람이 와서 싹쓸이를 해 간다고 하더라구요. 나도 좀 사고 싶지만 나한테까지는 올 순서도 안 되는 것 같아요. 한 달에 저런 거 두어 박스만 구할 수 있어도 이 짓 하지 않고 읍내에 가서 장사하면 될 텐데, 이냥 저냥 팔아도 제법 이문이 남을 텐데, 그럼 자기 기다리면서 편하게 살 수 있을 텐데요. 에휴. 나 같은 년이 무슨 복이 있어서 그런 운이 오겠어요?"

"저건 그냥 고참들이 버리는 거 몇 개 주워 놓은 거야. 새 물건들은 간부들도 함부로 손대지 못하는 거야. 괜한 욕심부리지 말고 그냥 양말이나 따뜻하게 잘 신어. 그리고 자기니 뭐니 이런 말 하지 말고. 이거 참. 웬 날벼락이야?"

"알았어요. 알았어. 걱정하지 말고 외박이나 휴가 나오면 알죠? 꼭 집에 들러야 해요. 하루 종일, 만날 만날 기다리고 있을 테니까요."

"뭘 기다려? 지금 들어가면, 음 보자. 하기야 이제 곧 휴가 받아서 나오면 되겠네. 곧 일병 달고 휴가 나오면 들를게. 그리고 저거 다른 사람들 눈에 띄지 않게 잘해서 보내고."

"별걱정을 다하시네. 저건 그냥 하얀 마대자루 하나 사서 넣어 보내면 돼요. 그리 크지도 않으니까 소포 값은 얼마 들지 않을 거예요."

"그래도 사람 눈이란 게 무서워. 생각지도 못한 데서 문제가 생기는 거야. 그건 내가 입대 전에 하도 많이 봐서 잘 알아."

"알겠어요. 우리 서방님임. 호호호. 호호호."

먹은 놈은 뭐가 달라도 달랐다. 안용근이 다시 부대 안으로 들어올 때 들고 온 고기들은 고참들의 저녁 야식이 되었고 일부는 영내 거주 간부들의 저녁 반찬으로 식탁 위에 올라갔다. 부대 사람들 모두가 안용근의 눈치에 감동받았고 그 결과는 즉시 나타났다. 외박을 다녀온 이후 고참들의 이유 없는 구타는 거의 없어졌고 작은 실수 정도는 그냥 지나갔다. 손재주가 좋은 안용근은 내무반에서 바느질도 도맡아 했고 온갖 잡다한 일까지 다 하다 보니, 고참들과 동료들의 대우는 하루하루가 달랐다. 누가 봐도 이등병이 받을 대접은 아니었다. 내무반과 부대 전체에서 안용근을 대하는 자세가 확연하게 달라졌지만, 안용근은 늘 하던 대로 열심히 자기 일을 했다. 함께 생활하는 동료들의 칭찬도 이어지고 해 놓은 일들을 좋아하니 안용근은 더 신이 나서 열심히 했다.

"야아! 안용근이. 좀 들어가서 쉬어라."

"넵. 알겠습니다. 감사합니다."

"거 말이야. 외박 갔을 때 사 온 그 장갑 말이야. 그게 아주 좋아. 사제가 좋기 좋아. 하하하."

"별거 아닙니다. 하하하."

"그래. 그래. 사람이 말이야. 눈치가 있어야지. 그 정도면 넌 앞으로 군 생활 쫙악 피겠다. 하하하. 근데, 저기 보수대 걔 말이야. 걔가 네 친구 맞지? 그 새끼는 안 되겠더라. 그게 고참들한테도 막 달려든다고 하더라구. 더 맞아야 정신을 차리지. 들리는 소문이 틀리진 않을 거야. 그 자식은 영 글러 먹은 모양이야. 우리 안용근이 반만 해도 인정받고 잘 살 텐데 말이야."

"네?"

"못 들었어? 그 새끼 고참들이 몇 대 쳤다고 내무실에서 난리를 피운 모양이더라구. 그러다가 더 맞았지만. 큭큭큭. 누울 자리를 보고 다리를 뻗어야지. 군대에서 어디. 정신 나간 새끼. 우리 동기들이 그러더라. 그놈은 앞으로 군 생활 더럽게 꼬일 거라고 말이야."

"아아. 많이 맞았답니까?"

"그건 아니고. 뭐 좀 맞긴 맞았나 봐. 너도 괜히 그런 새끼하고 친하게 지내지 마라. 불똥 튄다. 넌 이제 겨우 인정받으면서 잘살고 있는데 말이야. 그 새끼는 처음부터 글렀어. 제 아비 믿고 그렇게 설쳐 대니까 그렇게 맞지. 큭큭큭."

"휴우!"

"왜? 동기라고 마음이 아파? 응?"

"아, 아닙니다. 하하. 전 열심히 하겠습니다. 하하. 뭐 다른 거 시키실 일 있으시면 지금 말씀하십시오. 바로 하겠습니다. 하하하."

"아니다. 이제 됐다. 들어가 쉬라니까. 하하하. 참. 그리고 너 말이야. 선임하사님한테 뭐 갖다 줬냐?"

"아. 그게 말입니다. 지난번에 탄통 위에 거기 잘라서 조금 손질해서 공구함 몇 개 만들어 드렸는데, 그걸 어디서 파신 모양입니다. 그것 때문에 용돈 하라고 좀 주셨는데, 그걸로 순대 두어 줄 사다 드렸습니다. 하하하."

"아하! 그랬구나. 그래. 잘했다. 아주아주 잘했어. 하하하. 선임하사님한테 밉보여서 좋을 게 없으니까 말이야. 좀 전에 날 부르더라구. 네 칭찬 많이 하더라. 넌 정말 군 생활 잘한다. 그게 군 생활이지. 하하하."

"넵. 감사합니다. 열심히 하겠습니다. 하하하."

"그래도 조심해. 인마아. 너무 튀면 좋을 게 없어. 그것도 군 생활이야. 하하하. 알겠어?"

"네엡. 알겠습니다아. 하하하."

"하하하. 얼른 들어가 쉬어라. 하하하. 자식. 하루가 다르게 잘한단 말이야. 하하하."

기간병들의 훈련이 거의 없는 신교대다 보니 안용근은 막노동판의 잡부처럼 부대 안을 자유롭게 돌아다니면서 스스로 찾아서 일을 했다. 평일 낮에 톱이나 망치 같은 수선 도구들을 들고 쉬지 않고 부대 안을 돌아다니면서 작업을 하는 안용근을 대대장도 기특하게 생각할 정도였다. 보수대 동기의 부모님들이 첫 면회를 왔을 때 부모님들은 먼저 신교대도 들렀었다. 대대장 CP에서 반 시간 정도나 머물면서, 밖에서도 들릴 정도로 큰 웃음소리가 나왔다. 대대장 CP에 들어가기 전 보수대 동기 부모님의 손에 들려 있던 상자는 대대장실에 남겨졌고, 대대장이 준비한 큰 박스 한 개는 보수대 부모님이 대대장 CP에서 나올 때 손에 들려져서 나갔다. 부대 인근 마을에서 더덕이나 송이, 은행, 잣 같은 좋은 임산물이 많이 나와 특산물로 팔려 나가고 있었으니, 그 상자 안에 무엇이 들어 있었을지는 보지 않아도 뻔한 일이었다. 더덕은 화약 냄새를 좋아해서 사격장이나 지뢰밭 근처에서 잘 나온다는 말이 돌았는데, 위험한 곳에서 사람 손을 타지 않고 오랫동안 자란 더덕들은 평소에 사람들이 생각하는 이상으로 자라서 크기가 팔뚝만 했다. 그렇게 위험한 지뢰밭에서 인근에 살던 할머니와 할아버지들은 아무런 사고도 없이 잘도 다녔다. 마치 지뢰밭이 자기네들 앞마당인 양 헤집고 다니면서 돈이 되는 것들을 수확해 왔다. 하지만 젊은 사람 중에 팔다리가 잘린 사람들이 마을에 몇 있었다. 이렇게 위험한 곳에서 가져온 특산물은 마을 사람들에겐 흔하지만, 값은 비싸게 팔렸다. 군용품과 바꿀 수 있는 것은 다 그런 특산품 중에서도 최상품들이었다. 보수대 동기의 부모님이 가지고 간 상자 안에는 적어도 그런 특산품이 한가득 들어 있었을 것이고, 그중 일부는 다시 다른 상자에 담겨 더 높은 사람들에게 전해졌을 테다. 먹이는 사람이나 먹는 사람이나, 바라는 게 있으니 돌고 도는 것이다.

신교대에서는 대대장이 제일 높았다. 이마에 번쩍이는 무궁화를 두 개나 달고 지프차에 앉아 출근하는 대대장이 지휘통제실 앞에 도착하면, 일반 병사들은 자주 볼 수도 없는 계급이 높은 중대장들이 도열해서 있는 목청껏 경례했다. 중대장 얼굴 보는 것도 어려웠으니, 대대장의 목소리는 하느님의 목소리에 견줄 만했다. 하느님이 있다면 직접 한번 보고 싶겠지만, 대대장과는 부딪히지 않고 사는 것이 제일 좋은 일이었다. 병사들에게 군 생활은 아무 사고 없이 최대한 빨리 마치고 집으로 가는 것이 최고의 목표였다. 그렇기 때문에 만나 봐야 좋을 게 없는 대대장의 얼굴을 좋아할 수가 없었다. 이런 상황에서 대대장의 선배가 직접 찾아와서 안용근을 부탁했다는 말이 부대 안에 돌았고, 자연스럽게 안용근의 입지는 시간이 가는 것을 뛰어넘어 훨씬 더 넓어졌다. 잡일을 시켜도 열심히 하고 시키지 않은 일도 열심히 하는 데다, 높은 사람의 청도 있었는지라 안용근의 자유시간은 계속 늘어났고 지급받는 보급품도 좋아졌다. 사실은 지급받아야 할 보급품을 그제야 제대로 지급받는 것뿐이었다. 이런 상황을 차츰차츰 파악해

가는 안용근은 내색하지 않고 감사하다는 인사만 더해 가면 자기 일을 열심히 했다.

"용근아. 이거 너무 많이 가지고 나가는 거 아냐?"

"많기는?"

"이거 가지고 어디 부대 하나 새로 만들 거야? 슬슬 표시가 난단 말이야."

"왜? 누가 뭐래? 보수대 창고에 들어가 보니, 이런 거 한두 상자 가지고 나와 봐야 아무 표시도 안 나겠던데? 그러지 말고 모포 박스 한 개만 더 주라. 돈은 여기 있으니까 네가 적당히 좀 알아서 찔러 줘. 흐흐."

"야아. 난 돈 필요 없어. 네가 달라니까 가져다주는 거지. 하기야 지들이 가져가서 팔아먹는 거나 네가 가지고 가는 거나 다를 게 뭐 있냐? 지들이 몰래 가져다 파는 걸 네가 대신해 주니까 지들이 더 편할지도 모르겠다. 흐흐."

"아니야. 내가 이걸 다 어디다 팔겠어? 조금씩 모아서 우리 집에 가지고 갈 거야. 진해 가서 우리 가족들에게 좀 나눠 주고, 못 사는 사람들한테도 조금 나눠 줘야지. 걱정 마. 이번이 마지막이야. 흐흐."

"아니다. 아니야아. 그냥 조금씩 표시 안 나게 가져다줄게. 난 뭐 거의 혼자 지내니까. 사람들이 내 옆으로 잘 오지도 않아. 크크크. 지난번에 한 번 미친놈처럼 난리를 쳤더니 이제 슬슬 피한다. 괜히 사람을 패고 말이야. 나쁜 새끼들."

"그래도 너무 달려들지 마. 여긴 군대잖아."

"이유 없이 맞을 필요도 없잖아. 한 번만 더 그러면 이번엔 아예 대검 하나 빼 들고 확 쑤셔 버릴 거야."

"아이구우. 제발 쫌."

"왜? 바보처럼 조용히 있으니까 이것들이 사람을 바보로 알아."

"그럴 리가 있냐? 서로 조금 참고 살면 되는 거야."

"아이구. 내 친구 선비님. 하하하. 넌 그렇게 살어. 난 싫다. 너처럼 살다가는 내 속이 뭉그러져 버릴 거야."

"그러지 말고. 좀 지나다 보면 다 괜찮아질 거야."

"그래. 알았어. 하하. 알았다구."

처음 부대 밖으로 가지고 나가 술집 여주인을 통해 집으로 보낸 군용품은 볼품없는 것들이 대부분이었다. 신던 양말에 손수건, 낡은 모포 몇 장, 쓰다 만 연고 몇 개, 주둥이가 구부러진 수통, 미군들이 쓰다 버린 스푼, 한쪽 귀퉁이가 찌그러진 식판, 건빵 몇 봉지 그리고 몇 개의 통조림과 잡다한 물건들이었다. 부대 안에서는 버려도 되는 물건들이었지만, 안용근의 가족들에게는 요긴하게 쓰일 수 있는 것들이었고 제대로 된 물건이 없던 집 주변 시장에 내다 팔 수 있는 물건들이었다. 어머니는 이 중 몇 개를 새벽시장에 내다 팔아서 돈을 만들었다. 군대에서 건강하게 돌아오기만 해도 감지덕지한 데, 집안 살림에 도움이 되라고 이것저것 아껴 보내 주는 둘째 아들이 대견했다. 입 하나 줄이려고 군대에 보낸 아들이라 생각하니 속이 다 타서 없어질 정도로 미안하기까지 했다. 어머니는 약간의 돈과 육포를 싸서 안용근에게 보냈다. 안용근은 육포를 들고 보수대 동기를 불러내서, 나지

막한 담벼락에 햇볕을 쬐며 앉았다. 진해에서 온 육포라고, 어머니께서 보내 준 귀한 것이라고 자랑스럽게 말하고 딱 절반을 잘라 나눴다.

"이게 말이야. 아주 귀한 거야."

"음. 아주 맛있는데."

"우리 어머니께서 말이야 진해에서 제일 맛있는 가게를 골라서 그 가게 안에서도 제일 좋은 것만 골라서 보내 주신 거야."

"그래? 하여튼 아주 맛있어. 지금껏 내가 먹어 본 육포 중에서 제일 맛있는 것 같아."

"너도 알겠지만, 우리 집은 이런 육포를 사 먹을 정도로 형편이 좋지는 않아. 이걸 보내 주신 걸 보면 우리 어머니께서 쌈짓돈 전부 다 쓰셨을 것 같다."

"야야. 이게 뭐라고 쌈짓돈을 다 쓰셨을까?"

"담 하나만 넘어도 다른 세상이 있는 걸 너도 잘 알잖아. 세상에는 힘들게 사는 사람들도 많단 말이야. 이 친구야."

"어휴. 또 잔소리한다. 알겠다구. 알겠어. 그러니까 이 육포 소중하게 잘 먹고 있잖아."

"하하하. 그래. 네가 맛있게 먹어 주면 나도 좋아. 그걸로 된 거지. 뭐. 하하하."

"이렇게 너랑 편안하게 앉아 있으니 아주 좋다. 이렇게 마음마저 편안해지는 게 얼마 만인지 몰라. 부대 안은 지독한 새끼들로 득실거리는데 말이야."

"마음 편하게 생각하자. 그리고 무슨 일 있으면 연락해. 알겠지?"

"그래. 고맙다. 네가 있으니 내가 숨을 쉬고 사는 거야. 고마워."

"내가 고맙지. 네 덕분에 좋은 물건들도 얻고."

"야야. 그건 그냥 얘기하지 말자. 그게 문제가 있는 건 너도 알고 나도 알잖아. 하지만, 저 새끼들이 다 가지고 가는 것보다는 네가 잘 쓰는 게 훨씬 나아. 지네들 배를 불리기에 바쁜 놈들이니까. 너랑은 생각부터가 처음부터 다른 새끼들이야."

"하여튼 내가 늘 고마울 뿐이야. 하하하."

여유 있는 일요일 오후의 일이었다. 보수대 동기는 자신이 살아 온 일들에서부터 부대 안에서 일어나는 온갖 일들을 공유했고, 안용 근이 도와 달라는 것은 무엇이든 앞뒤를 가리지 않고 진심으로 처리 해 주었다. 하지만, 보수대에서의 생활은 녹록지 않은 것 같았다. 아 버지가 보수대장보다 높은 자리에 있다는 소문이 돌았으니, 간부들도 눈치를 보았다. 게다가 가끔이지만, 화가 나거나, 구타당하면 고참들 을 향해 죽일 듯이 달려드니 주변 동료들도 좋아하지 않았다. 보수대 동기에게 안용근은 유일한 친구였다.

"자기이. 이틀 전에 담장 위로 던져 준 건 완전히 새 거던데? 어 디 나가서 팔아도 값을 잘 받을 수 있을 거 같아요. 호호호. 자긴 정말 대단해. 이번 휴가가 첫 휴가잖아요. 나 말이야. 따라가도 돼요?"

"아. 참 무슨 말이야? 그걸 왜 아줌마가 팔아? 그건 진해 집에 가 지고 갈 거야. 그리고 아줌마가 왜 날 따라와아?"

"흥."

"그냥 조용히 있어. 제발 쫌."

"그건 그렇고. 아줌마. 아줌마아. 할 거예요?"

"아줌마가 아줌마지."

"자긴 정말 너무해. 나처럼 그냥 자기라고 하든지, 그냥 여보라고 하든지. 호호호."

"아아. 정마알. 왜 그래? 참 나. 저 물건들은 그냥 내가 좀 짊어지고 하면, 버스에 싣고 진해까지 갈 수 있을 거야."

"그럴까요? 건넛방에 가 봤어요? 혼자 가지고 갈 수 있는 양이 아닌데? 그리고 쌀하고 밀가루는 어떻게 할 거예요? 저건 그냥 읍내에 나가서 장날에 표시 나지 않게 마대 갈이를 해서 팔아서 돈을 만드는 게 좋을 것 같은데요. 잘못하다가 걸리면 큰일 나는 거 알죠?"

"그렇게 양이 많아?"

"그럼요. 내가 한 개도 안 빼고 담장 밖으로 던져 주는 거 다 정리해 뒀어요. 다른 사람들이 알지 못하게 꽁꽁 걸어 잠그려고 열쇠도 하나 달아 놨다구요. 자기 제대하면 저거 팔아서 진해든지, 어디서든지 같아 살아야죠. 호호호. 생각만 해도 기운이 나네. 호호호. 그죠? 내일 진해로 출발할 때 나도 같이 가고 싶은데. 괜찮죠? 네?"

"그게 무슨 소리야? 절대로 안 돼. 우리 부모님 아시면 큰일나아. 나이 많은 아줌마가 참."

"뭐요? 나이 많은 아줌마? 뭐가 나이가 많아아? 그래봐야 한두 살이구만."

"뭐? 한두 살? 내가 모를 줄 알지?"

"뭘요?"

"병자생이라고 했으니까. 보자. 36년생이구만. 내가 임오년 말띠 니까. 그러니까. 음. 이러언. 씨이. 여섯 살이나 차이가 나는구만. 아 줌마. 올해 스물 하고도 일곱 살이구만. 젠장."

"그게 뭐가 어때서? 우리 둘만 좋으면 되지. 내 나이 열여섯에 아 무것도 모르고 시집 잘못 와서 혼자 사는데, 그게 내 잘못이에요? 그 리고 내가 뭐 병자생인지 뭔지 정확하지도 않아요. 주변 사람들이 그 렇게 말하는 걸 듣고 그냥 따라 하는 거지. 내가 그런 걸 어떻게 알겠 어요?"

"아아. 어쨌든 안 돼. 절대로 안 돼. 그리고 혹시 이거 티 안 나게 다 팔 수 있어? 아무래도 내가 다 가지고 가는 건 안 될 거 같고. 참 나! 물건이 많아도 문제네, 그동안 내가 너무 많이 빼 왔나?"

"그럼 내일 하루만 집에서 기다려 봐요. 내가 건너 산판에 일하는 단골한테 말해서 산판차 하루 빌려서 읍내에 다녀올게요. 물건들이 거의 다 새 거니까 잘 팔릴 거예요. 대충 봐도 말이에요. 저 많은 물건 들 중에서 조금만 팔아도 자기가 휴가 가서 집에 넣어 드릴 돈은 물론 이고 쓰고 남을 정도로 충분하게 마련할 수 있을 거 같아요."

"뭣? 그 이상한 지에무씨 타고 다니는 그 이상한 사람하고? 그 사 람 여기 단골이야?"

"어멋! 왜 그래요? 갑자기. 큭큭. 자기 지금 질투하는 거예요? 호 호호. 괜찮아요. 그 양반 알고 보니 우리하고 먼 친척뻘이에요. 기분 은 좋네. 호호호. 우리 외가로 친척이니까 걱정하지 마세요오. 자기가 질투도 다 하고. 거 봐요. 속으론 날 그렇게 좋아하면서. 호호호."

"질투는 무슨? 사람 조심해야지."

"알았어요. 알았어. 걱정 말아요. 그 집 안사람하고도 알고 지낼 정도로 좋은 사람이에요. 수더분해서 술주정도 없고."

"아아. 알았어. 알겠다고."

"그럼. 저 물건 중에서 음식 거리나 잘 팔릴 것 같은 걸 좀 팔아 올 게요. 호호호."

"하루 안에 다 처리할 수 있겠어?"

"걱정 말아요. 내가 이래 봬도 장사가 몇 년인데? 저걸 하루에 다 팔아치우기는 힘들 테지만, 어느 정도는 처리할 수 있을 거예요."

"그럼 난 집에서 기다리고 있을게. 잠도 좀 자고. 조심해서 다녀 와. 너무 나대지 말고. 응?"

"네. 네. 우리 서방님. 걱정하지 마세요. 알아서 잘할 테니까요. 호호호."

술집 여주인은 다음 날 곧장 산판차를 불렀다. 담벼락 뒤로 던져 진 군용품 중에서 일부를 산판차에 싣고 한 시간 정도 걸리는 읍내에 가서 팔아 치웠다. 물건들을 사는 사람들 중에서 그 군용품들이 어디 서 나왔는지 묻는 사람은 아무도 없었다. 평소에 거래되는 시세보다 조금 더 싸게 판다고 하니 가지고 간 물건들은 금세 다 팔렸다. 예상 했던 것보다 훨씬 수월한 일이었다. 군대서 쓰다 버린 물건들이 아니 라, 박스에서 바로 꺼낸 새 물건들이 제법 많았기 때문에 지나가던 사 람들은 주머니를 다 털어서 돈이 되는대로 사 갔다. 헌병대, 특무대, 방첩대 등 무서운 군인들의 눈에 띄기 전에 빨리 처분해야 했기 때문 에 많이 사는 사람들에게는 그 자리에서 가격을 깎아 주었다. 이런 상황이다 보니, 당연히 빨리 팔릴 수밖에 없었다. 생각했던 것보다 훨씬 더 많은 돈을 순식간에 만질 수 있었다. 함께 간 산판차 주인에게도 기름값에, 밥값, 수고비까지 얹어 주고, 모포와 몇 가지 물건들 더 챙겨 주자 연신 허리를 굽히면서 다음에도 꼭 불러 달라고 신신당부했다. 생각지도 못한 큰돈이 생기자, 산판차 주인은 군용품을 팔았다는 것에 대해서 당연히 입을 다물었고, 오히려 술집 여주인에게 이번 거래에 대해서 입 밖에 내지 말아 달라고 당부에 당부를 더 했다. 그 당부는 술집 여주인이 해 두고 싶은 말이었다.

물건들을 다 팔아치우고 돌아온 술집 여주인은 차에서 내리자마자 치맛자락 안에 숨긴 주머니를 풀어 들고는 안용근이 있는 방으로 뛰어 들어갔다. 살아오는 동안 이렇게 쉽게 큰돈을 만져 본 것이 처음이었고, 이런 기회를 준 안용근이 너무도 고마웠다. 눈이 빠지라 안방에서 술집 여주인을 기다리던 안용근은 주머니에서 떨어지는 지전과 동전들을 보고는 눈이 휘둥그레졌다. 약간의 돈만 생기면 곧장 진해로 가서 가족을 만나는 생각만 했는데, 상상치도 못한 많은 돈이 눈앞에 쏟아지자 어떻게 해야 할지 판단이 서질 않았다.

많은 돈을 보고 정신이 없는 와중에 두어 번 겪어 본 술집 여주인의 몸이 대낮에 알몸으로 달려드니 진해로 가야 한다는 생각마저 아득해졌다. 그래도 꿈이 아니기를 바랐다. 꿈은 아니었다. 한 번 아이를 낳아 본 몸이라 그런지, 술집 여주인은 안용근이 아무런 저항도 하지 못하는 사이에 끝도 없이 깊은 늪으로 끌고 들어갔다. 휘젓는 손가락 사이에 걸리는 돈과 거리낄 것 없이 나체로 자기 허리를 감는 술집 여주인의 몸은 군용품을 빼돌렸다는 죄책감의 공간을 없애 버렸다.

166

하지만 결혼도 했고 아이까지 낳은 적이 있는 여자를 진해 부모님께 데리고 갈 수는 없었다. 생글생글 웃으면서 밥상 옆에 앉아 있는 술집 여주인과 늦은 식사를 하고 편안하게 잠을 청했다.

　다음 날 아침 버스 시간에 맞춰 정류장으로 가는 안용근의 뒤를 술집 여주인이 졸졸 따라갔다. 혹시나 부대 사람들이 볼지 걱정이던 안용근은 작은 선물이라도 사서 복귀 하루 전에 오겠다는 약속을 하고 겨우 술집 여주인을 돌려보냈다. 읍내에서 팔아치우고도 남아 있던 물건들을 정리한 두 개의 더블백을 메고 버스에 올랐다. 버스에서 내려서는 곧장 택시를 타고 서울역으로 갔다. 처음 타 보는 택시 요금에 놀랐지만, 그 정도 액수는 술집 여주인이 준 돈을 생각하면 몇 번을 써도 아무 문제가 없었다. 이젠 안용근에게 택시요금 따위는 문제가 안 되었다. 서울역에 도착하자 근처에서 제일 맛있다는 국밥을 두 그릇이나 먹고 TMO를 피해 일반석 표를 샀다. 혹시나 헌병대 같은 군인들과 마주치기 싫어서였다.

　"삐이익. 삑. 삑. 야야. 거기 너. 이리 와 봐."

　"네? 저요?"

　"그래. 인마. 너. 이리 와 봐."

　"왜 그러십니까?"

　"왜 그러시냐구? 이놈 봐라. 핫 참. 야. 너 그거 뭐야?"

　"뭐 말입니까?"

　"짊어진 거 말이야. 그거 다 뭐야?"

　"제 짐입니다."

"짐? 상등병이라 이리 짐이 많으신가? 뭐 전출이라도 가냐?"

"아, 아닙니다. 휴가 가는 길입니다."

"휴가를 가는 거야? 이사를 하는 거야?"

"짐이야 많을 수도 있지, 그게 뭐 이상합니까?"

"그래. 짐이야 많을 수도 있지. 그 안에 뭐가 들었냐고?"

"그냥 부대에서 심심풀이로 만든 것들입니다."

"그래. 그래. 그러니까 부대 안에서 만든 게 뭐냐구? 이거 이래가지고 오늘 휴가 가는 기차 타겠어?"

"네?"

"기차 출발 시간 다 되어 가는데 말이야. 나두 오늘 휴가 가고 싶은데 그게 안 되네. 참. 누구는 휴가 가고 누구는 뺑이치고 있어야 하는데 말이야. 저녁에 우리도 국밥 한 그 하고 휴가 갈 때 차비라도 있어야 하는데 말이야. 참."

"아. 아. 알겠습니다."

"그래? 알아들으니 다행이네."

"여기. 얼마 안 됩니다만, 휴가 때 차비라도 하시죠. 하하하."

"그래? 그럼 뭐 어쩔 수 없지. 휴가 잘 다녀와. 하하하."

"넵. 감사합니다."

"감사는 무슨. 내가 고맙지. 혹시 다른 데서 누가 뭐라고 하면 서울역서 봤다구 그래. 알겠지? 여기 내 이름 보이지? 그럼 알아서 보내줄 거야. 하하하."

"넵."

운이 없어서인지 기차를 타기 위해 플랫폼에 서 있다가 헌병대 검문을 당했지만, 지전 한 장으로 깨끗하게 지나갔다. 순찰하던 헌병도 안용근이 짊어지고 있는 더블백을 보자 뭔가 있을 것이라는 의심을 했지만, 손에 쥐어지는 지전에는 당할 수가 없었다. 잘 다녀오라는 인사와 함께 손을 같이 흔든 이후로 다른 군인들의 검문은 없었다. 진해에 도착한 안용근은 다시 택시를 타고 곧장 집으로 향했다. 가는 도중에 잠시 택시를 세워 두고 시장에 들러 쌀과 고기를 사서 뒷좌석에 실었다. 물론 택시 기사에게도 동전 몇 개가 더 쥐어졌다.

"아이고오. 우리 용근이! 응! 우리 용근이 왔어요. 여기. 네?"

"어어? 용근이? 어디! 어디!"

"아버지. 어머니. 저 왔습니다."

"용근아아!"

"오빠아!"

"작은혀엉!"

"그래. 그래. 별일 없었지? 하하하."

"엇? 근데. 용근아. 어떻게 벌써 세 개야? 벌써 상등병이야?"

"하하. 그게 아니고. 형. 휴가 간다니까 부대 고참들이 다른 부대 사람들이 깔본다고 그냥 세 개짜리 빌려준 거야. 하하하. 이래 봬도 부대 안에서 인기가 많거든. 다들 잘해 줘. 휴가 간다고 휴가비에 용돈도 주더라구. 하하하."

"그렇구나. 우리 용근이 어딜 가더라도 잘할 거야. 신교대라 훈련은 별로 없지? 그래도 놀리지는 않을 건데. 할 만해?"

"응. 괜찮아. 간단한 일만 해. 보급품 관리도 내가 하고."

"자자. 얘들아. 들어가자. 그리고 저기 택시 안에 있는 거 전부 용근이가 가지고 온 거야?"

"네. 어머니. 제가 내릴게요. 시장에 들러 몇 가지 샀어요."

"오빠! 이거 엄청 많은데? 와아! 고기도 있고. 어어! 저기 저 예쁜 옷은 누구 거야? 내 거야? 예쁘다."

"두 벌이니까. 맞는 거 입어 봐. 하하하."

"두 벌이야? 오빠. 군대 돈 벌러 간 거야?"

"하하하. 하다 보니까 돈도 생기고 하더라구. 전쟁 끝난 지가 언젠데 아직 군대가 뭐 힘들고 그런 거 같아? 아니야. 난 뭐 형 말대로 신교대라 그런지 훈련도 별로 없고 생활하기에 좋아. 하하하."

입대한다고 집을 나선 이후 여섯 달이나 지난 후에 집으로 돌아온 안용근을 보자 가족들 모두가 죽다가 살아 돌아온 사람 반기듯이 좋아했다. 건강하게만 돌아오기를 바랐던 안용근이 더블백 두 개에 처음 보는 물건들을 잔뜩 넣어 왔고, 그 비싼 택시까지 타고 집 앞에 나타나자, 동네 사람들이 눈이 휘둥그레지고 입은 벌레가 날아 들어갈 정도로 벌어졌다. 계급장도 상등병이나 달고 번쩍번쩍하는 군화에 각이 제대로 선 주름 잡힌 군복까지 입고 있었다. 이런 모습에 동생들은 안용근이 세상에서 제일 멋지다고 입을 쉬지 않았다. 소란스러운 바깥소리에 주인집에서도 사람들이 나왔다. 안용근의 모습과 택시에서 내려지는 물건들을 보자 군대 가서 제대로 출세했다고 부러워했다. 이미 보내온 물건들도 살림살이에 적지 않은 보탬이 되고 있었는데,

직접 가지고 온 물건들은 살림살이에 보탬이 되는 정도가 아니라 작은 집안 정도는 일으킬 수 있는 귀한 것들이었다. 가끔 보는 군용품들은 있었지만, 안용근이 가지고 온 물건들은 평소에 볼 수 없는 것들이었고, 이웃들이 함부로 사용할 수도 없는 좋은 품질이었다. 생긴 것도 신기한 것들이 많아서 아무래도 미군들이 사용하는 것으로 보였다. 주인집 사람들은 여유가 있는 집안인데도 안용근이 가지고 온 물건들을 보자 신기해하면서 이리저리 구경했다. 일 년 치 집세를 주머니에서 꺼내 지불할 때는 집주인이 머리를 조아릴 지경이었다. 남들은 군대 가서 다치거나 죽지만 않고 돌아와도 다행이라고 생각했다. 하지만 안용근은 어찌 된 영문인지 생각지도 못한 돈과 물건들을 엄청나게 가지고 오고 입은 군복도 너무나도 멋있었다. 입 하나 줄이려고 간 군대는 오간 데 없고, 집안을 일으키는 듬직한 군인이 서 있을 뿐이었다. 속이 깊은 안용근은 처음 입대해서 겪은 일들은 가족들에게 이야기하지 않았다. 훈련받으면서 배고프고, 걸핏하면 맞아서 온몸이 욱신거리던 얘기는 일절 하지 않고 좋은 동기 만나서 신교대로 자충 되어 편안하게 생활하고 있다고만 이야기했다. 간부들과 고참들에게 인정받아서 좋은 대우를 받으면서 편안하게 생활하고 있다고 했다. 가족들을 안심시킬 수 있는 이야기들만 골라서 했다. 당연히 술집 여주인에 대해서는 입 밖에 꺼내지 않았다.

아버지와 어머니의 수입이 계속 줄어들어 형은 정비소에서 거의 매일 야근하고 있었다. 형도 집안 살림에 도움이 되려고 노력하고 있지만, 동생들이 학교에 다니고 있으니, 학비와 생활비를 감당하기에는 힘든 상황이었다. 집안 형편은 쉽게 나아질 기미가 보이지 않았다.

게다가 여동생들이 나이가 차면서 작은 방 두 개로 생활한다는 것도 여의찮았다. 이런 사정을 보니 안용근은 어떻게 해서든 집안 살림에 도움 될 방법을 찾아야겠다고 생각했다. 더블백에 가지고 온 물건 중에 우선 집안에서 사용할 물건들을 정리했다. 제대로 된 이불도 없어 모포는 가족들 한 명당 한 장씩 사용할 수 있도록 방 두 개에 세 장씩 잘 접어서 놓아두었다. 양말도 가족 한 명당 세 켤레씩 정리를 해서 모포 옆에 두었다. 군복은 아버지와 형이 입을 수 있도록 두 벌씩 정리를 해서 잘 개어 두었고, 어머니와 동생들을 위해서 산 옷들은 가족 모두가 모여 앉아서 입어 보았다. 막냇동생은 생전 처음 제대로 된 새 옷을 입어 보고는 웃음이 떠나지 않았다. 항상 밝은 얼굴이었지만 낡은 옷을 입고 다니는 것이 당연하다고 생각했던 안용근의 막냇동생은 새 옷을 보자, 처음에는 입어 볼 생각도 하지 못했다. 막상 옷을 입고 보니 생각했던 것보다 컸지만, 그건 문제가 될 수 없었다. 그저 좋기만 했다. 여동생들에게 안용근은 군대 가기 전에도 늘 자신들을 든든하게 지켜 주던 다정한 오빠였다. 알록달록한 새 옷에 신발까지 안겨 주자, 여동생들은 안용근에게 안겨 떨어지질 않았다. 여동생들은 작은오빠가 군대서 휴가 나온 것이 아니라, 집안을 일으키려고 신령이 되어 나타났다고 이야기했다. 동생들과 가족들 모두 하늘을 날 듯이 기뻤고 행복했다.

안용근은 가족들이 세 들어 살고 있는 주인집도 잊지 않고 인사를 했다. 손전등과 군화 한 켤레를 선물하자 허리가 접혀 머리가 땅에 닿을 듯이 인사를 했다. 주인집 사람들은 평소에 안용근네 가족들과 사이가 나쁘지 않게 지낸 것에 대해 스스로 다행이라 생각하고 손에 쥐어진 선물에 감사했다. 언제 어떻게 변할지 모르는 것이 인생살이지만, 안용근을 보면서 주인집 사람들은 늘 복을 짓고 살아야겠다고 다시 한번 다짐하며 아이들에게도 항상 남들에게 독한 짓 하지 말라고 당부했다. 안용근은 집안에 필요한 물건들을 시장에서 사다가 더 들여놓았고, 아끼면 서너 달 정도는 생활할 수 있는 돈을 부모님께 드렸다. 형과 동생들에게도 제법 많은 돈을 봉투에 넣어 주었다.

“먹을 것들하고 좀 사놓았으니까 이 돈으로 조금 아끼면서 사시면 괜찮을 거예요.”

“이걸 다 어떻게 마련한 거니?”

“부대에서 나오는 돈이 제법 많아요. 제가 다른 사람들보다 일을 더 하거든요. 크게 어려운 일도 아니에요.”

“그래도 그렇지. 이렇게 많은 물건을 살 돈을 어떻게 마련했다는 건지.”

“쉬는 시간을 조금 아끼면 군대서도 돈벌이할 일들이 많아요. 하하하. 큰아버지 댁에서 배운 것들이 이렇게 많은 도움이 될지 누가 알았겠어요?”

“쉬는 시간도 없이 일을 하나 보구나. 휴우.”

“아니에요. 쉬는 시간도 많아요. 전 제가 알아서 일도 하고 쉬는 시간도 제가 알아서 적당히 쉴 수 있는 보직이거든요.”

“세상에 어느 군대에 그런 자리가 있겠니? 네가 얼마나 힘들지 알겠구나.”

“참. 아니라니까요. 하하하. 영선반이라고 하는데요. 그냥 이것저

것 부서진 것들 고치고 간부들이 시키는 것 만들고 그래요. 어려운 일은 하나도 없어요."

"군인이 총 쏘고 훈련받고 해야지. 왜 너만 그런 일을 하는 거야?"

"군인들도 종류가 많아요. 밥도 먹고 잠도 자고 해야 하니까요. 전 그냥 운이 좀 좋았어요. 신교대에서 좋은 친구도 만났구요."

"그래도 군대는 군대잖아. 늘 조심해야 한다."

"하하하. 걱정하지 마시라니까요. 전쟁이 있는 것도 아니고."

며칠 되지 않는 첫 휴가는 정신없이 흘러가 버렸다. 주변 사람들 모두가 안용근의 씀씀이에 놀랐고 부러워했다. 하지만 내 배 아파 낳은 어머니의 느낌은 달랐다. 물론, 아버지도 이런 상황이 믿어지지 않았고 혹시나 나쁜 일이 숨어 있지 않을까 하는 의심을 가졌다. 그렇지만 군대 가기 전 안용근의 성품을 잘 알고 있는지라 크게 의심하거나 다그치지는 않았다.

"세상에 공짜는 없는 법이란다. 이 많은 것들을 그냥 줄 리가 없지! 혹시 무슨 안 좋은 일이 있는 건 아니지?"

"하하하. 그런 일 없어요. 어머니. 하하하. 보급수송대라고 군용품 관리하고 나눠 주는 부대가 있어요. 신교대에서 같이 훈련받았던 동기가 거기 있어서 남는 물건을 나눠 줘요. 그리고 지금 근무하는 부대도 제가 처음 입대해서 훈련받았던 부대라 보급품도 많고 아주 좋은 물건들만 줘요. 다른 일반 부대하고는 대접이 달라요. 하하하. 그냥 운이 좋은 거예요. 하하하."

"그래도 그렇지. 저 많은 걸 가지고 와도 되는지 모르겠다. 남의 눈을 속이면 안 되는 거 알지? 옛말에 죄 하고 복은 지은 데로 간다고 했지. 항상 다른 사람들한테 밉보이지 않도록 조심하고, 응 건강하게 있다가 와야 한다. 알겠지? 우리 용근이."

"아. 그 얘긴 귀에 못이 박히도록 들었잖아요. 하하하. 걱정 마세요. 그냥 운이 좋은 거라니까요. 하하하. 아마도 할아버지 할머니께서 돌봐 주시는 거 같아요. 하하하."

전쟁의 기억이 조금씩 잊히고 사람들의 생활도 차츰 안정을 찾아가고 있었다. 하지만 모든 물자가 귀했다. 군부대에서 나오는 모든 물건은 쓰레기라도 쓸모가 있었다. 안용근이 집으로 보내는 것 중에서 낡은 물건들도 나름대로 요긴하게 쓰였다. 탄통은 공구함으로, 탄 박스는 책상이나 의자로, 깡통은 컵으로, 철모 내피는 바가지나 두레박으로, 통신선은 바구니로 바뀌었으며 심지어 포탄 탄피는 그릇이나 등잔으로 다시 태어났다. 전투복은 물을 빼고 몇 군데를 고쳐서 평상복이나 작업복으로 입었고 기름을 넣던 통은 난로가 되거나 물통이 되었다. 버릴 것이 없었고 버릴 수도 없었다.

"자기이. 잘 다녀왔어요? 호호호. 보고 싶어 혼났네. 집에는 별일 없어요? 부모님하고 형제들도 다들 잘 지내고 있어요? 피곤하죠?"

"정말. 왜 이래? 장사도 안 하고. 이렇게 있으면 어떻게 해? 참."

"장사? 하기는 했어요. 근데, 자기 없으니까 힘도 안 나고, 지난번에 자기가 준 게 좀 있으니까 늦게까지는 장사 안 하려고 해요. 그래도 괜찮죠? 호호호."

"그래도 일은 해야지. 아직 해가 중천인데, 벌써 장사를 접으면 어떻게 해? 게으름 피우지 말고. 사람이 할 일은 해야지."

"알았어요. 알았어. 잔소리는! 하라는 대로 할게요. 열심히 돈 벌어서 자기 제대하면 나도 진해로 빨리 따라나서야지. 호호호."

"저녁만 먹고 들어갈 거니까 준비 좀 해. 그리고 지난번 그 돼지고기 내장하고 순대하고 좀 있어? 복귀할 때 싸 들고 가야 고참들이 좋아하거든. 좀 있어?"

"네? 바로 부대로 들어가요?"

"그래. 좀 바빠서 하루 늦었어. 고기 있냐구?"

"당연하죠. 우리 낭군님 분부인데 당연히 넉넉하게 싸야죠. 참. 근데, 자기. 지난주 자기 휴가 갔을 때 주말에요. 일요일 그날 그 친구 왔었어요."

"친구? 누구? 아아. 지난번에 같이 나왔던 그 보수대 동기?"

"네. 근데 얼굴빛이 영 안 좋던데. 어머니가 왔던 모양이던데요. 외박인가 나왔다가 오자마자 막걸리를 퍼마시더니 부대 안 사람들 욕을 그렇게 하더라구요. 힘든가 보던데."

"응? 잘 지낸다고 했는데? 이상하네! 이등병 때 욕먹는 거야 당연한 거고, 몇 대 때리면 그냥 맞고 지나가면 되는데. 며칠 참다 보면 다 지나가는데. 참."

"에잉! 그 친구는 자기랑은 좀 다르잖아요. 잠시 같이 왔던 그 집 엄마도 행색이 대충 봐도 좀 사는 집 같았다구요. 뭐. 말이야 곱게 해도 우리 같이 장사하는 사람들은 딱 보면 알 수 있는 게 있어요."

"음."

"근데, 자기 정말 밥만 먹고 갈 거예요? 응? 난 자기 기다린다고 가슴이 다 무너져 내렸는데?

봐봐요. 여기. 여기 봐봐요. 다 녹아 없어졌다니까요. 호호호."

"그럼 뭐. 아직 시간이 좀 있으니까. 잠시 있다가 갈까?"

"하루 정도는 있다가 가야지. 오자마자 부대로 들어가 버리면 난 어떻게 해요? 히잉."

"좀 있다가 간다니까. 솥에 불 넣어 두고 어서 와 봐."

"알았어요. 이렇게라도 보는 게 어디야. 호호호."

첫 휴가를 다녀온 곧바로 안용근은 담벼락 밑에서 보수대 동기를 만났다. 하지만 동기는 별 내색이 없었다. 오히려 잘 지내고 있다고 큰소리였다. 안용근은 힘든 일이 있으면 도와주겠다고 했지만, 보수대 동기는 가끔 볕 좋은 담벼락 아래에서 얘기나 하고, 외박이나 휴가 때 같이 나가자고 했다. 생각보다는 속이 깊은 친구라고 느꼈다. 다른 사람에게는 모르겠지만 안용근에게는 늘 따뜻한 친구로 대해 주었고, 무엇보다도 보수대에서 남는 것들이라고 하면서 말하지 않아도 이것 저것 물건들을 가져다주었다. 보수대 동기가 주는 물건들과 신교대에 서는 크게 필요로 하지 않는 물건들, 그리고 필요 이상으로 많이 보급 된 물품들을 하나씩 챙긴 후 담장 밖 술집 여주인에게 던져 주었다. 이 런 식으로 안용근은 남의 눈을 피해서 군용품을 본격적으로 반출하기 시작했다. 일병이 되고 난 후부터는 간부들이 빼 달라는 것을 주면서, 따로 몇 개씩을 더 빼서 술집 여주인에게 던져 주었다. 술집 여주인은 안용근이 던져 주는 군용품 중 일부는 읍내에 가서 돈으로 만들었고, 쓰임새가 귀해 보이는 것들은 건넛방에 차곡차곡 정리해 두었다. 안용근이 군용품을 던져 줄 때 술집 여주인은 약간씩의 돈을 통에 담아 안용근에게 던져 주었다.

술집 여주인으로부터 받은 돈의 일부는 간부들에게 흘러 들어갔고, 일부는 휴가 가는 고참들의 주머니를 채워 주었다. 간부들은 안용근이 어떻게 돈을 만드는지 어렴풋하게 짐작은 했지만, 들어오는 액수가 생각보다 컸고 담장 아래 술집에서 안용근의 이름만 대도 공짜로 술밥을 먹을 수 있어서 문제 삼지 않았다. 언제나 그렇듯이, 먹은 놈들은 뭐가 달라도 달랐다. 한 번 두 번 받아먹던 것이 당연한 일이 되자, 생각한 날짜쯤에 안용근의 돈이 들어오지 않으면 오히려 화를 내기도 했다. 하지만 크게 화를 낼 수 없었다. 이미 안용근의 눈치를 보기 때문이었다. 대대장이나 주임원사까지도 안용근이 가져다주는 봉투를 기다렸다. 관사에 있는 간부들의 부인들에게 수시로 전달되는 화장품이나 옷가지들은 가정의 평화를 가져다주었다. 안용근은 절대로 혼자 먹지 않았다.

"안 일병."

"일벼엉. 안용근."

"그래. 요새 교보재 만든다고 바쁘다면서?"

"아. 네. 이제 거의 다 만들었습니다. 수리할 게 좀 있어서 늦어졌습니다. 죄송합니다."

"아니야. 아니야. 며칠 후에 휴가 가야 하는데 말이야. 요새 뭐 우리 사정이야 다 알겠지만. 하하하."

"네? 아아. 네. 알겠습니다. 안 그래도 제가 먼저 가지고 가려고 했는데, 저것들 수리 때문에 늦었습니다. 하하하. 혼자 오셨지 말입니다? 하하하."

"어어. 그, 그래. 다들 바빠서. 혼자 왔지."

"여기 있습니다."

"아. 그래. 하하하. 뭐 내가 도와줄 건 없어?"

"아이구. 아닙니다. 다 선임하사님 덕분입니다. 하하하."

"그래. 그래. 다들 안 일병 고생한다고 칭찬이야. 하하하."

"내일 저녁에 중대장님이 관사에서 저녁 먹는다고 오라는데 말이야. 이거 우리가 빈손으로 가도 되는지 모르겠다."

"아. 저도 참석해도 되는 자리인지 모르겠습니다."

"이거 왜 이래? 다 알면서. 하하하. 중대장님이 너는 꼭 데리고 오란다."

"그럼 오후에 잠시 나갔다 와도 되겠습니까? 뭐 들고 가실 건 제가 준비하겠습니다."

"그럼. 그럼. 되지. 당연히 되지."

"번번이 선임하사님께서 챙겨 주셔서 감사합니다."

"내가 뭘! 하하하."

"뭐. 휴가 가고 할 때 얘기해. 하루 정도는 내가 더 얘기해 줄 테니까. 하하하."

"감사합니다. 늘 정말 감사합니다. 이번 주에 혹시 외박 가도 되겠습니까? 친구랑 그냥 얼굴 한번 보려고 그럽니다. 하하하."

"야야. 외박 정도야 내가 알아서 해 줄게. 하하하. 얘기해 둘 테니까 걱정 잡아 매 놓고 다녀와. 뭐. 같이 나가고 싶은 사람 있어?"

"아닙니다. 저 혼자 가면 됩니다. 친구가 다른 부대에 있어서, 그 친구랑 하루 보고 올까 합니다."

"그래. 그럼. 하여튼 내가 말해 놓을 테니까. 다녀와."

"감사합니다. 하하하."

부대 담장 아래 자리를 잡고 있는 술집 여주인은 안용근의 훌륭한 사업 동반자가 되었다. 술집 여주인은 안용근이 시키는 대로 빼돌린 군용품 중 일부를 싸서 진해 집으로 보내는 일도 했다. 처음에는 보내는 사람 이름을 안용근으로 했지만, 차츰 자신의 존재를 알리고 싶은 욕심에 이름을 바꿔서 화물을 보냈다. 절대로 안용근에게서 떨어지고 싶지 않았다. 마음씨도 착하고, 순진한 구석에 삶을 사는 능력이 탁월한 안용근을 의지하고 살아도 될 듯했기 때문이었다. 아직은 세상 물정을 잘 아는 것도 아니고, 여자도 모르는 사람이지만 본성이 착하니 뭐라도 함께 잘 해낼 수 있으리라는 믿음이 생겼다. 외박이나 휴가를 나오면 살을 섞고 함께 지내는 시간이 점차로 길어지자, 사랑이라는 확신까지 생겼다. 여자라고는 처음인 안용근은 술집 여주인이 지쳐 쓰러지기 직전이 될 때까지 몸을 요구했고, 술집 여주인 또한 사랑이라고 느낀 후부터는 자신의 즐거움보다는 안용근의 웃음을 앞세우게 되었다. 안용근이 좋아할 일이라면 무엇이든지 할 수 있었다.

안용근과 보수대 동기가 군용품을 빼돌린 돈으로 사람들의 입을 막고, 귀를 멀게 하고, 눈을 감게 하는 데는 오랜 시간이 걸리지 않았다. 빼돌리는 군용품의 양도 한 개가 두 개 되고, 두 개가 세 개 되었다. 모든 일이 군 생활의 일부라고 생각했다. 군대의 시간이 빨리 가는 것이 안용근은 원망스러울 정도였다. 안용근은 술집 여주인에게 반드시 지켜야 할 몇 가지를 단단히 일러두었다. 제대해서 진해로 가기 전까지는 절대로 아이를 가져서는 안 된다는 것, 군용품을 처리하고 난 뒤 흔적을 남겨서는 안 된다는 것, 특히나 신교대에서 나온 물건들에 대해서는 절대로 알려져서는 안 된다고 했다. 그리고 진해의 가족들이 술집 여주인의 존재를 알아서는 안 된다는 것, 동전 한 개나 모포 한 장이라도 자기 눈을 속여서는 안 된다는 것 등이었다.

"아이를 가지면 당장 누구 아이라고 할 수 있는 입장이 아니란 거 잘 알지? 절대로 아이를 가지면 안 되는 거야. 알겠지?"

"네 알았어요. 조심할게요. 뭐 조심한다고 다 되는 건 아니지만."

"무슨 소리야? 내가 절대로 안 된다고 하면 해서는 안 되는 거야. 알겠어?"

"알았어요. 참."

"그리고, 물건 다 팔고 나면 누가 팔았는지, 어디서 가지고 가는지 뭐 이런 건 절대로 알리지 마. 그리고 일정한 장소나 시간에 어디 가서 팔면 안 되는 거 정도는 알지?"

"네? 그건 왜요?"

"자주 가는 곳이 있으면 사람들이 모일 테고, 사람들이 모이면 소문이 날 거 아냐? 여기저기 다른 장날이나 좀 멀리 있어도 다른 장소에 가서 팔아야 흔적이 안 남을 거 아냐!"

"아. 아. 알겠어요. 호호호. 자기 똑똑하다. 정말."

"……"

"이것저것 다 조심해야겠지만, 절대로 나를 속이면 안 된다는 거 잊지 마. 절대로."

"속이긴 누굴 속여요? 그냥 내가 잘못해서 셈이 틀리는 게 있을 순 있잖아요. 난 자기 옆에만 있을 수 있으면 다 좋아요. 다. 전부 다."

"사람 마음은 아무도 모르는 거야. 특히나 남녀 사이는 더 그래."

"호호호. 자기는 여자 만나 본 적도 없으면서 뭘 그리 잘 알아요?"

"다 들어서 알지. 꼭 뭐 해 봐야 아나? 듣고 읽고 하면서 배우는 게 많은 거야."

"알았어요. 자기 보면 볼수록 잘 생겼다. 똑똑하고. 호호호."

하지 말라고 하는 일들이 많아도 술집 여주인은 안용근이 좋았다. 술집은 계속했지만, 크게 이익이 남는 장사는 아니었다. 안용근의 이름을 대는 군인들에게는 거의 공짜로 다 퍼주었고, 스스로 주지 않는 이상 외상으로 해 두라는 군인들에게는 돈을 받을 생각도 하지 않았다. 남지 않는 장사를 해도, 집 안에 물건들이 쌓여 가고 주머니는 두둑해져 갔다. 안용근이 시키는 일만 해도 벅찰 지경이었고, 안용근을 생각할 때면 더할 수 없이 행복했다. 제대 날짜는 하루하루 다가오고, 진해로 가서 사랑하는 사람과 새출발 할 수 있다는 기대감이 행복하게 만들었다. 하루하루가 즐거웠다. 열여섯 어린 나이에 팔려 오는 지도 모를 시집을 와서 모진 목숨만 부지해 왔다. 전쟁 통에 지게를 지고 국군의 포탄을 나르던 남편이 포탄과 함께 날아가 버렸고, 겨우 남겨진 아이가 또다시 불발탄 사고에 의해서 희생되었고, 술과 웃음을 팔아 하루하루 연명하던 힘든 시절을 모두 보상받는 기분이었다. 술집 여주인에게 안용근은 이 세상 최고의 남자이자, 하나밖에 없는 소중한 사람이었다. 이제는 누가 뭐래도 자신의 마음은 지극한 사랑이라고 자신할 수 있었다.

상등병이 되기 직전 집으로부터 여동생의 혼사에 관한 편지가 왔다. 고등학교에 다니고 있지만 나이가 차서 졸업 후에 곧바로 결혼시켜야 하는데, 비용이 만만치 않아서 걱정이라는 내용이었다. 편지를 받은 안용근은 행복했다. 돈과 물건이 있는 안용근에게 동생의 혼사는 걱정거리가 아닌, 자신이 벌여 줄 수 있는 잔치였기 때문이었다.

"이번 휴가는 좀 길게 갔다 올 거야. 그러니까 문단속 잘하고 있어. 늦게까지 장사하지 말고 저녁밥 손님 끝나면 문 닫고. 알겠지?"

"호호호. 나 걱정하는 거야? 우리 낭군님이 이제 내가 걱정되나 봐요? 호호호. 알았으니까 걱정 말고 잘 다녀와요."

"아래 동생 시집보내는 일 때문에 부대에도 며칠 더 휴가를 달라고 했거든. 그리고 이번에는 물건들이 좀 많아서 산판 차로는 진해까지 어림도 없을 거 같고. 어떻게. 좋은 방법이 있겠어?"

"뭘 어떻게 해요? 그냥 읍내 가서 트럭 한 대 빌려 오면 되지. 내일 가서 내가 끌고 올까요? 진해까지면 거리가 멀긴 하지만 돈만 주면 마다할 사람이 어디 있겠어요?"

"그래? 그럼 다행이네. 근데, 읍내에 그런 트럭이 있어? 짐도 좀 많이 실어야 하는데."

"내가 물건들 처분하면서 여기저기서 좀 많이 알아 뒀어요. 언젠가 우리가 진해로 이사하려면 트럭 한두 대 빌려서 한 번에 다 옮겨야하잖아요. 뭐. 조금씩 보내도 되지만 여기 짐들은 한 번에 다 정리하고 싶어서요."

"그럼 내일 아침 일찍 나가서 트럭 한 대 빌려 와. 돈은 기름값에 밥값까지 넉넉히 준다고 하고. 믿을 수 있는 사람으로 알아봐야 해. 알지?"

"당연하죠. 자기가 시킨 일 중에서 내가 허투루 한 게 있어요? 걱정 말아요. 그동안 몇 번 타 보면서 그 집 안사람이랑도 친해졌으니까요. 그리고 그 집 안사람이 우리 물건들 많이 처분해 줬어요. 아마 시내까지 가지고 가서는 되팔면서 좀 남겨 먹었을 거예요. 말은 그렇게 안 해도 뻔하죠 뭐."

"괜히 사람들 눈에 띄지 않게 조심하라니까."

"그 사람들도 우리가 없으면 자기들도 재미없는 거 알아요. 우리 물건이 있어야 자기들도 조금씩 남는 장사를 하죠. 걱정 말아요."

"그래도 사람들한테 소문이 나거나 흔적이 남으면 안 좋아. 늘 조심해야지."

"네. 네. 알겠어요. 걱정 말고 다녀오기나 하세요."

트럭 가득 군용품을 싣고 이틀이나 걸려 진해에 도착해 보니, 원래 살던 집에는 가족들이 없었다. 당황했지만 주인집 이야기를 듣고 나니 안도할 수 있었다. 안용근과 술집 여주인이 수시로 진해에 보낸 물건들을 팔아서 만든 돈과, 우편으로 온 현금들을 차곡차곡 모은 가족들은 산비탈 입구에서 조금 떨어진 곳으로 이사를 했다. 크지 않은 집이었지만 방도 세 개나 되고, 우물도 가까웠다. 상수도가 있었지만 수시로 끊어지는 바람에 우물물을 사용하는 사람들이 많았다.

약간의 돈으로 주인집에 인사를 대신한 안용근은 트럭을 이사한 집으로 옮겼다. 방 한 칸을 전부 비우게 하고 트럭에 실려 있던 군용품들을 내렸다. 이번에는 군용품뿐만 아니라, 부대에서 동료들이 캐낸 사람 팔뚝만 한 더덕과 술집 여주인이 읍내와 시내에까지 가서 사들인 화장품, 미싱 기계, 실, 옷감, 약품 등 종류도 엄청난 짐들이 실려 있었다. 지나가는 사람들이 보지 않도록 온 가족이 달려들어 짐을 옮겼고, 트럭 운전사도 몇 푼을 더 준다는 소리에 같이 손을 빌려 주었다. 온 가족이 땀을 뻘뻘 흘리면서 짐을 옮기고 정리했다. 안용근은 짐이 내려지는 대로 비슷하거나 같은 종류들을 솜씨 있게 정리했고, 이를 보는 가족들은 안용근이 부대에서 어떤 일을 하는지 짐작할 수 있었다. 짐을 다 내리고는 온 가족은 마당에 모여 앉아 식사했다. 고기와 생선까지 마련한 밥상을 깨끗하고 비우고 난 후, 트럭 기사는 다음에도 불러 달라고 부탁하고 돌아갔다. 돌아가는 트럭 기사는 안용근에게 연신 허리를 굽히며 감사의 인사를 했고, 트럭을 가진 기사로부터 인사를 받은 안용근을 가족들은 자랑스럽게 지켜보았다. 읍내에와서 자신을 찾으면 누구라도 알 것이고, 입단속은 누구보다 철저히 할 것이니 충분히 믿어도 된다고 몇 번이나 말하고 돌아갔다.

"아버지. 어머니. 이번에 가져온 물건들은 집에서 쓸 만한 것들이 많을 겁니다. 일단, 필요한 것들은 어머니께서 다른 방이나 창고로 옮겨 두시고 집에 필요 없는 물건들은 마산이나 부산으로 가서 파시면 될 겁니다. 시골까지 가서 처분하시려면 차편도 구하기 힘들 테고 여러모로 불편할 테니까, 그냥 집 근처만 피해서 파시면 됩니다."

"왜 그러니? 용근아. 요즘 군용품 파는 걸 단속을 많이 한다던데. 요기 아래에 해군 부대 주변에서도 군인들이 단속한다고 돌아다닌다던데. 혹시 이것 때문에 무슨 문제가 생기는 건 아니냐?"

"하하. 걱정 마세요. 어머니. 해군들이 쓰는 물건하고 우리 육군들은 차이가 있어요. 혹시나 다른 오해를 살까 해서 조금 먼 곳에서 처분하는 거니까 신경 쓰지 마세요. 군복이나 보급품이 조금씩 달라요. 우리 육군이 훨씬 좋아요."

"그래. 알았다. 근데, 저 많은 걸 어떻게 자꾸 구할 수 있는 거니? 혹시라도 나쁜 일 하면 안 된다. 응?"

"하하. 걱정 마시라니까요. 어머니. 지난번에 말씀드렸잖아요. 부대마다 사정이 다르지만, 우리 부대는 생각보다 물건들이 엄청나게 많아요. 그리고 친구가 근무하는 부대는 우리 부대보다 또 몇 배는 더 많아요. 그 친구 덕분이에요. 우리 부대 간부들도 다들 잘 알고 있어요. 문제가 될 거 같으면 벌써 이야기들을 했을 거구요. 그리고 이번에 만든 돈은 동생 시집가는 데 쓰면 될 거 같은데요. 어떠세요?"

"그래. 우리가 비록 없이 살지만, 그래도 시집을 보내는데 뭐라도 쥐어서 보내야 하니까. 네 마음 씀씀이가 고맙구나."

"그렇지 않아도 다니던 학교를 쉬는 바람에 내년에 졸업하고 바로 시집을 가야 하지만, 제대로 보내 줘야죠."

"용근아. 네가 나 대신 군대를 먼저 갔지만, 이렇게 집안 살림까지 다 일으키니 고맙고 미안하다. 너도 제대하면 할 일을 찾아야 할 텐데, 동생 시집가는 것까지 너한테 신세를 져서 정말 미안하다."

"형. 그런 말 안 해도 돼. 난 괜찮아. 군대를 먼저 간 건 사실이지만, 덕분에 이렇게 좋은 기회도 얻고 군 생활도 편하니까 다 괜찮아. 하하. 형도 정비소 일 때문에 힘든 거 나도 잘 알아. 난 어릴 때 형이 나눠 준 거에 비하면 아무것도 아니라고 생각해. 정말이야. 형. 고마워. 항상."

"오빠! 나 때문에 고생이지? 미안해. 난 그냥 아버지 시키시는 대로 시집가서 살면 되는데, 큰오빠랑 엄마는 자꾸 뭘 가지고 가야 한다고 저러시네. 시집가서는 내가 잘하면 될 일인데, 집안사람들 모두 힘들게 해서 미안해."

"우리 집에서 제일 먼저 결혼하는 거니까 제대로 해야지. 우리 가족들 지금처럼만 하면 다른 사람들처럼 배곯지 않고 공부도 조금 더 할 수 있을 거니까, 넌 그냥 시집가서 잘 살면 된다. 그 친구 해군이라고 했지? 군인들이 힘들지만 괜찮은 직업이니까 다행이지 뭐. 시집가면 남편한테 잘해 줘라. 내 걱정하지 말고. 난 지금도 괜찮아."

여동생의 남편이 될 사람은 안용근과 나이가 같았고, 해군이지만 군 생활을 하고 있어서 말이 잘 통했다. 고등학교를 졸업한 후에 바로 해군에 입대해 중사까지 진급해 있는 간부였다. 자신이 근무하는 부대는 여건이 육군보다 열악해서 보급품도 제대로 나오지 않는다고 불평했지만 적은 월급이라도 잘 모아서 열심히 살 것이라고 다짐했다. 큰돈을 모을 수 없는 직업이라 안용근의 여동생을 호의호식시켜 줄 수는 없지만, 자신이 할 수 있는 일은 모두 할 것이라고 몇 번이고 이야기했다. 그래서 미안하다고도 했다. 사람만 착하면 될 것이고, 살림은 손이 야무진 여동생이 잘 살 것이라 믿기 때문에 안용근은 둘이 잘살 것이라고 매제가 될 그 친구를 위로했다. 여동생에게도 모든 일이 다 괜찮을 것이라고 안심시켰다. 가족들끼리 모여 맛있고 여유 있는 저녁 식사를 마친 후 안용근은 예비 매제와 여동생을 따로 불러 앉혔다. 집안 사정으로 학교가 늦어져서 내년에 졸업해야 하니, 그때까지 잘 기다리고 지켜 달라고 했다. 그리고 내년 결혼 전, 신혼집을 얻을 때 쓰라고 여동생에게 약간의 돈을 주었다.

"오빠. 웬 돈이 이렇게 많아?"
"형님. 이거 받아도 되는 겁니까?"
"괜찮아. 난 이번 휴가가 길어서 당분간은 나오기 힘들 거야. 아무리 부대 사람들이 잘해 줘도 눈치껏 해야 하니까. 이렇게 잘 쉬고 들어가면 다시 열심히 생활해야지."
"괜히 우리 때문에 오빠가 또 고생하는 거네."
"아니라니까. 내가 운이 좋아서 그래. 어딜 가나 자기 하기 나름이야. 넌 결혼 준비 잘하고."
"형님. 정말 제가 면목이 없습니다. 이 사람 제가 잘 보살필게요. 그리고 형님 은혜는 잊지 않겠습니다. 제가 할 수 있는 일이면 뭐든지 시켜 주십시오."
"그냥 내 동생이랑 잘 살면 그걸로 되는 거야. 내 걱정 말고. 군 생활은 어디나 마찬가지일 거야. 눈치껏 잘하겠지만. 내가 간부를 훈계하듯이 하네. 하하하."

"형님도 참. 하하하."

둘은 길에서 만났다고 했다. 등하굣길에 버스비를 아끼겠다고 제법 거리가 있는 길을 걸어 다니던 여동생을 매제가 보고는 따라다녔단다. 여동생은 부모님이 정해 주시는 사람과 결혼하리라 생각하고 있었지만, 매달리는 매제를 뿌리치지 못했다. 마음씨가 착했고 제복까지 입고 있으니 싫지만은 않았을 것이다. 둘이 잘 만났고 잘 어울린다고 생각했다. 다만, 여동생이 아직 학교에 다니고 있어서 마음에 걸릴 뿐이었다. 안용근에게 가족은 자신이 보호해야 할 최고의 존재였다. 가족이 행복할 수 있다면 자신의 목숨이라도 내놓을 수 있다고 스스로 생각했다.

"자기이! 잘 다녀왔어요? 호호호. 매제 될 사람도 잘 보고 왔어요? 사람은 마음에 들어요? 응?"

"잘 다녀왔지. 가족들도 다들 건강하고 식사도 같이했어."

"나도 진해로 내려가면 결혼식 올려 줄 거야? 응? 한복 잘 차려입고 하고 싶은데. 요새는 뭐 서양식으로 드레스 입고서 한다던데. 호호호. 하기야 무슨 상관이 있겠어요? 자기만 있으면 되지."

"돈 아껴야지. 그렇게 드레스인가 뭔가 입고 그러면서 어떻게 살려고 그래? 쓸데없는 데 돈 쓰지 말고 장사도 열심히 하고 돈 모아야지. 다들 먹고살기 힘든데. 뭘 해도 열심히 해야지."

"근데 말이야. 자기. 부대 안에 무슨 일 있어? 주말에 군인들이 하나도 안 나왔어! 훈련을 하나? 근무 서는 군인들한테 물어봐도 쉬쉬하는데. 무슨 일인지 몰라."

"응? 부대에? 별일 있을 시기가 아닌데! 신병들 다 수료시켜서 내보냈고."

"흥. 난 몰라. 그냥 자기만 여기 오래 있으면 돼요. 호호호."

"혹시 내 친구도 안 나왔어?"

"네. 그 부대도 아무도 안 나왔어요."

"그 친구가 휴가 가는 건 싫어하지만, 외박은 엄청 나오고 싶어 하는데. 이상하네!"

"그래요? 하여튼 주말에 아무도 못 봤어요. 일요일이 벌써 두 번이나 돌았는데도 아무도 안 나왔어요."

"에이! 부대에 무슨 일이 있겠어? 전쟁이 다시 터진 것도 아니고."

"그러게요. 호호호."

"아. 피곤하다. 하루 종일 걸려도 겨우 오네. 멀긴 멀어. 허헛."

"자기이. 피곤하구나. 호호호. 맛있는 거 내가 해 올게요.

"맛있는 거? 고기나 좀 삶아 와. 그게 제일이지."

"고기뿐이겠어요? 몸에 좋은 거 다 준비해 놨어요. 호호호,"

"배부르면 다 좋은 거지. 밥이 보약이라는 말 몰라?"

5. 죽음으로 내몰리다

이번 휴가 때 하루 일찍 부대로 출발한 안용근은 담벼락 아래 술집에 들러 하루를 지냈다. 술집 여주인이 보고 싶기도 했고, 워낙 버스와 기차 편이 엉망이라 하루 정도는 일찍 출발해야 안심하고 제시간에 부대로 복귀할 수 있기 때문이었다. 동료 중에 시간에 늦어서 기합을 받거나 소대 전체가 늦게 들어온 한 사람 때문에 줄줄이 엮여 연병장을 먼지가 나도록 기어다니는 것을 본 적이 있었다. 겨우 몇 시간 늦었다고 그 난리를 피울 바에야 넉넉히 하루 전에 출발해 안전하게 복귀하는 것이 훨씬 낫다고 생각했다.

담벼락 아래 술집에서 하루를 편안하게 쉰 안용근은 날이 밝자 술집 여주인과 읍내까지 나가서 식사하고 구경했다. 부대 앞은 그다지 갈 만한 곳이 없었고, 읍내에서는 같은 부대 사람들과 부딪힐 위험이 적어 사람들 눈치를 덜 봐도 되었다. 읍내에서 술집 여주인의 옷을 한 벌 사고 은반지도 하나 사서 끼워 주었다. 그동안 물건을 판다, 진해로 소포를 보낸다고 하면서 고생한 일에 대한 보상이자 아무것도 해주지 못한 미안함을 선물로 대신했다. 돈을 아껴 쓰는 데는 술집 여주인도 반대하지 않았다. 이 정도의 선물에 눈물까지 흘리며 좋아했다.

아직도 순박함이 그대로 남아 있는 불쌍하고 여린 여인이었다. 술집 여주인은 밤새도록, 그리고 하루 종일 안용근의 팔을 붙잡고 떨어지지 않으려고 했다. 눈은 안용근 이외의 사람이나 물건은 보지 않았다. 그저 안용근과 같이 있는 시간이 고맙고 행복했다. 복귀 시간이 다가오자, 안용근은 외박이나 휴가를 마칠 때면 늘 부대 안으로 가지고 들어가던 고기와 김치를 통에 담아 달라고 했다.

고기와 김치가 준비되자 복귀 시간보다 훨씬 이른 시간에 홀가분한 마음으로 부대에 들어갔다. 위병소 앞을 지날 때 위병조장은 안용근을 보고 건성으로 손만 흔들었다. 안용근도 경례하는 둥 마는 둥 지나쳤다. 위병조장은 안용근이 지나가자 급히 복귀 소식을 지휘통제실로 알렸고, 안용근이 연병장을 가로지를 때쯤 못 보던 간부와 병사들 몇 명이 대대장 CP에서 걸어 나오고 있었다. 멀리서 봐도 신교대 간부와 병사들은 아니었다. 안용근이 연병장 가운데쯤 왔을 때 상대편에서 손을 들어 빨리 오라는 신호를 했다. 다른 부대 간부들이라 할지라도 지시는 따라야 할 것 같아 빠른 속도로 걸어갔다. 그러자 그쪽에서 또 뭐라고 소리를 질렀다. 안용근은 뛰기 시작했다. 무슨 뜻인지 알 수가 없었지만, 그냥 그래야 할 것 같았다. 가까이 가 보니 대대장과 같은 중령 계급장을 달고 있는 군인이 중앙에 있었고, 그 옆으로 대위, 상사, 중사, 그리고 병사들 여럿이 어느새 나와 있었다. 급하게 경례를 붙인 다음 눈치를 보니 그 사람들 얼굴은 밝은 표정이 아니었다. 확실하지는 않지만 뭔가 잘못된 것 같았다. 신교대 간부들은 한참 뒤에 서 있었고 짐짓 나서지 못하는 모습이었다. 뭔가가 단단히 잘못되고 있었다.

"추웅성!"

"충성? 이 새끼 봐라. 충성? 니가 충성이 뭔지 알아 이 새끼야! 이 빨갱이만도 못한 새끼가 어디 함부로 충성 이래? 충성이!"

"네?"

"네? 이 새끼가 아직 감을 못 잡았네! 이게 몽둥이찜질을 당해 봐야 정신 차릴 거 같네. 야! 이 새끼 당장 묶엇! 하여튼 박쥐 같은 새끼들이 여기저기 숨어 있단 말이야."

"어어! 왜 이러십니까?"

"시끄러워. 이 새끼야. 야! 이 새끼 발목도 묶어. 이런 새끼는 초장에 조져 놔야지."

"엇! 선임하사님. 중대장님."

"야! 이 새끼 주둥이부터 조져!"

"퍽. 퍽."

"으악! 윽. 컥. 컥. 끄으윽!"

"이 새끼 기다린다고 눈이 빠질 뻔했네. 이런 것들은 잡히는 대로 병신을 만들어 버려야 해. 평생 햇볕 구경 못 하게 만들어 놔야 한다니까."

"윽. 윽."

신교대로 처음 입대했을 때, 그리고 자충이 되면서 신교대에서 맞은 것은 매라고 할 수 없었다. 헌병대와 방첩대를 번갈아 끌려다니면서 맞은 매는 종류도 다양했고, 고통의 깊이도 비교할 수 없을 정도였다. 뼛속까지 처참하게 만들었다. 안용근이 끌려갈 때, 멀리 뒤에 서 있는 신교대 간부들은 고개를 돌렸고, 안용근을 복날 개 취급하며 두들겨 패던 그 사람들은 웃고 있었다. 코와 눈으로 들어가는 고춧가루와 입안에서 씹히는 모래가 정신을 아득하게 만들었고, 뒤집어씌운 봉지가 주는 고통은 숨을 못 쉬는 지경을 벗어나 눈알이 빠져나갈 것 같은 괴로움이었다. 숨이 넘어가기 직전까지 가 있는 안용근을 보면서 그들은 노래를 불렀다. 아무것도 묻지도 않으면서 잠도 재우지 않았다. 정신을 차리면 몽둥이와 고문이 기다리고 있었다. 말하려 했지만 들으려고 하지 않았다. 그들은 스스로 자부심에 가득 차 있었다. 그들은 빨갱이를 잡겠다고 했고 정신 나간 박쥐를 한 마리 잡았다고도 했다. 안용근을 사람 취급하는 사람은 없었고, 안용근 자신도 점점 더 스스로가 사람이 아닌 것처럼 생각되었다.

"살… 살려… 살려 주세…"

"어어? 저거 아직 입에 살았네? 야 거기 군홧발은 뒤서 뭐 하냐? 밟아! 저 새끼 이빨이 다 깨져서 말을 못 할 때까지 밟아!"

"넵 알겠습니다."

"이 새끼가 아주 독합니다. 아직도 주둥아리를 놀리고."

"으으… 으… 살려 주세요. 으으… 으…"

"야! 저 새끼 여기 들어온 지 얼마나 지났어?"

"네. 벌써 두 달 정도 지난 것 같습니다."

"그래? 그럼 말이 좀 통할까?"

"아닙니다. 저런 독종 새끼들은 더 조져 놔야 합니다. 지난번 자료 보니까 이게 한 짓들이 상상을 초월합니다. 어디서 그런 배짱이 나왔는지. 좀 더 혼을 빼놔야 할 것 같습니다. 흐흐흐."

"그래? 그럼 좀 더 작업해 봐. 난 오늘 애가 생일이라 좀 일찍 나가봐야겠어."

"네. 과장님. 하하. 걱정 마시고 어서 퇴근하십시오."

"그래. 근데. 말은 할 수 있어야 하니까 주둥이는 그 정도로 해 두고 그만 때려라. 하기야 뭐 뒈져도 상관은 없지만. 흐흐흐. 그래도 몇 가지 물어볼 게 있으니까."

"넵. 알겠습니다. 추웅서엉."

"저기 과장님. 저희가 조카 선물을 좀 준비했습니다. 하하하."

"어? 무슨?"

"조카 생일인 거 저희도 압니다. 하하하. 그냥 있기가 쫌 손이 부끄러워서요. 하하하."

"아. 이 사람들이! 하하하. 내가 이거 오늘 집에 들어가면 자네들 덕분에 얼굴이 살겠구만. 마누라 잔소리 때문에 머리가 아플 지경인데. 오늘은 자네들 덕분에 얼굴이 살겠어. 으하하하. 하하하."

"조카한테 생일 축하한다고 전해 주십시오. 하하하."

"그래. 그래. 그렇게 하지. 자네들도 너무 늦지 말고. 저 새끼가 오늘 날 잘 만났네. 우리 애 생일 때문에 오늘은 좀 쉽게 넘어가겠어. 하하하. 참. 운이 좋긴 좋은 놈이야. 하하하."

"하하하. 알겠습니다. 저 새끼 제대로 불 정도만 만들어 놓겠습니다. 뭐 안 되면 시간 많으니까. 천천히 더 조져 놓겠습니다. 하하하."

"그래. 그래. 으하하하. 자네들이 고생이 많아. 으하하하."

안용근은 맞으면서 생각했다. 제 목숨 하나 없어져도 가족들과 술집 여주인이 사람처럼 살 기회를 만들어 줄 수만 있다면 상관이 없었다. 맞다가 죽어도 입을 다물고 죽겠다고 다짐했다. 처음에 한두 개 공짜로 얻던 수준을 넘어서, 너무 많은 것을 가지려고 한 욕심이 화근임을 그제야 깨달았다. 여러 부대를 끌려다니면서 두들겨 맞고 고문을 당하면서 들어본 내용으로 짐작해 봐도, 자기 입에 얼마나 많은 사람의 목숨줄이 달려 있는지 충분히 알 수 있었다. 보수대 동기의 부모님도 엮일 것이고, 자신을 통해 몇 개 챙긴 신교대 간부들과 동료들도 모두 살아남기 힘들 것이다. 진해의 식구들이 무슨 화를 당할지는 상상도 하기 싫었고, 결혼해야 하는 여동생의 앞날도 장담할 수 없었다. 죽어도 입을 열 수 없었다. 다른 방법도 없었다. 이제 겨우 배곯이를 벗어나기 시작한 가족들과 신혼살림 차릴 준비에 행복해하는 여동생과 예비 매제, 그리고 한 많은 삶을 벗어 버리고 제대로 살아 보려고 기대에 차 있는 술집 여주인의 얼굴이 눈에 선했다. 너무 맞아서 말할 기운이 없는 것이 다행이라 생각되었다. 저들이 원하는 것이 무엇인지 불을 보듯 뻔했다. 얼마 동안, 어느 정도의 군용품을 누구와 모의하여 빼돌렸고, 그중 얼마를 누구에게 갖다 바쳤는지 알고 싶어 할 것이다. 어떻게 빼돌렸는지 대답해야 했다. 가족들에게 간 것은 어떤 것들이고 어떻게 사용했는가에 대해서도 말해야 했다. 하지만, 안용근이 할 수 있는 말은 없었다. 할 수 있는 말은 군용품을 빼돌린 사실이나 그런 비슷한 일을 한 적이 없다거나, 기억나지 않는다는 말뿐이었다. 혼자 죽으면 다른 여러 사람이 인간답게 살 수 있었다. 안용근은 충분히 죽을 수 있었다.

"야아. 이 새끼 정말 질긴데!"

"그러게 말이야. 이거 말이야. 아예 말이 안 통하네!"

"이게 뭘 믿고 이렇게 버티는 거야? 이제 말할 때가 넘었는데 말이야."

"이 새끼 들어온 지가 벌써 몇 달째야? 지가 먹은 게 하나도 없다고? 참."

"여러 놈 만나 봤지만, 내가 이런 독종은 처음 본다. 이런 놈한테는 이제 더 이상 쓸 기술도 없다. 참."

"이 새끼가 독립운동을 했으면 일본 순사들도 혀를 내둘렀겠다."

"처음 헌병대 먼저 갔었지? 이 새끼 말이야."

"나도 몰라. 우리한테 올 때 벌써 반병신이 되어 있었는데, 지금은 더 짱짱해진 것 같아."

"이게 매를 맞으면서 회춘을 하나? 뭐 이런 새끼가 다 있어?"

"어지간한 놈이면 벌써 꼬리 내리고 다 불 텐데. 참. 독하다. 독해. 캬하아아! 나도 참 독하게 하지만 이 새끼는 정말! 내가 이러다가 꼬리를 먼저 내리겠어. 하하하. 참."

"여어. 자네가 꼬리를 내려? 하하하. 빨갱이 때려잡는 솜씨 제대로 한번 보나 했더니, 자네가 이러면 내가 섭하지. 하하하."

"저거 그냥 산에 가서 묻어 버릴까? 누가 뭐 관심이나 있겠어? 빼돌린 건 이미 다 다른 데로 가 버렸을 것이고, 뭐 남은 것도 없겠구만. 우리도 뭘 좀 건져야 하는데 말이야."

"만날 보고서 종이 쪼가리만 흔들어 댈 게 아니고, 우리도 손에 쥘 게 필요한데, 저 새끼가 저렇게 나오면 완전히 작전 미스가 되는데 말이야."

"하기야 다른 부대에서 올 때, 벌써 기술자들이 몇 바퀴 돌렸을 건데 저러고 있는 거 보니 그 부대에서도 두 손 두 발 다 들었나 보네."

"오늘은 일단 저기 좀 매달아 놓고 우리도 좀 쉬자구. 이거 우리가 쓰러지겠어! 하하하."

"그래. 오늘은 자네가 먼저 퇴근해. 난 조금만 더 돌리다가 저 새끼 처박아 놓고 퇴근해야겠네. 요새 늦게 들어온다고 집에서 마누라 잔소리가 끊어지질 않아. 그놈의 잔소리가. 하하하."

"그래. 이것도 다 먹고살자고 하는 짓인데. 하하하. 그럼 나 먼저 가네."

"어어. 수고했어. 내일부터는 다른 기술로 좀 해 보자구. 저 새끼 입 열게 하려면 아무래도 패고 매달고는 별 소용이 없을 것 같아."

"저 새끼 손톱도 없잖아. 다 뽑혀 버리고."

"그러니까 그런 거 말고 다른 방법들 고민 좀 해 보자구. 하하하."

사람 목숨은 질겼다. 고통이 몸을 짓이기고 정신이 아득해지는 지경을 벗어나자, 이제는 살고 싶다는 생각이 언뜻언뜻 들기 시작했다. 잠시 잠시 몽둥이질과 고문이 끊어지면 죽기 살기로 숨을 쉬었고, 머릿속에 스쳐 지나가는 사람들 얼굴을 떠올릴 때는 부디 죽음만은 자신을 피해 가기를 바랐다. 살고 싶다는 생각에 느닷없이 눈물이 났다. 울음소리를 낼 힘은 없었지만, 눈물이 났다. 사람의 눈물은 죽기 전까지 마르지 않는 것 같다. 다른 사람들을 위해 죽을 수 있다고 생각했지만, 안용근이 살고 싶다는 마음도 당연했다. 숨줄 붙어 있는 사람치고 누가 살고 싶어 하지 않겠는가? 자살을 생각하는 사람들도 만약, 의지할 곳이 생기거나 살아야 하는 작은 핑곗거리라도 있으면 살고 싶어 할 것이다. 안용근이 살고 싶어 하는 것은 그저 본능이었다.

"으으… 잘못했습니다. 으으… 살려… 살려… 주십시오."

"과장님. 전화 왔습니다. 방첩대라는데요."

"으으… 살려 주십시오. 으으… 으으…"

"아아. 저 새끼 입 좀 다물게 해. 뭐라는데?"

"그냥 방첩대에서 찾는답니다."

"또 무슨 일이야? 지네들이 뭔데 오라 가라야? 상관이야 뭐야?"

"안용근 저 새끼 때문인 것 같습니다."

"으으… 으으…"

"야이 새끼야. 조용히 해."

"갔다 올 테니까 저 새끼 그냥 내려놔 둬. 저것도 좀 쉬어야 다시 작업을 하지."

"넵. 알겠습니다."

"으으… 으으…"

조용했다. 끼얹어진 차가운 물의 느낌은 차라리 시원했다. 아무런 소리도 들리지 않았고 아무도 보이지 않았다. 창살 아래로 작은 햇살들이 넝쿨처럼 굴러들어 오는 것이 보였다. 바닥에 내려앉아 보니 점차로 의자가 보였고 천장에 매달려 있는 쇠사슬이 보이기 시작했다. 흐릿했지만 뭔가가 보이기 시작했다. 테두리에 줄줄이 못이 박혀 있는 철문이 보였다. 무거워 보였다. 그러고는 다시 눈이 감겼다. 아무런 소리도 들리지 않았다. 술집 여주인을 마지막으로 본 후, 처음 보는 타 부대 군인들로부터 맞으면서 끌려온 지가 몇 달이 지났는지도 몰랐다. 알 수가 없었다.

"야야. 저 새끼 죽은 건 아니지? 야야. 어서 풀어 봐. 어섯!"
"넵. 알겠습니다."
"야이 새끼야 말만 하지 말고 어서 풀어 봐. 어섯!"
"넵. 어! 이거 아직 눈은 뜨고 있습니다."
"야이. 머저리 같은 새끼야. 살아 있는지 보라고. 눈뜬 거 말고. 이 새끼야. 아이구 답답해. 저 새끼 눈 뜨고 뒈지면 우린 끝이야. 머저리 새끼야. 아아. 이런 병신새끼. 하. 참. 내가 저런 새끼를 데리고 일을 하니. 참."
"야야. 야. 안용근이. 야야."
"야이. 새끼야. 보지만 말고 저거 풀고 바로 앉혀 봐!"
"넵. 알겠습니다."
"야야. 안용근이. 야야. 내 말 들려?"
"사앙벼엉. 아안. 으으… 으으… 아안요옹…"
"휴우. 씨발. 이 새끼 뒈진 줄 알았네. 휴우."
"으으… 으으…"
"야! 이 새끼 1층으로 옮겨. 그리고 군의관 빨리 불러. 안 되면 밖에 나가서 의사 한 놈 잡아와. 어서 치료하라고 그래."
"넵. 알겠습니다."

"휴우. 내 이럴 줄 알았어. 개새끼들. 지들 입맛대로 지. 뭐. 괜히 엮였다가 나만 총알받이 될 뻔했네. 휴우. 이럴 거면 왜 잡아 온 거야? 개새끼들."

"근데, 갑자기 왜 그러십니까?"

"나도 자세히는 잘 모르겠다. 에이씨. 위에서 무슨 난리를 치고 있는지 저 새끼 풀어주란다. 이거 괜히 저 새끼 상하게 했다고 우리만 작살나는 거 아닌지 모르겠다. 에이 씨."

"네에? 잡아 족치라고 보낼 때는 언제고? 참."

"하여튼 저 새끼 잘 살려서 최대한 신제품으로 만들어라. 지금부터는 그게 우리 일이다."

"넵. 알겠습니다. 휴우."

먹어본 놈, 드셔보신 분, 잡수신 양반들은 뭐가 달라도 달랐다. 신교대장은 안용근이 끌려가자, 자신은 전혀 모르는 일이라고 말했지만, 헌병대와 방첩대, 보안대 등 자신의 연이 닿는 모든 곳에 연락해 두었다. 선후배들 다 동원해서 자신은 연관이 없다고 변명했다. 연락을 받은 사람들도 어쩔 수 없이 움직여야만 했다. 신교대장도 혼자 먹은 것은 아니었다. 불순한 생각을 가진 병사 한 놈이 간부들의 신뢰를 저버리고 제 맘대로 군용품을 빼돌린 사건으로 정리해 달라고 사정했다. 사관학교를 같이 임관한 동기인 보수대장과 상의를 했고, 자신의 부대가 연관된 사실을 알게 된 보수대장도 전화 돌리기에 정신이 없었다. 당연히 보수대 동기의 아버지에게도 연락을 넣어 도움을 요청했다. 처음에는 아무것도 모른 체 가만히 있던 보수대 동기의 아버지도 아들의 연루 내역을 듣고는 연이 닿는 곳에는 모두 연락했다. 자신도 신교대장으로부터 받은 것이 있었으므로 자유로울 수가 없었다. 보수대 동기는 잡혀가지 않았다. 다만, 부대 내에서 아무런 접촉 없이 혼자 지내고 있었다.

사람 목숨은 정말 질겼다. 안용근 자신도 자기 목숨이 질기다고 생각했다. 일주일 넘는 시간 동안 링거를 맞고 상처를 치료받았다. 식사도 간부들이나 먹을 수 있는 음식들이 나왔다. 누군가 안용근을 살리기 위해 노력하고 있다는 것을 짐작할 수 있었다. 아니면, 자신들이 살기 위해 안용근을 죽이지 않기로 한 것일 수도 있었다. 상관없었다. 다른 사람들이 다치지 않고 안용근 자신이 살 방법만 있으면 상관없었다. 기도도 했다. 종교라고는 가져 본 적이 없었고 종교를 생각할 여유도 없었지만, 아무나 들어주기를 바라면서 기도했다. 몸을 움직일 수 있을 때가 되자 보수대 동기와 보수대 동기의 부모님이 함께 찾아왔다. 이제 더 이상 이 부대 저 부대로 끌려다니면서 몽둥이질을 당하거나 고문을 당할 일은 없을 테니 안심하라고 했다. 보수대 동기는 안용근의 몰골을 보고 끊임없이 울었다. 죄는 같이 지었는데 왜 자신만 온전하게 있는지를 아버지께 따져 물었다. 안용근의 맷값으로 자신이 무사한 것을 알고 있었다. 안용근에게 무슨 일이라도 다시 생기면 다 자기 잘못이니, 다 같이 죽어 버릴 것이라고 울부짖었다. 이미 지나간 시간이었다. 소용이 없었다. 보수대 동기의 울음소리를 들으면서 안용근은 앞으로 더 이상의 고통이 없기를 바랐다. 다른 사람들과 쉽게 어울리지 못하는 보수대 동기는 군 생활에서 안용근을 든든한 언덕으로 생각했다. 이런 사정은 보수대 동기의 부모님들도 잘 알고 있었다. 안용근이 군용품을 빼돌리는 데, 자기 아들도 연관되어 있다는 사실을 알고 있었다. 그랬기 때문에, 사람이 죽지 않는 선에서 사건을 조용히 덮으려고 온갖 노력을 다했다. 알게 모르게 신교대장으로부터 받은 봉투와 인사로 받은 물건들은 사관학교 선후배의 관례적인 인사 수준이었기 때문에 더 이상 사건이 확대되는 것을 막을 수 있었다. 팔뚝만 했던 더덕과 특산품의 힘은 여기서 제대로 빛을 발했다. 하지만, 그 많은 군용품이 흔적도 없이 사라진 것에는 누군가 책임을 져야 했다. 연관된 사람들이 백방으로 인연을 넣고 사건을 덮으려 했지만, 헌병대와 방첩대, 그리고 보안대까지 알게 된 사건이므로 두세 명 정도의 죗값이라는 명분이 필요했다.

안용근과 보수대 동기는 따로따로 재판받았다. 2년 형이었다. 항소 같은 것은 처음부터 생각할 수 없는 재판이었다. 육군형무소로 보내진 두 사람은 다른 사람들 접촉 없이 2년을 살았다. 제1형무소와 제2형무소로 나뉘어 수감되었기 때문에 둘 사이는 전혀 소식을 전할 길이 없었다. 외부로 소식을 전할 수도 없었다. 살아 있는 사람도, 죽은 사람도 아니었고 그냥 갇혀 있는 사람 중 하나였다. 보수대 동기는 그래도 부모님과 면회할 수 있었지만, 안용근의 존재는 수감자라는 사실 이외는 아무것도 없었다.

"용근이가 어떻게 지내고 있는지 알려 주실 수 있잖아요. 네?"

"그건 안 된다. 만약 수감 사실이 알려지면 누구라도 찾아올 것이고, 그럼 문제가 또 복잡해진단 말이다. 살아 있다는 데 감사해야 할 상황이다. 이건 누가 어떻게 힘을 쓴다고 해결될 일이 아니야."

"그 정도는 아버지가 알아서 말씀해 주시면 되잖아요. 그 친구가 어떻게 지내는지, 건강한지 정도만 알려 주시면 된다구요. 가족들이나 다른 사람들이 얼마나 괴로울지 짐작이 안 되세요?"

"나도 충분히 이해가 간다. 하지만, 그건 안 된다. 그 조건으로 너나 그 친구를 겨우 살려낸 거야. 나도 안 되는 게 있단 말이다."

"어머니. 어머니도 좀 도와주세요. 네?"

"내가 뭘 어쩌겠니? 응? 아버지도 안 되는 일을 내가 어떻게 하겠어? 나도 자식 키우는 부모인데 얼마나 마음이 아프겠니!"

"그럼. 앞으로 저도 찾아오지 마세요. 벌써 시간도 다 지나가고 이제 일 년 정도만 여기 더 있으면 되는데, 이제 더 이상 찾아오지 마세요. 제겐 하나 있는 친구인데. 전 이렇게 가족들 만날 수 있는데 그 친구는 가족들이 생사도 모르잖아요."

"휴우. 알겠다. 내가 좀 알아보마. 하지만 나도 장담은 못 한다. 벌써 사람들에게 신세 진 게 많다. 그 사람들도 나 때문에 아주 곤란했을 거다."

"저도 알아요. 아버지. 저라고 왜 모르겠어요. 하지만, 그 친구가 그렇게 된 건 제 잘못도 있는 거 아시잖아요. 솔직히 그 친구 맷값으로 저는 그냥 여기 있기만 한 거잖아요. 그러니까 한 번만 더 도와주세요. 아버지. 네?"

"휴우. 그래. 알았다. 하지만, 더 이상 다른 사람들 만나서 수감 기간을 줄이거나 하는 건 불가능한 일이야. 음. 음. 다음에 올 때 동생들한테 생일 축하 카드나 적어 주면 그거나 가져다줘야겠다."

"네? 생일 카드요? 아. 네. 알겠어요. 아버지. 고맙습니다."

"여기서 보내는 처음이자 마지막 카드지만, 절대로 여기 일을 적어서는 안 된다. 알겠지? 그 정도는 동생에게 전달할 수 있을 거다."

"당신이 받아서 전해 줘요. 난 다음번에는 못 올 것 같소. 내가 여길 오니까, 여기 소장도 불편한 모양이야."

"그럴 테죠. 다음엔 제가 올게요. 너도 그때 카드나 주려무나. 이 어미가 전해 줄 테니까."

"죄송합니다. 아버지. 어머니."

"아니다. 살면서 별일을 다 겪고 사는 거란다. 전쟁 통에서 네 아버지랑 겨우 살아남아서 이렇게 살고 있는 것도 하늘이 도운 거로 생각한다. 우린 운이 좋은 거란다."

"죄송해요. 흑흑."

보수대 동기를 찾는 부모님의 면회는 그다음이 마지막이었다. 형무소 관련자들이 보수대 동기 아버지의 면회를 반기지 않는다는 것을 말해 주고 있었기 때문이었다. 보수대 동기의 어머니는 카드 두 장을 받아서 카드를 받을 사람들에게 직접 찾아가서 읽어 준 다음에, 그 자리에서 없애 버리라고 했다. 한 장은 진해로 가서 전달했고, 한 장은 술집 여주인에게 전달했다. 안용근이 살아 있다는 것과 부대 안에 일이 있어 직접 전달하지 못한다고 적혀 있었다. 안용근이 직접 쓴 편지는 아니지만, 살아 있다는 것만 알게 된 것에도 고마워했다. 안용근의 부모님은 자초지종을 알지 못했지만, 그저 아들이 사지 멀쩡히 살아 있다는 것에 감사했고 술집 여주인은 기다릴 사람이 있다는 것에 감사했다.

세월은 그렇게 흘러갔다. 아무리 알고 싶어도 알 수 없는 소식들이 있다는 것을 그들은 겪어 봐서 잘 알고 있었다. 사람 소식이라는 것이 알고 싶다고 해서 전부 다 알 수 있는 것도 아니고, 조금 안다고 해서 그게 전부가 아니라는 것을 알고 있었다. 전쟁과 가난이 사람들을 그렇게 만들어 놓았다.

"아버지. 어머니. 휴우."
"용근아."
"아버지. 어머니."
"용근아. 얼굴이 보이지 않는데, 거긴 어디니?"
"아버지. 어머니."
"용근아. 네 목소리도 안 들리는구나. 거긴 어디니?"
"아버지. 어머니."
"용근아. 잘 있니?"
"아버지. 어머니."
"용근아. 이게 꿈이면 깨지 말아야 할 텐데. 용근아. 용근아."
"휴우. 아버지. 어머니."
"용근아. 무슨 일인지 말을 해야지. 응? 용근아."

2년이 지난 뒤, 안용근은 신교대로 돌아왔지만, 자신이 알고 있는 얼굴은 없었다. 동료들이나 간부들의 눈은 예전 사람들하고는 판이하였다. 상병 계급장을 달고 있었지만, 누구 하나 말을 거는 사람도 없었다. 안용근이 하던 일은 다른 병사들이 나누어서 하고 있었다. 진해로 보낸 편지의 답장이 도착하자 하염없이 울었다. 답장 하나를 두고 소식도 전하지 못하는 술집 여주인에게 미안했다. 모든 사람이 안용근의 소식을 알고 싶어 했지만, 편지를 쓰거나 외박, 휴가를 직접 나가야 소식을 전할 수 있었다. 안용근의 소식을 몰래 전해 줄 사람은 없었다. 사람들이 바뀌고 나니 부탁할 사람이 없었다. 하지만, 술집 여주인도 외박이나 휴가를 나오는 군인들에게서 듣는 게 있는지라 외곽 경계근무를 온 군인에게 편지를 부탁했다. 휴가 때 들르면 식사라도 잘 대접해 주겠다는 소리에 외곽 경계근무를 나갔던 병사는 그간의 내용은 모른 체 조용히 술집 여주인의 쪽지를 안용근에게 전달해 주었다. 몸 건강히 잘 지내고 있는지 소식만이라도 전해 달라는 내용이었다. 외곽 경계근무 조에서 빠져 있는 안용근이 직접 소식을 전할수는 없었다. 이 지경이 되기 전까지 술집 여주인에게 무심하게 대했던 일들이 후회되었다. 앞으로의 삶도 걱정이었다.

편지를 썼다. 진해에도 보내고 술집 여주인에게도 보냈다. 다른 부대로 지원하러 가서 오랜 시간 있는 바람에 소식을 전하지 못했고, 지금은 다시 돌아와서 잘 지내고 있다고 안심시켰다. 특수한 상황이라 군대 기간도 길어져서 조금 더 있어야 한다는 내용도 적었다. 가족들의 안부를 묻고 여동생의 결혼식에 가지 못한 것에 대해서 미안함을 전했다. 안용근의 사건과 관련되어 매제가 불이익을 받은 것이 없는지도 넌지시 물었지만, 다행히 별일 없었다는 답을 받았다. 형의 정비소 일은 어떤지, 동생들은 잘 지내고 있는지도 물었고 동생들의 입학과 졸업식에 가지 못한 것에 대해서도 미안하다고 덧붙였다. 2년의 세월은 빠르게 지나갔지만, 주변의 상황은 너무도 많이 변해 있었다.

형도 이미 나이가 찼지만 집안 사정 때문에 결혼은커녕 군대도 못 가고 있었다. 여동생은 이미 결혼했지만 역시나 집안을 돕기 위해서 아이도 가지지 않은 채 일을 나가고 있었다. 아래 여동생도 대학을 갈 생각은 엄두도 내지 못한 채, 일을 하고 있었고 남동생만 겨우 고등학교에 다니고 있었다. 눈물이 났다. 끝도 없이 눈물이 흘러 혼자 떨어져 있는 것이 다행이다 싶었다.

"안용근 상병. 이제 네가 정해라. 우리도 괴롭다. 이거 뭐 같이 있자니 너나 우리나 정말 사람 할 짓이 아니다. 쌍. 도대체 우리가 무슨 죄야? 응?"

"미안합니다."

"새로 오신 대대장님도 네 얘기만 나오면 온갖 짜증을 다 내고 말이야. 괜히 우리도 하루 종일 눈치만 봐야 한단 말이야. 이거 여간 괴로운 게 아니다."

"그래. 이제 네가 결정을 좀 해라. 우리도 살아야 할 거 아니야?"

"죄송합니다."

"다른 부대로 가시든지, 차라리 이번에 월남 파병에 지원하시든지 좀 해 보십시오. 네?"

"미안해"

"야. 안용근이 우리도 들은 게 있어서 지금까지 참고 있는 거야. 누구보다도 네가 잘 알잖아! 우리가 얼마나 참고 사는지?"

"죄송합니다."

"소대장님. 대대 CP에서 안용근 상병 호출입니다."

"이봐. 안용근이. 요새 말이야. 서로 월남 가려고 난리란다. 너도 이 기회에 거기 갔다 오면 뭐 그동안 있었던 거 다 지워 버리고 새로 시작하면 되는 거 아냐! 응? 너 집이 진해랬지? 뭐 거긴 해군하고 해병대 천지니까 다들 잘 모를 것이고 말이야. 육군으로 월남 갔다 오면, 다들 인정해 줄 것이고. 혹시 알아? 어디 좋은 자리 하나 내줄지? CP에서 오라는 거 보니까 아무래도 오늘은 답을 해야 할 거야. 잘 생각해라. 나도 이거 다 네 생각해서 하는 소리야. 알지?"

"네. 죄송합니다."

"그리고 네 애인 있잖아. 저기 담벼락 아래 거기. 응? 우리도 다 알아. 다들 입 다물어 줄 테니까. 응? 월남 잠시잖아. 거기 갔다 오면 그 여자 데리고 진해로. 응? 거기로 바로 가면 되잖아. 그렇게 되면 아무 일도 없는 게 되는 거야."

"죄송합니다."

"하아! 정말. 야 이 새끼야 죄송하다는 말만 하지 말고 네가 그냥 월남 가라고오. 그냥 너만 가면 되는 거 아냐아! 이 새끼야."

"네. 알겠습니다. 죄송합니다."

"어휴우. 그래. 그래. 가 봐. 진짜로 잘 생각해야 하는 거야. 다들 좋게 해야지. 응?"

"네. 죄송합니다."

"내가 말이야 억지로 가라는 건 아니야. 이건 다 널 생각해서 하는 말이야. 진짜야."

"네. 알겠습니다. 감사합니다."

이번에도 안용근이 선택할 수 있는 상황이 아니었다. 살아오면서 스스로 생각하고 결정할 수 있는 일들이 있으리라 생각했지만, 그런 상황은 쉽게 오지 않았다. 진정으로 안용근 스스로 자신의 인생을 결정한 적이 있었는가 싶었다. 자기 삶인데 왜 스스로 결정할 수 없는 것인가에 대해 자괴감이 들었다. 월남으로 가야 하는 것은 당연한 일이 되어 버렸다. 주변 사람들의 행복과 자신의 결정권을 맞바꿔야 했다. 안용근은 생각했다. 만약, 스스로 결정할 기회가 주어졌더라면 과연 어떤 결정을 내렸을까? 스스로 결정을 해서 무언가가 바뀐다면 과연 삶 전체가 변하기는 할까? 제대로 된 삶은 어떤 것일까? 스스로 결정했다면 그게 진정, 자기 삶이 될 수 있을까? 나를 위한 삶이 진정한 삶인가? 나를 제외한 다른 사람을 위한 삶이 진정한 삶인가? 현재가 중요한가? 미래가 중요한가? 과거는 다 지워 버릴 수 있을까?

알 수 없었다.

"이봐. 오늘 외곽 경계근무 조지?"

"네. 그렇습니다만. 왜?"

"부탁 하나만 하자."

"허허. 제게 무슨? 근데, 뭡니까?"

"미안한데 말이야. 저기 왜 있잖아. 담벼락 아래 술집. 알지?"

"네. 알긴 압니다. 근데, 왜?"

"오늘 근무 나가면 거기 주인 살짝 불러서 이 쪽지만 좀 전해 줄 수 있겠어?"

"네? 쪽지요? 아니 요새 부대 분위기 알면서 그걸 어떻게 전해 줄니까? 에이. 안 됩니다. 괜히 저까지 제삿날 받을 일 있습니까?"

"그래. 알아. 그럼. 그냥 그쪽으로 던져만 줘. 혹시 무슨 일이 생기면 내가 그냥 몰래 가서 던졌다고 할 테니까. 미안해. 난 뭐 지금 그쪽으로 가기가 힘들잖아."

"에이. 안 된다니까 자꾸 그러십니까?"

"부탁해. 외박 나가면 술과 밥은 거기서 그냥 먹어도 되니까. 부탁 좀 들어줘. 응?"

"음. 음. 혹시 무슨 일 생기면 저는 모르는 겁니다."

"그래. 당연하지. 고마워."

"제가 뭐 공짜 술 때문에 이러는 건 아닙니다. 월남 가신다고 하니, 그냥 제 선물이라고 생각하십시오."

"그래. 그래. 고마워. 은혜는 잊지 않을게."

한 번은 보고 가야 했다. 저승사자 얼굴까지 알현하고 겨우 살아 돌아와 다시 생각해 보니, 술집 여주인에 대한 안용근의 마음은 사랑인지 의무감인지 정말 알 수가 없었다. 몇 번 같이 밤을 지새우고 돈과 물건을 맡겼지만, 그것이 사랑이라고 단정할 수는 없었다.

집에도 다녀와야 했다. 전쟁 통에 사람들이 얼마나 허무하게 죽어 나갔는지 안용근은 알고 있었다. 길가에 나뒹굴던 군인들과 마을 사람들의 시체를 허다하게 보았고, 깊숙이 숨겨져 있던 기억 속에서는 아무런 이유 없이 죽어간 사람들 얼굴이 시린 기억 속에서 문득문득 기어 나왔다. 알고 있던 모든 사람들에게 잘 다녀오겠다는 말이라도 남기고 가야 할 것 같았다. 혹시라도 돌아오지 못하면 어디서 죽었는지라도 알아주기를 바랐고, 보상이 나오면 가족들이 살아가는 데 도움이 되기를 바랐다. 무슨 수를 써서라도 저 높은 부대 담벼락을 한 번은 넘어갔다가 와야 했다. 그렇게 자유롭게 드나들던 오래전 부대 의 그 담벼락은 없어진 지 오래였다. 철조망 둘러쳐진 저 담벼락을 넘 어가서, 혹시 모를 자신의 마지막을 누군가에게 남겨 두고 싶었다. 그 대상이 가족이건, 술집 여주인이건 반드시 알려 놓고 싶었다. 이런 상 황이 되기 전, 조금만 더 시간이 있었더라면, 휴가 가서 집안 형편이 조금 나아진 것을 보았을 때 그만두었더라면, 더 이상 욕심부리지 않 고 시키는 일만 했더라면, 이런 날은 없었을 것이다. 만약, 그랬다면 지금쯤 술집 여주인을 데리고 진해로 내려가 있었을 것이다. 아니, 술 집 여주인과 함께이든 아니든 진해에 있는 가족에게로 내려가서 작은 돈벌이라도 하면서 살고 있을 텐데.

하지만, 마음 한구석에는 다른 생각도 있었다. 왜 자신이 군용품 빼돌린 일이 들켰는지 지금도 알 수가 없었다. 좋은 물건 몇 개만 더 빼내서 진해로 갔더라면, 작은 가게라도 시작했을 것이다. 아직도 안 용근의 마음속에는 욕심이라는 무서운 악마가 완전히 사라지지 않고, 그 흔적은 없는 듯하면서도 한쪽 구석에 도사리고 있었다. 자신의 삶 을 선택할 수 없는 상황까지 와 버렸는데도, 안용근의 마음속에 험악 한 이빨을 드러내며 인생을 갉아먹는 추악한 악마가 떠나질 않았다. 떠나보내려 해도 도저히 떠나지 않는 그 욕심이라는 악마는 사람들 마음속 어디에나 있지만, 아무도 인정하지 않는다는 무서움을 깔고 앉아 있었다. 욕심이라는 것은 숨을 쉬는 한 사라진 듯하면서도 알 듯 모를 듯 사람들에게 달라붙는 악마였다. 불행은 한순간에 일어난 일이라 생각했지만, 결코 한순간에 일어난 일이 아니었다. 모든 일에는 이유가 있었고, 그 이유는 사람들의 마음으로부터 비롯되었다.

'안녕하십니까? 민 상사님. 오랜만에 소식을 전합니다. 저는 얼마 전에 군대 입대한 이후로 훈련도 열심히 받고 지시되는 일도 충실히 수행하고 있습니다. 입대 전에 아버지와 잠시 시내에서 인사를 드렸던 적이 있습니다. 부대에서 힘들면 연락하라던 기억에 편지를 드립니다. 부디 이 편지가 정의로운 우리나라 국방의 초석이 굳건히 되는 데 도움이 되기를 바라면서 더러운 거래를 고발하고자 합니다. 제가 있는 부대에서 자행되는 군용품 절취가 얼마나 심각한지 아셔야 하고 반드시 뿌리 뽑아야 합니다. 간부들과 내통한 흉악한 작자가 사사로이 군용품을 빼돌려 큰 사업을 하는 것 같습니다. 빼돌리는 군용품의 양이 어찌나 많은지 그 수를 다 헤아릴 수 없을 지경입니다. 제가 본 것만 해도 한 차가 넘을 정도입니다. 옆 사람들 눈이 있어 길게 적지는 못합니다. 정작 필요한 병사들에게 제대로 보급품이 전달되지 못하다 보니 부대의 사기도 엉망이 되고, 훈련도 제대로 하지 못하는 지경입니다. 일부 간부들도 알게 모르게 엮여 있는 것 같습니다. 이런 흉악한 범죄 행위는 저라도 나서서 바로잡아 보고 싶지만 이미 연관된 사람들이 상상할 수 없을 지경이고, 그 양이 어마어마해서 어쩔 도리가 없습니다. 이렇게라도 해야 더 이상의 피해를 막을 수 있을 것 같아서 편지를 올립니다. 부디 빠른 조치를 당부드립니다.

단기 4296

조카 민 이병이 급하게 올림.

안용근이 방첩대로 잡혀가고 난 후, 신교대를 비롯한 주변 모든 부대의 군인이 조사를 받았지만, 더는 한 명도 잡혀가지는 않았다. 안용근이 없어지면 자신이 물품을 관리하면서 큰돈을 만질 수 있으리라고 생각한 후임병 하나가 입대 전 소개받았던 방첩대 친척에게 편지를 보낸 것이 시작이었다. 안용근의 마음속에 악마가 있었지만, 주변 사람들의 마음에도 어김없이 그 추악한 악마는 비슷한 모습으로 도사리고 있었다. 안용근이 사라지고 자신이 그 일을 할 것이라고 기대했지만, 상급 부대는 부대원 전원교체라는 엄명을 내렸고 그 후임병 역시 생전 알지도 못하는 사람들과 최전방으로 이동해서 남은 군 복무를 해야 했다. 그 후임병은 입대 전 특별하게 직업을 갖거나 기술을 가져 본 적이 없었다. 안용근을 밀고했던 그 후임병이 믿고 있었던 것은 입대 전 잠시 인사를 나눈 방첩대의 먼 친척뿐이었다. 방첩대에서 일한다는 그 친척은 입대하는 사람들의 뒤를 봐주는 대가로 여러 사람으로부터 돈을 받았고, 그 돈의 일부는 윗사람으로 흘려보내면서 자신의 주머니를 채우는 사람이었다. 그 후임병은 전방으로 전출당한 뒤 자기 집으로 연락했다. 자세한 영문을 몰랐던지라 방첩대에 근무하는 친척이라는 그 사람에게 하사관 현지 임용을 부탁했고, 간부자원이 부족했던 부대 사정으로 인해서 얼마 지나지 않아 그 부탁은 이루어졌다. 부탁하는 편지에는 그 친척의 한 달 봉급만큼의 사례금이 들어 있었다. 하지만 그 친척이라는 사람이 한 일은 전혀 없었다. 돈을 들여 간부를 만들어 주었으니, 그 공을 생각해서 더 많은 돈을 내놓아야 한다고 요구했다. 부대 사정을 알지 못하는 밀고한 병사의 부모는 자기 자식이 군대서 뜻하지 않게 간부가 되었다는 소식을 듣고,

먼 친척이라는 방첩대 부대원에게 다시금 거금을 건넸다. 인사 한번한 걸 가지고, 거금에 실적까지 크게 올린 방첩대 군인은 거드름을 피우며 돈봉투를 가지고 자리를 떴다. 하지만, 악마는 습성이 그러하듯 누구에게도 끝까지 행복을 주지 않았다.

"중대장님. 한 번만 다녀오게 해 주십시오. 부탁드립니다. 이제 곧 강원도로 파병전 교육받으러 들어가면 언제 나올지도 모른답니다. 그러다가 배 타고 월남 가게 되면. 흑흑. 한 번만 가족들 얼굴이라도 보고 가게 해 주시면 그 은혜는 제가 죽더라도 잊지 않겠습니다. 흑흑. 제발 부탁드립니다."

"야! 그게 말대로 쉽게 되냐? 응? 그리고. 응! 지금까지 있었던 네 사정 들어보니까 말이야. 지금 나가면 부대로 돌아올 생각도 없겠더구만. 응? 서로 피곤하게 이러지 말고 그냥 조용히 월남으로 가자. 나도 이해는 되지만 입장 바꿔 놓고 생각해 봐. 지금 너를 휴가 보내는 게 가능할 거 같아?"

"흑흑. 중대장님. 딴생각하지 않고 집으로 가서 가족들 얼굴만 보고 바로 들어오겠습니다. 가족들 얼굴만 보고 나서 바로 강원도로 출발하겠습니다. 제가 지은 죄는 제가 잘 압니다. 부대로 복귀하지 않고 제가 어디로 가겠습니까? 죽든 살든 월남으로 가야 하는 건 제가 더 잘 압니다. 그리고 제가 선택한 일입니다. 그러니 부디 가족들 얼굴만 한 번 보게 해 주십시오. 흑흑."

"야야. 안용근이 이 새끼 안 되겠다. 얼마 전까지만 해도 살려줘서 고맙다고 네 입으로 말했잖아. 응? 고새 또 맘이 변해서 응! 여기가 어디라고 들어와서 질질 짜고 난리야? 난리가! 응? 이게 아직도 정신을 덜 차린 모양이네. 야. 거기 누구 없어? 안용근이 이 새끼 2, 4종 창고에 처박아 버려! 별명 있을 때까지 물도 주지 맛! 한 번만 더 이 새끼가 중대장실에 들어오면 니들도 다 영창이야. 알겠어? 이 새끼들아."

"넵. 알겠습니다. 야. 안용근이 이리 나와. 야 이 새끼야. 너만 죽으면 됐지. 왜 우리까지 죽이려고 이 야단이야! 우리까지 죽는 거 보고 싶어? 고참이면 고참답게 해야지. 참. 뭐 고참도 아니지."

"한 번만 보고 오게 해 주십시오. 부탁입니다. 엉엉."

"퍽! 퍽!"

"나오라고 이 새끼야. 제발 좀."

"야. 때리지 말고 그냥 끌어다 넣어 놔. 안 그래도 헌병대하고 방첩대하고 끌려다니면서 죽다가 살아난 놈인데. 잘못되면 같이 갈 수도 있어. 그냥 끌고 가."

"넵. 알겠습니다."

"죄송합니다. 흐어엉. 흑흑."

"야. 무슨 일인데 이렇게 시끄러워?"

"추, 충성. 대대장님. 근무 중 이상 무."

"뭐야? 왜 이렇게 시끄러워?"

"네. 안용근 상병이 휴가를 보내 달라고 해서."

"뭐? 휴가?"

"대대장님. 월남 가기 전에 가족들 얼굴만 한번 보게 해 주십시오. 제발 한 번만."

"시끄러워! 야 이 새끼 데리고 나가."

"죄송합니다. 대대장님. 제가 알아서 처리하겠습니다."

"그래."

"……"

"……"

"이봐 중대장. 잠시 얘기 좀 하지. 그리고 주임원사 좀 올라오라고 해."

"……"

"……"

"주임원사. 안용근이 저거 내보내도 되겠소? 나도 영 찜찜한데. 월남 가면 죽을지 살지 모르는 놈 마지막 소원이라는데. 참."

"대대장님. 안용근 저놈이 원래는 모진 놈도 아니고, 성정도 좋았답니다. 전쟁 끝나고 나라가 이 모양이니 눈이 뒤집혔던 모양입니다. 제가 단단히 정신교육 시켜 놓을 테니, 몸도 추스를 겸 보내 주는 게 좋은 것 같습니다. 딱, 그냥 가족들만 보고 올 수 있도록 사나흘 정도면 될 것 같습니다."

"그럽시다. 뭐 떠날 사람이지만 우리 부대원이고, 월남 가면 언제 올지, 뭐. 돌아올 수는 있을지도 모르는 불쌍한 놈인데. 보내 줍시다. 내일 아침 바로 다른 부대에는 소문나지 않도록 입단속 잘 시키고 한 삼일만 보내 줍시다. 다른 부대는 나흘 준다던데, 나흘 다 주면 다른 생각 할지 모르니까 안용근이한테는 사흘이라고 하고 보내 줍시다."

"네. 대대장님 감사합니다."

"허허. 주임원사가 감사할 게 뭐 있습니까? 제대로 된 거 하나 없

이 먹고살기 힘든 이놈의 세상이 원망스러울 뿐이지. 불쌍한 놈들입
니다."

"집으로는 제가 미리 연락해 두겠습니다. 복귀 지연되지 않도록
정신교육도 철저히 시켜 놓겠습니다."

"휴우. 전쟁 끝난 지 얼마나 됐다고 또 전쟁터라니."

"총칼 들고 싸우는 전쟁터도 전쟁이지만 사는 것도 전쟁 아니겠
습니까?"

"휴우."

사정사정해서 얻어 낸 삼일의 시간은 너무도 빨리 지나갔다. 휴
가 첫날, 새벽에 휴가증을 받아 든 안용근은 곧장 정류장에서 첫 버스
를 탔다. 시간을 아끼려고 차에서 내리면 바로 뛰었다. 서울역을 거쳐
진해로 내려가서 가족들에게 월남으로 간다는 소식을 전한 뒤 무거운
마음으로 가족들과 하루를 보냈다. 여동생 내외에게도 기별을 넣어
집으로 오라고 한 뒤 얼굴을 보면서 건강을 당부했다. 여동생이 조카
를 가졌다는 소식은 그나마 웃을 수 있는 일이었다. 형에게는 좋은 형
수 빨리 만나라고 얘기했고 동생들도 건강히 잘 지내라고 다독였다.
집에서 나오면서 부모님께 절은 하지 않고 인사만 했다.

죽으러 가는 사람 같은 분위기를 만들고 싶지 않아서였다. 1년 정
도만 있으면 제대하고 올 수 있을 테니 걱정 마시라고 위로까지 했다.
집을 나서면서 어머니가 시키는 대로 고향 쪽 하늘에 세 번 절하고 곧
장 출발했다. 강원도 보충대 들어가려면 시간이 빡빡하다고 둘러대고
급하게 발걸음을 옮겼다. 아무도 같이 따라나서지 못하게 했다. 출발

하는 안용근에게, 형은 좋은 사람을 만나고 있어서 곧 결혼할 것이라고 말하자 안심할 수 있었다.

"다들 건강하게 있어야 해. 난 조금만 더 고생하면 바로 제대할 수 있을 거야."

"그동안 무슨 일이 있었던 거야? 얼굴이며 이 상처들은 또 뭐야?"

"그냥 훈련을 좀 고되게 받아서 그래."

"무슨 훈련을 받았길래 몸이 이 지경이 된 거야?"

"특수 훈련이라고 있어. 걱정하지 말라니까."

"형이 할 일이 많겠다. 동생들 돌보고 부모님도 돌봐야 하니까."

"집 걱정 말고 조심히 다녀와. 월남이 그렇게 위험하지 않다고는 하지만 그래도 전쟁터잖아. 전쟁터에서 사람 목숨이 얼마나 허망한 건 줄 잘 알잖아. 늘 조심해야 한다."

"알겠어. 형. 이만 들어가. 나도 좀 서둘러야겠다. 부대 들어가기 전에 해야 할 일들도 좀 있고."

"그래. 준비할 게 많을 거야. 조심해야 해. 내 동생."

서울역에서 버스와 택시를 번갈아 타고 부대 근처 읍내까지 서둘러 온 안용근은 다시 그 비싼 택시를 탔다. 택시비를 걱정할 형편이 아니었다. 꼭 보고 갈 사람이 또 한 명 더 있었다. 술집 여주인이었다. 벌써 2년이 넘도록 제대로 된 소식을 전하지 못하고 있었기 때문에, 당장 생각해도 그 사람의 마음이 말이 아닐 것임을 알고도 남았다. 무슨 말이라도 해 주고 떠나야 했다. 그리고 건넛방에 아직도 남아 있을

지 모르는 물건들과 앞으로의 처신에 대해서도 말해 두어야 했다. 해야 할 이야기도 많았고 해 두어야 할 일도 많았다. 택시 차창 밖으로 보이는 바깥 풍경은 지금껏 안용근이 본 세상 풍경과는 전혀 다른 모습이었다. 검게 보이는 땅과 하얗게 보이는 하늘 사이에서 눈물만 흘렀다. 눈앞이 캄캄해진다는 사람들의 말이 이런 것이구나 싶었다. 가능한 한 빨리 술집 여주인을 만나서 상세하게 앞으로의 처신에 대해서 의논해야 했다. 언제 올지? 올 수는 있을지? 아무도 알 수 없는 전쟁터에 나가야 하지만, 한 여인에게 두 번이나 남자를 잃는 아픔을 주고 싶지는 않았다. 술집 여주인은 자신과는 아무런 상관도 없는 망할 놈의 전쟁터에서, 본 적도 없고 무엇인지도 제대로 알지 못하는 포탄이라는 것에 남편과 아이를 줄줄이 잃은 사람이었다. 남편과 아이의 작은 흔적조차도 찾지 못한 불쌍한 여인이었다.

"어이! 이봐. 거기 있나?"

"으엇! 엇? 아이고. 으으. 아이고."

"이 사람이 참. 집에 있었구만. 자 들어가서 얘기하자. 응. 어서 들어가자."

"봐요. 여기 좀 봐요. 살아 있었네요! 네? 살아 있었어요. 살아 있으면 살아 있다고 소식이라도 좀 제대로 전하지. 네? 2년이나 지나면서 달랑 손바닥만 한 종이 한 장 보내 놓고. 아이고오."

"그렇게 됐어. 어서 들어가자."

"그래도 난 고마워요. 난 다른 부대로 갔다고 해서 연 끊으려고 하는 줄 알고. 응. 부대 사람들도 모두 모르는 사람들만 있고. 응. 휴가 나와서 들르는 사람은 아는 사람도 없고. 내가 정말 이러다가 속이 타서 죽는다 싶었어요."

"내가 가긴 어딜 가? 자자. 진정하고 내 말 잘 들어야 해. 오늘은 자고 갈 테니까 걱정 말고. 내일부터 혼자 살아야 할 테니까, 응. 혼자 좀 버티고 살아야 하니까 내 말 잘 들어야 해. 알겠지?"

"무슨 일 있어요? 그리고 얼굴하고 이 손에 흉터는 왜 이렇게 생긴 거예요? 정말 별일 없었어요?"

"괜찮다니까. 여기서 받는 훈련하고 좀 다른 훈련이 있었어. 자 좀 있으면 강원도 골짜기로 갈 거야. 오음리인가 하는 곳이야."

"네? 오음리? 혹시 월남 가는데? 응? 월남 가요?"

"그래. 거기."

"거긴 왜요? 거길 왜 가요? 거긴 전쟁터잖아요. 그 전쟁터를 왜 간단 말이에요? 거긴 가면 다 죽어요. 전쟁터는 가면 다 죽는단 말이에요. 아이고. 엉엉."

"괜찮아. 별일 없을 테니까. 걱정하지 말고 있어. 그리고 건넛방에 아직 남은 거 좀 있지? 저건 값을 제대로 받아야 해. 그리고 더 이상 물건들은 가지고 오지 못하니까, 여기 사람들 인심 잃지 말고 장사 잘해야 해. 저거 팔면 어려울 때 얼마 동안은 먹고살 걱정은 안 해도 되겠지만 혹시 모르니까 장사 열심히 하고 있어."

"뭘 몰라요? 응? 거기 가면 안 돼요. 거기 가면 다 죽어. 제발 가지 말아요. 제발"

"그건 벌써 결정 난 거니까 더 이상 얘기하지 말고."

"안 돼! 누구 맘대로 그 전쟁터에 가? 안 돼. 자기 가면 나도 콱 죽어 버릴 거야. 어느 하늘 아래라도 살아만 있으면 기다릴 수 있지만 그 전쟁터에는 못 보내요. 이년 복은 왜 이리도 끝이 없이 지옥으로만 가는 거요. 엉엉. 내가 사는 건 왜 이렇게만 되는 거요? 엉엉. 겨우 당신 만나 사람같이 살고 싶었는데, 이게 무슨 날벼락이요? 월남이라니? 전쟁터라니?"

"그만하고 저거 팔아서 반은 진해 집으로 보내 줘. 주소는 내가 다시 적어 줄 테니까 거기로 보내 줘. 아마 형이 나 떠나고 나면 결혼할 거 같아. 집에 조금이라도 보탬이 되고 떠나야지. 나머지는 당신이 잘 아껴 쓰고. 아마 일 년 정도 걸릴 거야. 뭐 오래도 아니니까 걱정 마."

"엉엉. 어엉! 가지 마요. 제발. 가지 말아요. 그냥 날 버려도 좋으니 거긴 가지 말아요. 거긴, 가면 다 죽는 지옥이요. 그걸 몰라요? 전쟁터 그 지옥에서 기를 쓰고 겨우 살아 나왔는데, 당신이 거길 왜 간단 말이오? 이게 무슨 날벼락이오? 엉. 엉."

"걱정 말라니까. 자. 밥 좀 먹자. 진해에서 온다고 아무것도 못 먹었네. 어서 같이 밥이나 먹자. 응?"

"내가 밥이 넘어가겠소? 지금. 내가?"

"그러지 말고. 진정해. 다 괜찮을 거야. 어서 밥 준비해. 어서."

눈물로 지은 따뜻한 밥과 깊은 한숨으로 끓인 국 한 그릇, 안용근이 그렇게 좋아하던 돼지 수육과 생선까지 구워 밥상을 정성으로 내놓았다. 솥에 밥을 안쳐 놓고, 정류장 옆 가게까지 죽어라 달려가서 제일 좋고 비싼 것만 사서 마련한 반찬들이었다. 홀가분해진 마음의 안용근과 달리 술집 여주인은 밥알 하나, 국물 한 숟가락을 제대로 넘기지 못했다. 밥상에 앉아서 수저를 들 마음이 없었다. 고통스럽게 죽어 갈 전쟁터로 보내느니, 차라리 집 안에 불을 지르고 함께 타 죽는 것이 나을 거라는 생각이 들었다. 혼자 남겨지기 싫었다. 이제 겨우 사람같이 살 수 있다고 생각하면서 매일 밤낮을 안용근의 얼굴과 기억만 바라보았다. 무슨 일이 있더라도 곁에 있을 것이라 다짐하고 또 다짐했었다.

넘어가지 않는 저녁 식사를 마치고, 술집 여주인은 집 안에 있는 가장 큰 통에 더운물을 준비했다. 안용근을 통에 앉히고 정성을 다해 온몸을 씻겼다. 머리부터 발끝까지 전부 다 만져 보고 기억에 담아 두고 싶었다. 2년 전, 이부자리 안에서 보지 못했던 온몸의 흉터들을 보고 난 후, 안용근에게 그동안 무슨 일이 있었는지 비로소 짐작할 수 있었다. 안용근도 겉옷을 걸치고 술집 여주인을 씻겨 주었다. 맨 처음 술집 여주인을 안을 때는 정신이 없었고, 시간이 지나면서도 단순한 욕정과 의무감으로 대했던 여자였다. 깊이 생각하지 않지만, 금세 헤어지리라 가볍게 여기지도 않았다. 시간이 흘러가는 대로, 그냥 같이 흘러갈 사람이라고 생각했다.

오늘은 다른 날이었다. 그치지 않는 눈물을 닦아내 주고, 풀어헤친 머리카락과 가슴을 정성으로 씻어 내렸다. 일과 삶과 사람과 신세에 찌든 안용근과는 달리 깊은 한과 아름다운 몸을 가진 여자였다. 이제껏 술집 여주인의 몸이 이렇게 아름다운 줄 모르고 지냈었다. 미안했다. 그래서 더욱 정성을 들여 씻겨 주었다. 등을 씻겨 줄 때도, 마주 보면서 부어오른 눈가에 물을 흘려줄 때도 정성을 다하고 귀하게 대했다. 그래야만 할 것 같았고, 그래서 그렇게 했다.

"이제야 보이는 것 같네."

"네? 뭐가요?"

"아니야. 아무것도.

"말씀하세요."

"바로 곁에 있을 때는 몰랐는데 말이야. 소중한 것들이 이제야 다시 보인다는 말이야."

"내가 소중해요?"

"그럼. 소중하지."

"인제야. 겨우. 이제야."

"너무 그러지 말아. 세상일이나 사람 마음을 다 아는 사람이 누가 있어?"

"그래요. 지금이라도 알아주니 다행이지요. 다행. 흐흐흑"

두 사람 모두 밤새 뜬눈이었다. 이것이 둘이 함께하는 마지막은 아닐 것이라 믿었지만, 온밤 동안 서로를 확인하고 사랑을 말했다. 어느 때보다도 부드러운 살결이 좋았고, 묻어나는 향기가 좋았다. 동이 트지 말기를, 내일이 제발 오지 말기를 간절히 바랐다. 첫닭이 울지 말기를 바랐다. 아침이 돼서야 잠시 눈이 감겼지만, 깊은 잠을 잘 수도 없었다. 기다리고 있을 부대 사람들에게 다시 실망을 줄 수는 없는 일이었다. 연락이 끊긴 보수대 동기의 소식도 알아보고 싶었다.

"이봐. 고기 좀 싸 줘. 부대 사람들한테 인사는 하고 가야지."

"그깟 고기가 무슨 소용이요? 엉엉. 어엉. 부대 사람들이 월남 가면 되지. 왜 당신만 가요?"

"아. 이제 그만해. 내 말 명심하고 돈 아끼면서 장사 열심히 하고 있어."

"오늘 집에 있는 고기 다 싸 줄 테니까, 전부 다 가지고 가요. 이제부터 자기 떠날 때까지는 장사 안 할 테니까. 내가 무슨 정신으로 장사를 한단 말이에요?"

"월남 가면 편지할 테니까 마음 단단히 먹고? 사람들 조심하면서 잘 지내고 있어야 해. 그래야 나도 마음 놓고 잘 다녀오지. 알겠지?"

"알겠어요. 흑. 흑. 알겠다구요. 오음리로 언제 떠나는지 알아요? 이 부대 나갈 때 얼굴이라도 보고 가야지요."

"아마 다음 주에 갈 것 같아. 미리 연락할 테니까 저기 위병소 앞에 나오면 볼 수 있을 거야. 오음리에서 한 달 조금 더 훈련받고 나서 부산항으로 갈 거야. 거기서 출발하면 한 일주일이나 지나면 월남에 도착한다더라구."

"흑. 흑."

"그리고 나만 기다리지는 마. 하하. 난 괜찮으니까. 허허. 사람 일은 모르는 거야. 좋은 사람 나타나면 잘 살아. 진심이야. 진심"

"그걸 지금 말이라고 해요? 그걸!"

"진심이라니까. 사람 일은 모른다고 했잖아. 언제라도 좋은 사람 나타나면 그 사람하고 살아 보는 게 나을 수도 있어."

"마음에 없는 소리 말아요. 난 자기 안 오면 콱 죽어 버릴 거니까."

신교대장을 비롯한 동료들이 드디어 웃는 얼굴로 인사를 했다. 사흘간의 휴가에서 돌아온 그날 저녁, 부대 내 누구도 안용근을 찾지 않았다. 안용근은 부대 내 이곳저곳을 돌아다녔다. 보수대에 잠시 넘어가 동기의 행방을 물었지만, 아는 사람은 없었다. 이제껏 있었던 일에 대해 고맙다는 인사와 월남에서 돌아오면 다시 보자는 편지를 보수대 선임하사에게 남겼다. 보수대 선임하사도 안용근의 일은 익히 알고 있던 터라, 동기의 소재지를 찾아서 꼭 전달해 주겠노라고 흔쾌히 약속했다. 오음리로 떠나는 날, 소지품 중에서 반드시 가지고 가야 할 만한 소중한 것은 크게 없었다. 보급받았던 물건들이 안용근의 전부였다. 지금껏 안용근은 자신을 위해서 물건을 산 적이 거의 없었다. 입대할 때 크게 가지고 온 물건이 없으니 오히려 홀가분했다. 가지고 있는 것 중에서 쓸 만한 물건은 후임병들에게 전부 나눠줬다. 월남에서 상황이 긴박해서인지 오음리로 떠나는 날짜가 급하게 전해졌다. 신교대를 떠나기 전날 안용근은 외곽 경계근무조에게 부탁해 다음 날 출발을 알렸지만, 정확한 시간은 알 수 없었다. 그저 다음 날 출발한다는 것만 술집 여자에게 알릴 수 있었다.

소식을 받은 술집 여주인은 안용근이 오음리로 가면서 주변 사람들과 먹을 밥과 고기, 그리고 약간의 찬과 술 한 병을 싸서 위병소로 갔다. 새벽부터 분주히 준비해서 해가 뜨기 전에 위병소 앞에서 기다렸다. 위병소에서 약간 나와 있는 공터에서 안용근이 타고 지나갈 차량을 기다렸다. 신교대 정문만 바라보며 한참 동안 기다렸다. 해가 하늘 높이 걸려 점심때가 되었는데도 아무도 나오지 않자, 답답한 마음에 위병 근무자들에게 월남, 그러니까 오음리로 가는 지원병들이 언제 나오는지를 물어보았다.

"보시오. 오늘 오음리로 떠나는 날 아닌가요?"

"오음리? 아. 월남 가는 애들?"

"네. 그 사람들요."

"벌써 갔지. 간지가 언제인데?"

"네? 벌써요? 해뜨기 전부터 여기 있었는데요?"

"이유는 모르겠지만, 근무 교대하니까 바로 가던걸. 뭐가 그리 바쁜지. 전쟁터에 가는 걸 그렇게 서두를 필요가 있나 몰라."

"네? 그럼 해뜨기 한참 전에 떠나 버렸단 말이에요?"

"그렇다니까."

지원병들은 이미 떠나고 없었다. 근무자들의 대답을 듣자, 술집 여주인은 들고 있던 음식과 함께 땅에 주저앉았다. 곱게 차려입고 밝은 얼굴로 음식을 전해 주려 했지만, 새벽에 이미 떠나고 없었다. 옷과 음식이 땅에 나뒹굴었다. 오음리까지 가는 길이 멀어 새벽 일찍 출발한 것이다. 허망했다. 이렇게 보낼 수는 없었다. 지나가는 달구지라도 얻어 타고 따라가고 싶었다. 그냥 걸어서라도, 뒷모습이라도 눈에 담아 두고 싶었다. 울음도 나오지 않았다. 한참을 멍하니 땅바닥에 주저앉아 있는 술집 여주인에게, 평소 손님으로 술집을 찾던 위병 조장이 집으로 가라고 달래 보았지만, 소용이 없었다. 위로하는 말 같은 건 들리지 않았다. 위병소 근무조가 교대하고 한참이나 더 지난 후, 해가 넘어갈 즈음에야 일어섰다. 이제야 눈물이 쏟아졌다. 아무도 기다리지 않는 집으로 혼자 돌아가자니 눈물이 그치질 않았다. 사랑하는 안용근의 얼굴이 눈앞에 선한데, 언제 올지, 올 수는 있을지 알 수가 없으니, 가슴이 먹먹하고 눈앞이 캄캄했다. 큰길을 빠져나와 집으로 이어지는 작은 길에서 부대 담벼락을 부여잡고 길게 울었다. 누구 하나 말할 사람도 없고, 어디 하소연할 곳도 없었다. 할 수 있는 것은 부대 담벼락을 안고 우는 것이 전부였다. 목 놓아 울었다. 부대 에서 외곽 경계근무를 서던 군인들이 술집 여주인이 우는 것을 보고 같이 울었다.

"자자. 빨리 하차해. 시간이 너무 늦었다. 일단 2보충대에 온 걸 환영한다. 내리는 순서대로 배정된 막사로 안내할 테니까 주목하고 잘 들어라."

"넵. 알겠습니다."

"다들 들어 봐서 알 거다. 여기는 강원도 오음리 보충교육대다. 우리는 2보충대고 나는 여러분들의 생활을 지원하고 교육할 담당 소 대장이다. 앞에 있는 조교들의 인솔에 따라 각자 막사로 이동하고 내 일부터 주특기하고, 월남 현지 적응 훈련이 시작된다. 오늘은 생활 간 에 주의 사항 잘 듣고, 소지품 정리 빨리하고 나서 휴식 취하기를 바 란다. 이상!"

"삐익. 뻭"

"야! 거기 너. 혼자 있지 말고 이리 와. 너 안용근 맞지? 넌 이리 로 와."

"상병. 안용근. 넵 맞습니다."

"너 방첩대하고 헌병대 여기저길 끌려다녔다면서? 2년? 맞지?"

"네? 아아. 넵. 그렇습니다."

"괜찮아. 조금 지나면 알게 되겠지만 여기 너랑 비슷한 사연 있는 애들 많아. 팔자가 그런 건데 뭐. 똑같지는 않지만, 이런저런 사연들 달고 온 애들이 많아. 지나간 일은 걱정 안 해도 된다. 정말이야. 그냥 시키는 것만 열심히 하면 된다. 중요하다고 하는 건 잘 새겨듣고. 응? 그렇게 하면 돼. 알겠지?"

"넵. 알겠습니다. 감사합니다."

"감사할 거까지는 없고. 하여튼 너무 긴장은 하지 마라. 여기 다 같은 신세니까. 서로 도와야지."

"알겠습니다."

보충교육대 훈련과 교육은 매우 현실적인 내용들이었다. 실전에서 필요하지 않거나, 남들에게 보여 주기 위해서 하는 내용이나 교육 등 불필요한 것들은 건너뛰었다. 그러다 보니 지원병들이 교육에 임하는 태도도 적극적이었고 교육이 끝나면 기합이나 이유 없는 구타는 찾아보기 힘들었다. 실제로 월남에서 사용할 수 있는 지식이나 기술, 유의 사항, 체력단련, 극기력 향상 등의 훈련이 계속되었다. 밀림에서의 생존을 위한 개인적인 기술들과 각종 화기 다루는 법 또한 상세하게 배웠다. 주특기 훈련도 비슷한 방식으로 진행되었다. 식사도 예상했던 것보다는 그다지 나쁘지 않았다. 어차피 호의호식할 것이라고는 상상도 하지 않고 온 곳이기에 실망할 것도 없었다. 적어도 겉으로는 그랬다. 보이지 않는 곳의 일은 알 수가 없었다. 죽으러 가는 길일지도 모르는 파병 지원병들을 이유 없이 괴롭히는 사람은 찾아볼 수 없었다. 4주간의 교육을 받는 동안 같은 막사를 쓰고 같은 주특기를 가진 동료들과 매우 빠르게 친해질 수 있었다. 서로의 처지가 비슷했고 의지할 데라고는 동료들밖에 없다는 것이 가장 큰 이유였다. 끊임없이 되뇌는 동기 사랑, 빨갱이 처단, 자유민주주의 수호라는 말들은 마음속에 신념으로 자리 잡았다. 하루 종일 같은 말을 듣고 말하다 보니 그 말은 자연스럽게 머릿속에 제자리를 잡았다. 대부분 지원병들은 교육 내용을 열심히 익혔다. 주입식 교육이더라도 받아들이는 사람들의 태도에 따라 교육의 효과는 천지 차이였다. 어릴 때 본 전쟁과 죽음, 그 흔적, 그리고 앞으로 마주해야 할 전쟁. 이겨 내고 살아남기 위해서 하나라도 더 배우고 익혀 둬야 했다. 배워 두었던 그 한 가지가 목숨을 지켜 줄 수도, 놓쳐 버린 그 한 가지가 허망하게 생을 마감하게 할 수 있다는 것을 잘 알고 있었다. 교육이 거의 끝나 갈 무렵 몇 가지 서류를 더 작성하고 파월선에서 필요한 내용과 월남의 기후 등이 집중적으로 교육되었다. 반복되는 내용이 제법 있었지만, 허투루 들을 수는 없는 것들이었다.

반드시 살아 돌아와야 하는 이유는 누구에게나 있었지만, 안용근 자신은 가장 확실한 이유가 있다고 믿었다. 군인이라면 전쟁터에 한 번쯤은 가 봐야 한다고 생각하는 사람, 외국이라고 하니 한번 가보고 싶어서 지원한 사람, 국가와 민족을 위해서 세상에 있는 빨갱이들은 전부 죽여야 한다는 사명감에 가득 찬 사람, 위험하지만 많은 돈을 벌 수 있다는 기대에 부풀어 있는 사람, 어떤 이유에서인지는 알 수 없지만 할 수 없이 끌려온 사람, 그냥 호기심에 지원했다는 얼간이 등 지원병들의 머릿속은 확연히 달랐다.

"자. 내일 아침 일찍 출발하니까 지급받은 물품들 잘 챙기고 잡담하지 말고 일찍들 자라. 좋은 꿈들 꾸고."

"넵. 알겠습니다. 고생하셨습니다. 소대장님."

"아니야 너희들이 거기 가서 생활하고 작전할 때 여기서 배운 것들이 제발 잘 쓰이기를 바란다. 열심히 했으니까 너무 걱정하지 마라. 그리고 꼭 살아서 돌아와라."

"넵. 알겠습니다. 감사합니다."

"자. 내일 아침 일찍 출발하니까 지급받은 물품들 잘 챙기고 잡담하지 말고 일찍들 자라. 좋은 꿈들 꾸고."

"넵. 알겠습니다. 고생하셨습니다. 소대장님."

"아니야 너희들이 거기 가서 생활하고 작전할 때 여기서 배운 것들이 제발 잘 쓰이기를 바란다. 열심히 했으니까 너무 걱정들 마라. 그리고 꼭 살아서 돌아와라."

"넵. 알겠습니다. 감사합니다."

6. 사지死地, 월남으로

춘천까지 트럭으로 이동한 후, 특별열차로 부산까지 내려갔다. 죽을지도 모르는 전쟁터로 가는 길인데 군악대와 학생들 그리고 수많은 사람이 환송식을 해 주었다. 몇 명인지 모를 동료들이 배에 올랐고, 나중에는 콩나물시루에서 밀고 나오는 콩나물 대가리들처럼 동료들의 철모가 배에 가득 차 보였다. 안용근은 배정받은 침상에서 조용히 배가 출발하기를 기다렸다. 잘 다녀오겠다는 편지는 진해와 술집 여주인에게 남겼지만, 누군가 부산까지 오리라고는 기대하지 않았다. 거리도 멀거니와 월남으로 떠나는 모습을 보여 주고 싶지 않았다. 혹시나 하는 마음으로 다른 동료들처럼 배 밖으로 나가 볼까 하는 생각도 잠시 들었지만, 아무도 오지 않는다 생각하고 실망하기 싫어 그대로 주저앉았다. 앞으로 일주일 동안 이 배 안에서 조용히 살아 돌아올 궁리를 하는 것이 훨씬 나은 것이라 여겼다.

"이봐. 안 나가 볼 거야? 전 국민들이 다 나온 것 같아. 높은 분들도 엄청 나왔어."

"그래. 난 괜찮아. 그냥 여기서 짐 정리하고 있으려고."

"월남까지 일주일이래. 일주일. 그때 하면 되지. 그냥 구경 삼아 나가 보자구."

"아니야. 어서 나가 봐. 난 괜찮아."

"그러지 말고. 어서 따라 나와 봐. 어서."

부산항 부두는 사람들로 가득 차 있었다. 그 많은 사람 중에는 입덧을 시작하여 힘들어하는 안용근의 여동생과 술집 여주인도 섞여 있었다. 아무리 찾아도 보이지 않는 안용근을 두 사람은 포기하지 않고 열심히 찾았다. 사람들 사이 빈틈으로라도 보일까 해서 군인들 한 사람 한 사람의 얼굴을 놓치지 않으려고 자세히 살펴보았다.

"앗! 죄송합니다. 잘 보이지 않아서요."

"아니요. 제가 미안합니다."

"아무리 찾아도 안 보이네요. 애 아빠가 이 배에 탔을 텐데 통 보이지 않아요. 흑흑."

"군인들이 너무 많네요. 철모를 쓰고 있어서 누가 누군지 구분도 안 되네요. 참."

"아이구. 저도 오빠가 이 배를 타고 있을 것 같은데, 조카가 생긴다는 걸 알고 가는지 모르고 가는지. 휴우."

"무슨 군인들을 저렇게 많이 보낼까요?"

"그러게요. 우리나라가 싸우는 것도 아닌데. 휴우. 근데, 힘드시겠어요. 근데, 어쩌다가 애 아빠가 저 먼 데를 간대요?"

"휴우. 사연이 길답니다. 뭐 다들 사연이 있겠지만."

"휴우. 우리 오빠도 그렇게 말렸는데도 기어코 저렇게 가네요. 불쌍한 우리 오빠."

"저도 그래요. 그렇게 말렸는데, 갈 수밖에 없는 지경이라. 흑흑."

"아이구. 울지 마세요. 무사히 돌아올 거예요."

"전 입덧이 심해서 제대로 서 있기도 힘드네요. 휴우."

"저도 그래요. 휴우. 아이가 들어선 걸 모를 텐데."

"네? 아이구 어쩌다가요?"

"훈련받으러 가 버리는 바람에 제대로 소식을 전할 수가 없어서요. 흑흑."

"아이구. 참. 힘내세요. 아아. 이제 출발하나 보네요."

"그러네요. 부디 다들 건강하게 돌아와야 할 텐데."

"그럼. 전 이만 돌아가야겠네요. 조심히 들어가세요."

"네. 조심히 들어가세요."

술집 여주인과 안용근의 여동생은 서로 누구인지 몰랐지만, 월남으로 떠나는 대상을 찾지 못했다는 이유로 스쳐 지나면서 몇 마디 나눴다. 대화가 끝나고 돌아섰지만, 되돌아본 것은 뭔지 모를 동질감을 느껴서였다. 그 동질감이 정확히 어떤 것인지는 몰랐지만 둘은 손을 흔들면 인사를 했다. 부디 한 번만이라도 보고 싶었다. 점점 멀어져 가는 배를 보며 안용근이 혹시라도 자신을 볼지 모른다는 생각에 술집 여주인은 계속 손을 흔들었다. 끝내 보이지 않았지만, 손을 내리고 싶지 않았다. 파월선이 수평선에 얹혀 작은 주먹처럼 보일 때, 환송식에 참석한 인파들은 대부분 사라지고 일부 가족들만 자리를 지키고 있었다. 파월 장병들을 태운 거대한 파월선은 희미한 연기를 남기며 빠르게 시야에서 사라졌다. 끝내 바다에는 작은 여운도 남아 있지 않았다.

"야 이거 우리 같은 사병들이 타는 곳이라고 해도 이 정도면 좋구만 뭐. 하하하."

"저기 저. 멀미하는 촌놈들만 아니면 더 좋겠구만. 하하."

"뭔 배가 이리 커? 이거 뭐 산 하나가 바다에 떠다니는 거 같네."

"야. 너 잘 때 말이야. 코를 예쁘게 골더라. 네 덕분에 한숨도 못 자고 꿈만 꾼 기분이야. 넌 숨도 안 쉬냐?"

"하하. 미안해. 내가 등짝만 붙이면 곯아떨어지는 체질이라."

"야야. 거기 난간에 기대지 마라. 위험하다니까."

"우웩. 우웩. 아이고 나 죽네. 월남 가기 전에 초상나겠네. 아이구. 아이구."

"출발한 지 몇 시간 지났다고? 참 나."

"아이고. 나 죽네."

"에이. 들어가자. 뭐 좋은 거라고. 그걸 구경하고 있냐? 킥킥."

월남으로 가는 파병선인 LST는 엄청난 규모였고 지급되는 음식들은 이상한 과일과 고기가 들어 있어 신기했다. 서로 다른 주특기를 부여받고 처한 상황도 달랐지만, 함께 월남으로 간다는 동질감은 서로를 친근하게 해 주었다. 배라고는 처음 타 보는 동료들이 있어서 뱃멀미를 많이 했다. 정확히 무엇인지 모르게, 어렴풋하게 닥쳐오는 불안감을 서로의 어쭙잖은 대화로 선상 생활을 견뎌 냈다.

안용근은 두고 온 사람들을 생각했다. 너무나도 소중한 가족들, 어떻게 해야 할지 정리 안 되는 술집 여주인, 그리고 보수대 동기. 기억나는 사람은 몇 명 되지 않았지만, 반드시 살아 돌아가야 한다는 생각으로 가슴이 메었다. 살아 돌아가서 가족들을 보살펴야 했다. 안용근 자신은 두 번째고 가족을 보살펴야 한다는 생각이 항상 최우선이었다. 술집 여주인에 대한 생각은 정리되지 않았다. 기다리고 있을지, 다른 사람이 생겨 떠나 버릴지 알 수 없고, 살아 돌아오면 함께 진해로 가야 할지 말아야 할지 결론이 내릴 수 없었다. 술집 여주인을 생각하면 막막했다. 술집 여주인의 과거를 가족들에게 숨길 수 있을지 자신이 없었고, 자신의 감정이 진정한 사랑인지 확신도 서지 않았다. 다만, 약간의 의무감은 있었다. 먹고사는 데 도움을 주고 싶다는 정도였다.

승선 후 엿새가 지나자, 하선을 준비하라는 지시가 있었다. 그리고 꼭 일주일 만에 월남 호이안 해안에 상륙했다. 얕은 해안이 맑은 바닷물에 겹친 풍경이었다. 이국이라는 생각을 들게 하는 야자수가 멀리서도 눈에 띄었다. 막상 군장을 챙겨 내려 보니, 걱정했던 것과는 많이 다른 상황이었다. 하얀색 아오자이를 입은 여인들이 무심히 지나가고, 길거리도 조용해서 잘못 내린 것이 아닌가 하고 착각이 들 정도였다. 전쟁터라는 느낌을 받을 수 없었다. 하지만 그 느낌은 잠시, 대기 중이었던 트럭에 올라 주둔지로 이동하는 도중에 들리는 총성과 포성은 전쟁터에 왔음을 알려 주는 신호 같았다. 교전하는 것인지 사격 연습을 하는 것인지 알 수 없는 총성이었다. 그래도 가슴은 철렁했다. 어디선가 들려오는 군가 소리가 전쟁터에 왔음을 실감하는 데 무게를 더했다.

　　　자유 통일을 위해서 조국을 지키시다 조국의 이름으로 임들은 뽑혔으니 그 이름 맹호부대 맹호부대 용사들아 가시는 곳 월남 땅 하늘은 멀더라도 한결같은 겨레 마음 님의 뒤를 따르리라

안용근은 뽑혀서 월남으로 온 것이 아니었다. 죽지 못해 온 곳이다. 월남에라도 와야 겨우 살 구멍을 찾을 수 있을 것 같아 왔다. 다른 사람들에게 더 이상 피해를 주지 않으려고 온 것이다. 누가 자신을 뽑아 준 것이 아니었다. 그리고 자유 통일을 위해 조국을 지킨 적도 없었다. 어려운 살림에 입 하나 줄이려고 군대에 와서 행운을 잡았다고 생각했다가 죽을 고비를 넘긴 후 이곳에 왔다. 전쟁 때 안용근은 어린 아이였다. 군가 소리는 힘이 넘쳤지만, 듣고 있는 안용근의 마음은 무겁기만 했다.

　　　삼천만의 자랑인 대한 해병대 얼룩무늬 번쩍이며 정글을 간다 월남의 하늘 아래 메아리치는 귀신 잡던 그 기백 총칼에 담고 붉은 무리 무찔러 자유 지키려 삼군을 앞장서서 청룡은 간다

군가를 들으면서 안용근은 생각했다. 귀신이 있다고 해도 총칼에 당할 바보 같은 귀신은 없을 것이고, 삼군에 앞장서 갔다가는 자신이 먼저 죽을 것 같았다. 시키는 대로만 하고 뒤만 졸졸 따라다니면 확실

히 살아서 돌아갈 수 있을 거라는 터무니없는 생각만 들었다. 절대로 앞장서 다니는 일을 해서는 안 될 것 같았다. 군가는 힘에 넘치는 목소리였지만, 안용근의 마음을 더욱 무겁게 하고 생각만 복잡하게 할 뿐이었다. 간혹 지나가는 M113 장갑차들과 미군들의 모습이 월남 전쟁터에 도착했음을 실감 나게 해 주었다. 민무늬 군복을 입고 호이안에 상륙한 안용근은 얼룩무늬 군복이 언제 보급될지 물어보고 싶었지만, 분위기가 그렇지 않아 꾹 참았다. 얼룩무늬 군복을 입은 한국군을 보니 괜한 열등감이 들었고, 살아 돌아가는 데 도움이 될 것 같아 어떻게 해서든 구해 입어야 할 것 같았다. 잠시 뒤 다른 군가가 들렸다.

아느냐 그 이름 무적의 사나이 세운 공도 찬란한 백마고지 용사들
정의의 십자군 깃발을 높이 들고 백마가 가는 곳에 정의가 있다 달려
간다, 백마는 월남 땅으로 이기고 돌아오라 대한의 용사들

이번에는 무적의 사나이가 앞장설 것이고, 전쟁 때 용맹을 떨치던 백마부대 용사들이 일부라도 와서 이 전쟁에 참전한다는 소리로 들려 마음이 푸근했다. 그러나 십자군 깃발을 왜 우리가 들어야 하는지는 이해할 수 없었다. 안용근의 부모님은 절에도 가고 산신령님께도 비는데, 군가에 십자군 깃발이 느닷없이 나타나서 교회라도 나가야 하나는 생각이 들었다. 군가 가사는 안용근의 마음을 조금도 담고 있지 않았다. 가사는 월남으로 병사를 보내는 높은 사람들의 마음만 담고 있었다. 누가 제멋대로 월남으로 오는 당사자 대신 높은 자리에 있는 사람들의 마음을 담았는지 알 수 없었다. 크게 알고 싶지도 않

았다. 살아 돌아가기만 하면 될 뿐, 다른 것은 크게 문제 될 것이 없었다.

"자자. 여기다. 여기가 너희들이 생활할 곳이다. 본국에 있을 때보다 뭐 크게 나쁘지는 않을 거야. 우선 군장부터 풀고 5시에 막사 앞에 모여서 간단하게 보고하고 나서 소대, 중대별로 교육이 진행될 거다. 너무 긴장하지 말고 조금 빨리 움직이기를 바란다. 이상."

"저어. 질문 있습니다."

"질문? 그건 나중에 해. 이상."

질문을 하는 동료가 신기해 보였다. 안용근 자신은 아무것도 몰랐고 아무런 생각도 들지 않는데, 여기서 뭔가를 알고 싶어 하는 사람이 있다는 것이 신기했다. 시키는 대로만 하면 된다고 오음리에서부터 귀가 아프도록 들었다. 모두 세뇌가 된 줄 알았는데 뭔가를 궁금해하는 전우를 보니, 아직 머릿속이 살아 있는 사람이 몇 명 있었다. 월남에서의 하루하루는 시간이 반 토막 난 듯이 지나갔다. 주둔지 경계 근무조가 되어 지나가는 월남 사람들과 미군들을 구경하는 것이 일상이 되었다. 그래봐야 호이안에 상륙한 후 2주가 채 지나지 않은 시간이었다. 시간은 생각보다 매우 빠르게 지나갔고 안용근은 전쟁터에 온 것을 실감할 수 없었다.

"내일 바로 매복 나간다. 개인화기 잘 챙기고 군장은 단독군장이다. 크레모어하고 수류탄은 오늘 받아 둬라. 멀리 가는 건 아니지만 야간 매복이니까 위장크림 받은 것도 잘 챙겨라. 그리고 안용근이 넌 조명탄 하고 신호킷 챙겨라. 네 거 말고도 한 세트씩 더 챙겨서 후임한테 줘라. 잊지 말고."

"넵. 알겠습니다. 우리 분대만 가는 겁니까? 아니면?"

"야. 우리 분대 몇 명 된다고? 하하. 걱정 마라. 소대장님하고 다들 투입될 테니까. 이동 간 대열 유지 잘하라고 한 번 더 애들한테 준비한 것들 잘 챙겨 두라고 얘기해 줘라."

"넵. 알겠습니다."

주둔지 감제고지 전방으로 나가는 야간 매복이었다. 저녁에 임무에 대해 전달받고 난 뒤 먼저 개인화기를 정비했다. 이어 무기와 장구류를 챙기고 지시받은 장비들을 확인했다. 시키는 대로만 하면 되는 일상적인 임무였고 먼저 투입되었던 인접 부대 전우들의 얘기를 들으니, 베트콩은 그림자도 안 보인다고 했다. 베트콩이 온다고 해도 전투보다는 차라리 밤새도록 달려드는 벌레가 더 무서울 것이라 했다. 작전 투입 직전에 위장하고 대열을 유지한 채 속보로 감제고지까지 이동했다. 해가 지기 전이라 대충의 위치와 참호를 원거리에서 확인한 후 대기하다가 해가 떨어지자 곧장 참호로 들어갔다.

크레모어 설치가 제대로 되었는지 앞뒤가 맞게 설치되었는지 잠시 걱정이 되었지만, 시키는 대로 했으니, 문제가 없을 것이라 스스로를 안심시켰다. 바로 옆에서 눈을 부릅뜨고 무언가를 열심히 찾고 있는 후임병이 왠지 낯설어 보였다. 아무도 오지 않기를 바라면서 밤을 이겨 냈다. 아침이 되도록 아무도 나타나지 않았다. 밤새 한 일이라고는 쉬지 않고 달려드는 벌레를 쫓고 소리가 나지 않도록 숨을 죽이고 있는 일이 전부였다. 총소리 한번 나지 않았고, 안용근과 후임병이 들어갔던 참호에는 간부도 동료도 찾아오지 않았다. 처음 나갔던 작전이라 긴장했지만 역시나 별거 아니라는 생각이 들었다. 밤을 같이 지새운 후임병은 뭐가 그리 아쉬운지 베트콩을 보지 못한 것에 대해 계속 불만이었다. 만약, 지난밤에 베트콩이 눈앞에 왔더라면 후임병이 살아 있는 입으로 불평할 수 있을까. 철이 없는 것인지 겁이 없는 것인지 아니면 생각 없는 멍청이인지 알 수 없었다. 어린 시절에 보았던, 맹목적으로 빨갱이를 죽이는 데 미친 사람들의 그림자가 아직도 삶의 주변에 남아 있다는 생각이 들었다.

"오늘 해변에 간다는데 같이 가 볼래? 거기 가면 예쁜 여자들도 많고 술 파는 데도 많다는데. 어떻게? 한잔할래?"

"에이 난 그냥 있을래. 더워서 술도 별로 땡기지 않고. 다음 주 작전 때문에 소대장님이 따로 할 얘기가 있다네."

"야야. 그러지 말고 같이 나가자. 부대 안에서만 벌써 몇 주째야? 아예 꼼짝을 못 하고 있구만. 이럴 때는 좀 쉬면서 하는 거야. 가자. 응? 내가 맥주 살게."

"그럼 오후에 잠시만 나갔다 오는 거야. 시간 너무 끌지 말고."

"그래. 알았어. 알겠다구. 하하하."

"뭐 챙겨서 나갈 건 없겠지?

"야. 안용근이 네가 뭐 가진 게 있긴 하냐? 그냥 나가 보는 거야. 여기가 그래도 외국 아니냐? 외국!"

"외국은 무슨 놈의 외국이야? 그냥 전쟁터지."

호이안의 해변은 평화로웠다. 밀짚모자 비슷한 걸 쓴 월남 사람들이 흰색과 검정색이 대부분인 옷을 입고 대나무 소쿠리 같은 것에 물고기를 담고 있었다. 진해에서 본 모습과 크게 다르지 않았다. 자그마한 사람들이 종이배처럼 작은 배에 나눠 타고 평화롭게 다니는 모습이 전쟁터라는 생각을 잊게 해 주었다. 야자수와 해변이 어우러진 그늘에는 아오자이 입은 여인들 몇 명이 쉬고 있었다. 너무나도 평화로운 모습이었다. 다음 주에 나가야 하는 작전이 눈앞에 다가와 있는데, 전쟁이 맞는가 싶었다. 주둔지 경계근무를 서면서 보았던 월남 사람들의 일상은 밖에 나와서 봐도 크게 다르지 않았다. 사람들은 안용근을 보고 잘 웃었다. 두 마리의 소가 끌고 있는 수레 위에, 작은 막대기를 든 사람들이 타고 다니는 모습은 어릴 때 고향에서 본 것과 비슷했다. 긴 머리카락을 어깨 양옆으로 내리고 나무 의자에 앉아 있는 월남 여인들의 모습은 한국 여인들보다 키가 조금 작고 얼굴빛이 조금 검을 뿐 큰 차이가 없었다. 다른 나라라는 이질감을 느끼게 하는 것은 많지 않았다. 시내 중심가로 나가 보니 제법 큰 건물들과 집들이 보였고, 작은 버스 같은 차들도 볼 수 있었다. 자전거와 오토바이를 타고 가는 사람들도 보였고, 철교 옆에 붙어 있는 인도를 지나다 만난 월남 여인에게 말을 걸기도 했다. 서로 알아들을 수 없는 말이라 손짓발짓으로 머리에 쓴 것이 뭐냐고 물었다. '농라'라고 하는 것인지 '넝라'라고 하는 것인지 분명하지 않아 손만 흔들고 지나쳤다. 알아듣지 못하는 말을 들으니 새삼 다른 나라에 와 있다는 생각이 들었다. 부대 안

벙커 생활에서 오는 답답한 마음을 맥주 한 병으로 날려 버리기에는 부족했지만, 월남 바닷가에서 시원한 반바지 차림으로 아가씨들과 즐기는 여유는 새로운 경험이었다. 시간만 나면 돈을 들고 밖으로 나가는 일부 전우들의 마음을 알 수 있을 것 같았다. 하지만, 안용근은 그런 여유를 자주 가질 처지가 아니었다. 마지못해 몇 번 따라나서긴 했지만 엄청나게 즐거운 것도 아니고 그런 여유에 목숨값을 허비하고 싶지 않았다.

"야. 안용근이 지난번 해변에 갔었다면서?"

"네. 소대장님 다녀왔습니다. 하도 가자고 해서. 허허."

"그래 잘했어. 이 더러운 전쟁터에서 쉬지도 않으면 어떻게 버티겠어? 요번에 작전 나가는 거 알지?"

"넵. 알고 있습니다."

"작전 나가기 전에 우리 소대에 새로 온 선임하사하고 안면이나 트고, 좀 친해져야겠지?"

"네? 누가 새로 옵니까?"

"하하. 오는 게 아니고 벌써 왔어. 너도 잘 알 텐데?"

"네? 제가 말입니까?"

"민 중사 알지?"

"네? 민 중사님? 잘 모르겠습니다."

"너랑 근무할 때 이등병인가? 일등병인가? 뭐 그랬을 거야."

"네? 설마. 그?"

"그래. 본국에선 전방부대에서 고생하다가 자원해서 파병된 거야. 좀 있으면 올 거니까 오랜만에 회포나 풀고."

"아. 알겠습니다."

안용근은 알지 못했다. 반가운 얼굴로 마주한 민 일병, 아니 민 중사가 자신을 방첩대에 밀고한 사람이라고는 상상도 못 했다. 2년여의 세월이 흘러 간부가 된 민 중사는 처음 같이 근무했을 때와 다름없이 다른 전우들에게 친절했다. 얼굴도 밝았다. 안용근을 보자 손을 잡으면서 그동안의 안부를 물었다. 아는 사람이 간부로 온 것에 대해 안용근은 의지할 곳이 생겼다는 희망찬 생각을 했다. 자신의 삶을 바꾼 것이 민 중사라는 사실을 모르고 지내는 것이 나았다. 이미 지나온 시간이라 알아본들 아무 소용이 없었다.

"자. 오늘은 부대 복귀 없이 여기서 숙영한다. 대충 둘러보니 이 주변에서는 여기가 주변을 잘 볼 수 있는 감제고지이고, 나무들보다 돌들이 많으니까 방어하기에도 좋을 것 같다. 1분대는 12시 방향으로 50미터 정도 나가서 자리 잡고, 2분대와 3분대는 9시와 3시 방향으로 자리를 잡는다. 화기 분대하고 나는 뒤쪽 제일 큰 나무 아래로 자리 잡을 테니까, 각자 위치 잡고 보고해라. 상세 위치는 10분 후에 내가 정해 줄 테니까 서둘러라. 이상."

"……."

"소대장님. 헉헉."

"어. 민 중사 왜 그래?"

"소대장님 여기는 아무래도 좀 그런 것 같습니다."

"그렇다니? 왜? 급하게 숙영하고 혹시 방어 진지 만들려면 적당할 거 같은데."

"네. 적당한 바위들이 좀 있어서, 뭐 땅을 파고 이런 건 할 필요가 없으니까 그건 좋지만 1시 방향에 작은 숲 있는 곳이 좀 걸립니다. 저기서는 우리 위치가 일부 노출될 거 같은데, 한번 보고 와서 결정하면 어떻겠습니까?"

"그럼 민 중사가 두어 명 데리고 가서 확인해 봐. 그런 다음에 결정하지."

"그럼 1분대장하고 안용근 상병 데리고 가서 확인하겠습니다."

"그래도 옛날에 같이 지냈던 사이라 좋은가 보네. 조심하고."

"네. 소대장님. 조금만 기다려 주십시오. 얼른 확인하고 보고드리겠습니다."

"그래. 혹시 모르니까 난 나머지 소대원들 데리고 여기 한 번 더 둘러볼 테니까, 거기가 괜찮다 싶으면 분대 위치까지 한번 보고 오는 게 좋겠다."

"네. 소대장님."

그날은 안용근의 소대 전체가 생목숨을 날릴 뻔한 날이었다. 민 중사의 확인 후 숙영지를 1시 방향 감제고지로 옮긴 것은 천운과도 같았다. 의심이 가는 지역을 확인하자고 건의한 민 중사의 촉도 대단했지만, 장교라는 권위를 앞세우지 않고 곧바로 건의를 받아들인 소대장의 판단력은 소대원의 목숨을 살리는 결정적인 역할을 했다. 민 중사의 보고를 받은 후 소대장은 현 위치에서 숙영할 것처럼 자신들의 움직임을 최대한 노출하라고 명령했다. 그러는 사이 1시 방향으로 세 명을 다시 보내 소대원들이 위치할 자리를 상세하게 정해 두도록 했다. 해가 지기를 기다려 응급으로 편성한 숙영지에 텐트와 켜진 플래시 몇 개를 남겨 두고 소대원들만 기도비닉을 유지한 채로 1시 방향 감제고지에 이동시켰다. 별일 없이 지나가기만 하는 작전이라 교전을 크게 염두에 두지 않았다. 하지만 베트콩은 언제 어디서 나타날지 모르는 게릴라 전술을 쓰기 때문에 항상 대비해야 했다. 베트콩이 가장 즐겨 쓰는 무기이자 가장 악랄한 부비트랩은 최초 숙영지로 정했던 곳에 설치했다. 수류탄 6발을 인계철선 끝에 달았고 두 발씩 연결된 수류탄은 숙영지 바깥쪽에 설치해서 숙영지를 둘러싸는 모습을 만들었다. 부비트랩이 최초 숙영지를 둥글게 둘러싸도록 한 것이다. 역시나 조용한 밤이었다. 소음이 나지 않도록 모든 장비는 몸에 밀착시켜 묶어 놓았고 각자의 위치에서 아무 일 없이 날이 밝기만을 기다렸다. 별일 없이 작전을 마치고 부대로 복귀하면 적어도 2주간의 휴식이 주어질 것이므로 조용히 지나가는 게 모두의 바람이었다. 하지만, 전쟁터에서는 바람대로 되는 것은 없었다.

"쿵! 쿠아앙. 쩌억. 쩍."
"걸렸다. 저 새끼들. 제대로 들어왔구만. 사격 개시"
"야야. 퍼부어. 중앙 사격 구역으로 퍼부어."
"안용근이 조명탄 올려. 어서!"
"야. 대대로 조명탄 지원 요청해. 낮에 불러준 좌표로 어서."
"크레모어 때리고 다 퍼부어!"

"드드드드. 타앙. 타앙. 피이잉. 핑."

"쿵. 쩌어억."

"야야. 박격포 요청해. 좌표는 그대로."

"개새끼들 잘도 기어 올라왔네. 다 쓸어버려."

"민 중사 기관총 앞으로 이동시켜. 어서!"

"넵. 저도 같이 이동합니다."

"조준 필요 없다. 일단 갈겨. 개새끼들. 진짜 다 죽을 뻔했네."

"으아악. 으악. 악. 악."

"쿵. 쿵. 쿵. 쿵."

"박격포 중지. 착검하고 돌격 준비."

"……"

"전원 돌격 앞으로! 나가자아."

"드드드드. 드르륵. 타앙. 타앙."

수류탄으로 만든 부비트랩 6발 중 4발이 거의 동시에 터졌다. 인계철선 끝에 2발씩 달려 있다 보니, 베트콩의 발에 인계철선이 걸리자 한 번에 2발씩 터졌다. 엄청난 전투였고 일방적인 전투였다. 총구 바로 앞, 확실한 감제고지에서 조명탄과 박격포 지원까지 받으면서 낮에 정해 두었던 사격 구역으로 소대가 가진 모든 화력을 퍼부었다. 소대장의 지시하에 예광탄이 날아가는 방향으로 조금씩 방향을 수정하면서 기관총과 카빈소총이 최대발사속도로 사격했다. 크레모어가 터지고 박격포까지 목표물을 강타하자, 멀리서도 베트콩들이 우왕좌왕하다 쓰러지는 모습이 선명하게 보였다. 고지에 박격포 꽂히는 소리가 천지를 뒤흔들다 보니 소총 소리는 제대로 들리지도 않았다. 소대가 노출될 염려는 없었다. 감제고지에서 은폐물을 이용해 교차사격을 하다 보니, 피해를 볼 일이 없었다. 전우들 모두가 안심하고 사격했다. 허공에 총질하는 전우는 단 한 명도 없었다. 숙영지를 옮기지 않았다면 맞붙어 싸우겠지만, 지금은 일방적인 상황이었다. 30분 이상을 집중적으로 퍼부었다. 탄약은 충분했으므로 아낄 필요가 없었고 소대장은 1분대와 함께 선두에 서서 수류탄까지 던지며 전투를 이어 갔다. 적의 반격은 미미했다. 초기에 난타당한 베트콩들은 어디서 날아오는지도 모르는 총알과 포탄에 사지가 찢겨 나갔고, 고개도 제대로 들지 못한 상태에서 살육당했다. 반격하는 총소리가 거의 없을 지경이 되었을 때, 소대장은 착검한 상태로 최초 숙영지를 덮쳤다. 더이상의 저항은 없었다. 박격포, 크레모어, 수류탄 그리고 수많은 총탄이 쏟아진 고지는 처참했다. 갑자기 고요함이 밀려왔지만, 소대원 중에서 몇몇은 욕지거리를 토해 냈다. 안용근과 소대원들은 시키는 대로만 했다. 사람을 죽인다는 생각, 적을 사살한다는 생각, 임무를 수행한다는 생각, 자유와 평화를 지킨다는 생각, 이런 것들은 전투가 시작되자 모두 없어져 버렸다. 단지, 시키는 대로만 했다. 귀신을 잡는 것도 아니고 정의를 세우는 것도 아니었다. 군가에서 들었던 십자군을 대신한다는 생각도 당연히 없었다. 그냥 시키는 대로 사격만 했다. 베트콩이 제대로 맞는지 공중으로 날아가는지 알 수 없었다. 미리 정해 두었던 사격 구역으로 소대장과 민 중사 그리고 분대장이 시키는 대로 열심히 사격했다. 열심히 일하는 일꾼처럼 게으름 피우지 않고 전투에 임했다. 조명탄 아래 잠시 전장을 확인한 소대장은 병력을 원

248

래 위치로 돌린 후 경계에 들어갔다. 날이 밝기를 기다린 후 확인할 요량이었다. 다시 공격받을 수 있다는 생각이 들어서였다.

"야아. 이거 대단한데! 응! 너희 소대가 이런 대어를 잡아내다니. 정말 대단하다."

"아닙니다. 중대장님. 민 중사가 사전에 정찰을 잘해서입니다."

"소대장님도 참. 아닙니다. 중대장님. 소대장님이 잘 판단하고 소대원들 준비를 잘 시켜서 이긴 겁니다."

"어쭈! 이거 둘이 죽이 잘 맞는구만. 그래. 좋아. 일단 여기 정리 잘하고 복귀하면 제대로 보상해 주마. 으하하하하. 기대해도 좋다. 지난달에 부비트랩에 걸려서 수송대 차량정비 애들이 열 명 넘게 저세상으로 갔어. 그것 때문에 부대 전체가 사기가 떨어져서 엉망이었는데, 너희들이 제대로 갚아 줬어. 하하하. 대충 봐도 서른 개는 넘는 것 같다. 노획한 장비 하고 하면 엄청나다. 어지간하면 자기네 놈들 시체는 가지고 가는 놈들인데 얼마나 급했으면 다 버리고 달아났겠냐? 마흔 개 정도로 보고서 작성하고. 알겠지?"

"넵. 알겠습니다."

"이거 잘하면 사령관님도 오실 거 같다. 난 먼저 가서 대대장님과 연대장님께 보고드릴 테니까, 주변 마지막 수색하고 정리 서둘러라."

"넵. 알겠습니다. 주변 수색은 이미 지시해 두었습니다."

"그리고, 우리 애들은 어때? 부상이나 전사 없는 거 맞지? 무전으로 그렇게 들었는데 말이야."

"넵. 맞습니다. 우리 애들은 상한 데 없습니다. 운이 좋았습니다.

박격포 지원이 제대로 돼서 전과가 더 좋습니다. 감사합니다."

"허. 그래. 정말 고생 많았다. 나 먼저 내려간다. 으하하하. 그리고 지원 잘됐다는 얘기는 연대장님이나 누구 오시면 꼭 해라. 너희 소대 덕에 나까지 빛을 본다. 빛을 봐. 으하하하하."

완벽한 승리였다. 안용근의 전우들은 누구도 다치지 않았다. 베트콩이 44명이 죽었고 기관총, 소총, 수류탄 각종 장비 등 노획물도 엄청났다. 인근을 마지막으로 수색하던 전우들이 살아남은 베트콩 한 명을 사로잡았다. 왼쪽 다리가 절단되었고, 손을 들라고 하자 잘려 나간 자기 다리를 들고 투항했다. 상태를 보니 붕대도 급하게 감았고 주변에 무기는 없었다. 잘린 다리를 들고 투항하는 베트콩보다 사로잡은 전우들이 이 모습에 더 놀랐다. 베트콩의 소지품을 확인하다 발견한 여러 장의 지도를 보고 연대에서는 만세를 불렀다는 소식을 들었다. 지도에 적 상황 등이 세밀하게 기록되어 있어 앞으로의 작전에 긴요하게 쓰일 수 있기 때문이었다. 얼마나 더 많은 사람을 죽일 수 있는 내용이었는지 안용근은 알 수 없었다. 전투도 완벽했고 뒷수습도 순조롭게 끝났다. 소대장과 민 중사의 관계가 새삼 귀감이 되어 인접 부대로 전파되고 신문에도 대문짝만하게 났다. 네 명이 훈장을 받았고, 소대원 전체도 표창받았다. 조명탄을 적시에 올리고 차분히 임무를 수행하며 전투에 임한 안용근도 훈장을 받았다. 조용히 밤을 넘기기만 기대했다가 훈장을 받으니 얼떨떨했다. 시키는 대로만 하면 되는 일이니, 전쟁은 어쩌면 참 쉬운 것일 수 있다는 자신감이 생겨났다. 목숨만 부지할 것이 아니라, 월남에서도 뭔가를 가지고 집으로 돌아갈 수 있겠다는 욕심이 이때부터 생겨났다. 확실하게 눈에 보이는 큰 욕심이 아니라 막연한 욕심이었다. 욕심이라는 악마의 그림자는 민 중사의 마음속에도 있었다. 군대서 큰돈을 만져 보리라는 욕심이 한순간에 사라질 수 없었다. 안용근과 함께 생활하던 부대를 떠나 전방으로 갔지만 고된 순찰과 작업만 있었을 뿐 돈 벌 기회가 오지 않았다. 월남으로 지원한 것도 돈 벌 수 있다는 이야기를 듣고서였다. 소대장에게 숙영지 편성을 변경하자고 편안하게 건의할 수 있었던 것도 일단은 살아남아야 돈을 벌 수 있기 때문이었다. 악마는 작은 횡재를 시작으로 사람을 유혹했지만, 그걸 아는 사람은 없었다.

"여기 무싱거 혼잰 초자 와시니? 무신 돈을 경 하영 벌어보젠 여기 꼬장 먼먼 혼디 초자 와시니?"

"말라꼬 완노? 무신 큰돈을 벌끼라꼬 여어까지 온기고?"

"워매. 뭐여? 시방 여긴 왜 온겨? 뭘 큰돈을 벌라고 여기까지 온겨어?"

"아따 써글넘. 뭔 거시기를 헌다고 요까지 와 불었다냐? 겁나게 벌어 불란다고 고거시 맘대로 되 간디?"

"여긴 왜 온 거예요? 돈 많이 벌고 싶어서 여기까지 온 거예요?"

부대 안에는 다양한 사람들이 있었다. 쓰는 말이 달랐고, 배운 것도 달랐고, 가정환경도 달랐다. 월남까지 온 이유가 달랐고, 바라는 것도 달랐고, 뒷배경도 달랐다. 좋아하는 음식도 달랐고, 쉬는 날에 하는 일도 달랐고, 주특기도 달랐다. 같은 것을 가진 사람들은 한 명도 없었다. 단지, 이국 월남까지 같이 와서 목숨을 걸고 있는 것은 같았다. 그래서 서로에게 의지하고 서로를 믿어야 했다. 전쟁터는 희망을 보는 곳이 아니라 단순히 살아남아야 하는 장소였다.

"야! 이번엔 퀴논이라는데 가 보자. 우리가 이 먼 데까지 와서 만날 근무 서고 작전 나가면서 죽을 날만 피해 다니라는 법 있냐? 여행이라는 것도 좀 하고 예쁜 여자들도 좀 만나고, 응? 훈장 받은 사람은 맥주 정도는 좀 사야 계속 총알이 비켜 가는 거야. 하하하"

"그래! 이번에는 남쪽으로 좀 가 보자. 여기까지 왔는데 벙커 속에만 처박혀 있을 수 있나? 사진기도 좀 챙기고 돈도 좀 넉넉하게 챙겨서 가 보자."

"우와? 웬일이야? 우리 안용근 상병님이 병장 달 때가 다 됐다고 이제 마음이 좀 놓이시나 보네. 한 방 맞을까 봐 안절부절못하더니만. 하하하."

"그래 곧 진급하고 조금만 더 있으면 귀국인데 뭐. 세월 잘 간다."

"햐! 역시 사람은 오래 살고 봐야 해. 우리 중에 제일 먼저 훈장 받았는데, 여태껏 맥주 한잔 안 사더니, 훈장이랑 병장 진급이 좋긴 좋은가 보네. 하하하."

"내가 그랬나? 미안해. 이번에는 내가 좀 살게. 허허허."

몇몇 동료들과 해안을 따라 남쪽으로 내려온 안용근은 오랜만에 마음 내려놓고, 잠도 충분히 자고 베트남 여인들과 어울려 술도 마셨다. 취기에 낯선 여자를 데리고 숙소에서 하룻밤을 꼬박 보냈다. 아침에 약간의 돈을 쥐여 주고는 돌려보내려 했지만 떨어지려고 하지 않았다. 돈이 너무 적은가 해서 얼마를 더 주었지만, 하얀 아오자이를 입은 작은 체구의 여인은 안 병장의 허리를 안고 놓아주지 않았다. 기억 속에 있는 좋은 기분이 되살아났다. 베트남 여인들과 짝을 이뤄 동료들과 해변과 시내를 돌아다녔다. 오래된 건물과 본국에서는 볼 수 없던 나무와 풍광이 생전 처음이나 다름없는 안락함을 주었다. 베트남 음식으로 식사하고 푸르게 펼쳐진 바다를 배경으로 사진을 찍었다. 안용근은 야자나무가 특히 마음에 들었다. 야자나무 그늘에서 베트남 여인들과 동료들이 오랜 연인들 같은 포즈로 사진을 찍었다. 그 여인과 하루를 더 숙소에서 머물렀다. 서로의 말을 알아듣지 못해 손짓발짓과 눈치로 대화를 대신했다. 다음 날 아침 식사를 마치고 몇 장의 사진을 더 찍은 후에 겨우 돌려보냈다. 더 이상의 돈을 요구하지는 않았다. 함께 있기만을 바라는 눈치였다. 손을 흔들며 돌아가는 뒷모습은 안용근의 기억 속을 헤집어 놓았다.

월남에 온 이후로 가족들에게는 남쪽의 비전투 지역에서 별일 없이 잘 지내고 있다고 편지를 썼다. 근무나 작전에 관해서는 일절 얘기하지 않았다. 걱정거리를 만들어 주기 싫어서였다. 술집 여주인에게는 한 통의 편지도 보내지 않았다. 잘 지내고 있기를 바랄 뿐이었다. 안용근이 보낸 한 통의 편지가 그녀에게 부질없는 희망이 되는 것을 바라지 않았다. 언제든 그리고 어디로든 떠나가 버려도 붙잡을 수 없는 처지기에 미련은 남겨 두고 싶지 않았다. 허리를 부여잡고 떨어지지 않으려던 작은 아오자이 베트남 여인과 술집 여주인은 안용근의 가슴에 비슷한 느낌으로 다가왔다. 아직도 안용근의 마음에는 술집 여주인이 그대로 남아 있었다.

"다음, 안용근! 앞으로!"

"사앙벼엉! 아안요용근! 감사합니다."

"그래. 안용근이 축하한다. 이제 병장이구만."

"감사합니다. 중대장님!"

"지난번 작전 때도 그렇고 잘하고 있다. 조금만 더 있으면 본국으로 돌아갈 수 있으니까 힘내라. 항상 조심하고."

"넵! 다 소대장님, 중대장님 그리고 민 중사님 덕분입니다. 감사합니다."

"야. 너 이참에 그냥 군대 눌러앉는 건 어때? 넌 딱 군대하고 월남이 체질인 것 같단 말이야."

"넵! 아아! 네?"

"흘려듣지 말고 잘 생각해 봐. 생각 있으면 내가 확실하게 도와줄 테니까."

"그리고 민 중사!"

"네. 중대장님."

"안용근이 잘하잖아! 저 정도면 밑에 둬도 좋을 거 같은데?"

"네. 본인 의사가 중요한데, 집에 돌아갈 생각만 하는 것 같습니다. 하하."

"그래? 좀 아깝긴 하구만. 하하하"

"제가 시간 내서 다시 한번 더 말해 보겠습니다."

"그래. 꼭 전쟁터에만 있으란 법 있냐? 본국으로 가면 또 다른 생활이 있을 테니까."

"네. 맞습니다. 중대장님."

제때 병장을 다는 것도 일종의 행운이었다. 상병으로 제대하는 고참들도 많았다. 안용근은 특유의 유대감과 자신이 조금 희생하면 된다는 생각으로 사람들을 대했다. 이런 안용근의 마음에서 우러나오는 자발적인 행동이 주변 사람들로부터 후한 인심을 얻게 해 주었다. 간부들도 이런 모습을 싫어할 리 없었고 고참들도 병장으로 진급하는 안용근에게 진심 어린 박수와 축하를 보냈다. 진급식이 끝나고 안용근은 고참들에게 미안하다는 인사를 했다. 하지만 고참들도 안용근의 평소 행동과 희생을 알고 있기 때문에 고생했다며 다시 한번 격려해 주었다.

"안 병장님! 대대 CP로 호출입니다. 뭐 또 좋은 일 있습니까?"

"글쎄. 잘 모르겠는데! 무슨 일이지?"

"뭐 손님이 온 것 같습니다. 주임원사님도 같이 계십니다. 어서 가 보십시오."

"어. 그래. 고마워. 빨래는 내가 같이 걷어서 다 개 놨으니까 좀 쉬어. 고생했어."

"참! 안 병장님도. 매번 이러시면 제가 너무 죄송하지 않습니까?"

"괜찮아. 근무 선다고 시간도 없을 텐데. 갔다 올게."

"네. 뭐 시키실 거 없습니까?"

"그래. 없어. 좀 쉬어. 하하."

"저도 이제 별 할 일 없습니다. 정비해 놓을 거 있으면 말씀하십시오."

"아니야. 내 거 다 했어. 좀 쉬어. 피곤할 텐데. 다녀올게."

평상시에도 안용근은 동료들과 사이가 좋았다. 남들에게 조금 양보하면 인간관계는 좋아질 수밖에 없다는 진리를 몸으로 배웠다. 남들이 싫어하는 작업도 자원해서 나갔고 작으나마 도움이 될 수 있는 일들은 스스로 몸을 움직였다. 그렇다고 생색을 내거나 보답을 바라지 않았다. 죄와 복은 지은 데로 간다고 하는 어른들의 말씀을 듣고 자랐으니, 작은 복이라도 짓고 싶은 마음에서였다.

대대장 CP에는 안용근을 기다리는 손님이 있었다. 안용근은 눈앞에 나타난 사람을 보고 믿어지지 않았다. 설마 여기가 어디라고. 월남에 올 친구가 아니었다. 보수대 동기였다. 조용히 군 생활 마치고 집으로 돌아가면 되는 그런 좋은 집안의 자식이 전쟁터에 올 일은 없었다. 안용근이 헌병대와 방첩대에 오가며 살려 달라고 애원하던 그 시기에 보수대 동기는 부대로 복귀했지만, 부대원들과 잦은 마찰을 일으켰다. 안용근이 주변에 없다 보니 마음 터놓고 얘기를 나눌 사람이 없었고, 늘 혼자만 따로 부대 안에서 움직이다 보니 여러모로 부대 생활이 힘들어졌다. 결정적으로 내무반에서 페치카 관리 문제로 다툼이 일어나자, 고참을 구타하고 부대 물건까지 때려 부수었다. 게다가 이를 말리던 간부들까지 폭행하는 바람에 일이 걷잡을 수 없을 지경에 이르렀다. 사건이 커지는 중간에 안용근과 군용품을 빼돌린 것까지 일부 드러나자 어쩔 수 없이 오음리를 거쳐 월남으로 오게 되었다.

다행히 아버지와 지인들의 도움으로 후방에 배치되어, 소소한 두 번의 경계 임무를 마친 다음 수소문 끝에 안용근을 만나러 왔다. 둘은 함께 시내로 나가 그동안 겪었던 일들에 관해 얘기를 나누면서 때론 웃고 때론 울었다. 저녁이 되자 술집으로 자리를 옮겨 독한 술을 마셨다. 세상을 원망하는 친구를 위로하려고 주변에 있던 두 명의 월남 여인을 불러 함께 술을 마셨다.

그 친구는 아버지의 바람대로 사관학교에 들어가 군인이 되어야 했지만, 무엇에도 속박되어 살기 싫었던 성격 때문에 가족들과의 불화가 끊이지 않았다는 것을 알게 되었다. 사귀던 여자 친구가 임신했음에도 아버지 반대로 아기를 지우고 반항하듯 온 곳이 군대였다. 입대 후에도 아버지의 지나친 간섭과 이와 관련된 동료들의 시기 질투가 친구의 삶을 점점 더 구렁으로 몰아넣었다. 진솔하게 얘기하는 친구의 지나간 이야기들을 듣자 답답한 마음을 조금이나마 이해할 수 있었다.

술에 취하자 각자 여인을 데리고 숙소로 들어갔다. 위로될지 모르겠지만 딱히 다르게 할 일도 없었다. 다음 날 둘은 친구가 가지고 온 카메라를 가지고 인근의 사원과 해변을 둘러보았다. 물론 술집에서 만난 여인들도 우리를 따라다녔다. 넷이 함께 사진을 찍지는 않았다. 안용근과 친구가 함께 있는 모습은 여인들이 찍어 주었으나 무슨 일인지 친구는 월남 여인들과는 사진을 찍지 않았다. 언젠가 본국으로 돌아가게 되면 사진을 찾아서 같이 보자 약속하며 다 찍지 못한 필름이 든 카메라를 친구가 가지고 갔다. 월남 여인들에게 지폐 한 장을 더 쥐여 주자 고맙다는 인사를 하며 시내 방향으로 가 버렸다. 작은 바람결에 날리는 아오자이의 끝자락이 허공에 하얀 선을 그어 놓는 것처럼 아름답게 느껴졌다.

"어어. 저기 봐. 소로 논 가는 건 우리 고향하고 똑같은데."

"안 병장님 고향이 시골입니까? 진해라고 얘기하시는 것 같던데."

"진해는 지금 가족들이 사는 곳이고 어릴 때 살던 곳은 저기 저, 저 사람들처럼 소로 논 갈고 모내기하면서 사는 시골이었어. 우리 시골에서 부리던 소는 쟤네들처럼 뿔이 저렇게 크진 않았지만 몸집은 비슷했어. 이 먼 곳에서 우리 고향하고 비슷한 풍경을 보게 될 줄은 몰랐네. 그냥 조금 신기해."

"하하! 전 충주 시내에서 살다 보니 저런 모습은 자주 보지 못했습니다. 뭐 가끔은 시내 변두리로 가면 볼 수 있었지만, 그래서인지 별 느낌이 없는 것 같습니다. 하하. 근데, 안 병장님. 이 M16 정말 좋지 않습니까? 이걸 이제야 지급해 주다니. 미군 놈들 지들만 좋은 장비 쓰고 우리는 여기 온 지가 언제인데 이제야 겨우."

"지금이라도 받았으니 감사해야지. 방탄조끼도 좀 무겁긴 하지만 든든하니 좋고, 저 뒤에 M60 날아가는 거 보니 속이 다 시원하더구만. 저거 한번 갈기고 나면 어지간한 베트콩들은 머리도 못 들겠던데. 뒤가 든든하니 좋잖아. 사람이 살면서는 지원해 주는 뒷백이 좋아야 하고 이런 전쟁터에서는 저런 지원화기가 중요한 거야. 하하하."

"근데 오늘 여긴 뭐 수색 정찰할 것도 없는 거 같은데 왜 굳이 소대가 다 나온 겁니까?"

"글쎄. 우리야 그냥 시키는 대로 하면 되는 거지 뭐. 이렇게 나와 보니 고향 비슷한 풍경도 보고 좋은데. 하하."

"아. 안 병장님 슬슬 LST나 비행기 타고 본국으로 돌아갈 날짜가 다가오니까 괜히 기분이 좋은가 봅니다."

"그래. 다들 무사히 살아 돌아가야지. 저기 저수지 끝까지만 정찰하면 되니까 속보로 움직이고 어서 복귀하자."

"전 언제쯤이나 집으로 돌아갈는지. 부럽습니다. 저도 기다리는 사람들 많은데."

"걱정 마. 날 봐. 이래저래 시간 보내다 보면 집으로 갈 날이 올 거야. 나도 처음에는 막막했다니까."

"에이 참. 안 병장님은 월남이 체질인 것 같은데요?"

"야이. 말도 안 되는 소릴 한다. 전쟁터가 체질인 사람이 어디 있어? 나도 늘 긴장하면서 지낸 거야."

"에이. 설마요. 안 병장님은 아닌 것 같아요. 하하하."

"정말 그렇게 보였어? 하하하. 얼른 마치고 들어가자. 하하하."

7. 생환生還 그러나,

"뉴스를 알려 드리겠습니다. 우리의 용맹한 국군장병들은 오늘도 월남의 따가운 햇살 아래에서 어느 나라 군대도 해내지 못한 혁혁한 전과를 올리면서 자유민주주의 수호의 최전선을 성공적으로 지켜내고 있습니다. 그러나 유감스럽게도 지난 1번 국도 작전에서 전사자와 부상자가 있어 명단을 말씀드리겠습니다. 대통령 각하께서도 깊은 애도와 위로를 전하셨습니다. 먼저 전사자입니다. 중위… 소위… 상사… 중사… 하사… 하사… 상병…… 다음은 부상자 명단입니다. 소위… 중사… 하사… 병장 안용근 상병…… 이상입니다."

미군야전병원에서 두 번의 대수술을 받은 안용근은 모르핀의 약효가 그렇게 강한지 몰랐다. 오른쪽 정강이 아래가 반쯤 떨어져 나가 덜렁거리는 데도 모르핀을 맞고 나니 고통보다는 멍한 기분이 들었다. 고통이 완전히 사라지지 않았지만, 술에 취한 듯, 이 세상이 아닌 듯, 고통의 일부가 어디론가 사라지는 듯했다. 눈을 뜨고 나서 양팔을 휘휘 저어 보니 팔은 두 개가 맞는데, 다리에 감각이 없었다. 정신을 차리려고 안간힘을 쓰니 눈앞에 허연 연기와 거무스름한 그림자가 엉키면서 몸이 공중에 붕붕 떠다니는 것 같았다. 입안에 음식이 있는 것인지, 배가 부른 것인지도 모를 지경이었다. 말하려고 해도 나오지 않았고 굳이 말하지 않아도 다른 사람들이 알아서 뭔가를 해 줄 것 같았다. 꿈은 아니었다. 주변을 살펴보고 싶은 마음에 고개를 돌려 보아도 보이는 것인지 안용근 자신의 기억인지도 모를 광경이 어른거렸다. 입대할 때 기차의 차창 밖 풍광이 지나가는 듯했다. 어디가 어딘지 알 수 없었다. 살아 있는 것인지 서서히 죽어 가고 있는 것인지 모를 일이었다. 아무리 불러 보려고 하고 손을 휘저어 봐도 곁에는 아무도 없는 듯했다. 뭘 물어보려고 해도 입이 떨어지지 않아 마른 목만 삼켰다. 무엇이라도 잡아 볼 생각으로 머리를 돌려 보고 손을 뻗어도 보았지만 제대로 움직이는지 몰랐다. 숨만 쉴 수 있었다. 응급으로 수술은 했지만, 곧장 본국으로 돌아갈 처지는 아니었다. 한 달여를 기다리며 재수술받고 난 후 가족들에게는 가벼운 상처를 입어 곧 귀국할 것이라 편지를 보냈다. 이번에는 술집 여주인에게도 같은 내용의 편지를 보냈다. 전쟁터에서 더 이상 쓸모가 없어진 부상병은 본국으로 실려 보내졌다.

"야! 안 병장. 밖에 나가 볼래? 답답하잖아!"

"그래. 이번에도 네가 수고 좀 해 주라. 미안하다."

"됐어. 팔다리 잘린 전우끼리 뭔 수고야? 그냥 나가 보자. 심심하잖아. 별 할 일도 없고. 난 뭐 다리가 멀쩡하니까. 하하."

"근데 난 한쪽 다리가 날아갔고 넌 한쪽 팔이 날아갔는데, 어느 게 더 심한 부상이지?"

"글쎄. 난 그래도 걸어 다닐 수 있으니까, 음. 안 병장 네가 더 심한 거 같다."

"에이. 그래도 난 양손을 다 사용할 수 있으니까 내가 사정이 좀 나은 게 아닌가?"

"허. 참! 얘길 들어 보니까 미국에서 의수하고 의족이 좋은 게 많이 나온다더라구. 뭐 아쉽긴 하겠지만 그것들하고 같이 살면 되겠지."

"근데, 말이야 미국 애들 정말 똑똑한 거 같다. 이 전쟁 저 전쟁 다 나서면서 지네 국민들이 팔다리 많이 날아가니까 고새 또 그걸로 장사하려고 가짜 팔다리까지 만들어 대니. 참! 대단해. 뭐 덕분에 우리도 한 개 얻어 쓸 수 있겠지만."

"그래. 대국이 다르긴 달라. 우리는 아직 뭐 제대로 만드는 게 없는데. 아이구. 우리는 언제 자동차 만들고 좋은 약도 만들고 할지."

"일단, 먹고사는 거부터 좀 나아져야 할 텐데. 우리도 당장 병원에서 나가면 뭐 해 먹고살지… 참! 걱정이다. 걱정."

"뭐 다쳤다고 울고불고하는 것도 하루 이틀이지. 그래도 우리는 살아서 나왔잖아. 산 입에 거미줄이야 치겠어? 세상에는 말이야 다 사는 방법이 있는 거야. 태어나면서 제 밥그릇은 차고 태어난다잖아. 좋은 것도 아닌데 미리 너무 걱정하지 말자."

낮은 그렇게라도 시간을 보냈지만, 밤은 달랐다. 진통제와 중상자들에게 쓰는 모르핀 약효가 떨어지는 시간이 되면 병동은 여기저기서 고통에 몸부림치며 악을 쓰는 소리가 새어 나왔다. 악몽에서 헤어나지 못하는 울음소리가 터져 나오기도 했다. 과거에서 잡아 둔 고통과 앞으로의 삶에 대한 깊은 걱정이 부상자들을 더욱 깊은 고통으로 밀어 넣었다. 살아 돌아왔지만 제대로 돌아온 것이 아니었다. 늦은 밤, 잠을 설치게 하는 고통 소리에, 병실에 있는 그 누구도 화를 내지 않았다. 육군 수도병원에 입원해 있는 부상자나 이들을 돌보는 사람들은 모두가 고통 속에 있었다. 언제 헤어날 수 있을지, 헤어날 수는 있을지, 아무것도 정리되지 못하는 고통이었다. 절단 부상병 중에서, 잠이 깨었을 때 아직 자신의 사지가 붙어 있을 거라고 믿는 부상병이 있었다. 그중 다리가 절단된 부상병 한 명은 침대 밖으로 나오려다 앞으로 힘없이 고꾸라지기도 했다. 곁에 있던 동료들이 잡아 주려고 해도 도통 자신의 처지를 믿으려 하지 않았다.

현실을 받아들일 수 없었다. 이런 일들이 서너 차례 더 일어난 이후 그 부상병은 목발에 의존해 병실 주변을 서성이다가, 차츰 복도에도 나가고 육군 수도병원의 작은 마당도 거닐었다. 시간이 지나면서 차츰 자신의 부상에 적응하는 것처럼 보였다. 처음 상태에서 현실을 있는 그대로 받아들이거나, 자신의 장애에 적응하는 모습을 보면서 돌보는 인력들도 보람을 가졌다. 한 달이 지나지 않아 조용히 야간 산책하러 나간 그 부상병은 소나무에 목을 맸다. 자살한 부상병의 유품 속에서 언제 쓴 것인지도 모를 쪽지 몇 장이 발견되었다.

다른 세상에 와 있다. 여기는 내가 살던 곳이 아니다. 여기 있는 사람들은 내가 알던 사람들이 아니다. 여기는 내가 있을 곳이 아니다. 조금씩 밖으로 나가 보았지만 내가 아는 사람들은 단 한 사람도 없다. 어머니가 오셨다. 하염없이 울다 만 가셨다. 꿈이었던가? 이 꿈속에서 벗어나야 한다. 내가 살던 곳으로 가야 한다. 부모님이 계신 곳. 전우들이 있는 곳. 친구들이 있는 곳으로 나는 가야 한다. 언제 갈 수 있을까? 이렇게 있다가는 영원히 돌아갈 수 없을지 모른다. 나는 원래 내가 있던 그곳으로 가야 한다. 더 늦기 전에 가야 한다.

여기서 보이는 사람들은 실제로 있는 사람들이 아니다. 한쪽 발 대신 지탱하고 있는 다리도 내 다리가 아니다. 이건 누가 준 거지? 부모님께서 주신 건 아니다. 내가 받아야 할 다리도 아니다. 누구라도 받아서는 안 되는 다리다. 이 다리를 받아서는 내가 살던 곳으로 갈 수가 없다. 여기서 벗어나야 한다. 내가 살던 곳으로 가야 한다.

누구도 나를 도와주지 않는다. 누워만 있어야 하는 것도 아닌데 누워 있고 싶다. 원래 내 다리가 있는 곳으로 가야 한다. 거기로 다시 돌아가면 내가 가고 싶은 곳으로 갈 수 있다. 내가 있을 곳에 내가 아는 사람들이 기다리고 있다. 돌아가야 한다. 나를 기다리는 사람들이 있는 곳으로 가야 한다. 아직도 기다리고 있을 것이다. 어서 가야 한다.

양쪽 팔이 다 없어진 부상병이 있었다. 무슨 일인지 시간만 나면 병원 구석구석과 야외를 돌아다녔다. 운동선수처럼 열심히 뛰기도 했다. 몇몇 부상병들이 공을 차는 날, 제일 열심히 뛰었다. 골도 넣었다. 얼싸안지는 못했지만, 하늘로 팔짝팔짝 뛰어오르면서 좋아했다. 하지만 심하게 부딪히지 않았는데 짚을 수가 없으니, 땅에 고꾸라졌다. 절단된 한쪽 팔에서 피가 났다. 별일 아니라는 듯이 일어나서 다시 뛰었다. 쉬는 시간에 간호사들이 뛰어나와 말렸지만, 붕대만 다시 감은 채 또 뛰었다. 동료들이 만류하자 연병장에서 나와 병원 구석구석을 또 뛰어다녔다. 뛰는 일이 그나마 그 부상병이 유일하게 할 수 있는 정상적인 일이었다. 자기 몸에서 정상인 부분을 확인하고 싶어서 뛰고 또 뛰었다. 땀을 식히고 씻을 시간이 되면 도움을 요청했다. 절단된 부위 주변을 조심스럽게 묶어 달라고만 한 뒤 물만 뒤집어썼다. 그러고는 침대에 앉아 발로 대충 닦아냈다. 얼마 후 절단 부위 감염으로 다시 한번 더 팔의 남은 부분 일부를 잘라내야 했다. 그날 그 부상병의 병동에서 함께 생활하던 부상병들은 한숨도 자지 못했다. 지옥에서 괴로움으로 사람이 울고 있다면 흡사 그 소리일 거로 생각했다.

'꼭 다시 뛸 거야! 내 팔이 다 닳아 없어져도 난 뛸 거야. 내 다리가 있는 한 난 뛸 거야.'

수술이 끝나고 조금 안정되자 그 부상병은 다시 뛰었다. 하지만 퇴원하는 날까지 더 이상 팔을 잘라내는 일은 없었다. 그의 아내가 와서 필요한 물건들을 보자기에 소중히 싸서 함께 고향으로 갔다. 사람들은 그 부상병이 뭘 해도 잘 해내면서 다시 살아갈 수 있을 거라 믿었다. 그렇게라도 믿고 싶었다.

눈을 조금 더 넓게 뚫었다. 콧구멍을 조금 더 크게 만들었다. 그렇지만 잘 보이지는 않았고 숨은 조금 쉴 만했다. 입은 그대로 있으니 먹을 수는 있다. 혀도 멀쩡하니 음식 맛도 좋을 때가 있다. 머리카락은 그대로 있으니, 대머리가 되려면 많은 세월을 더 보내도 될 것이다. 귀는 다시 만들어야 한다는데 어디서 떼서 어떻게 붙일지 고민해야 한다. 손가락은 다음 수술 때 조금 더 펼 수 있다고 의사가 말해 주었다. 손가락 마디마디에서 진물이 흐르고 피도 조금씩 난다. 하지만 재활을 멈출 수는 없다. 다음 수술 때까지 손가락이 조금이라도 더 굽혀지게 하려면 부지런히 폈다 오므렸다를 반복해야 한다. 한 번 오므릴 때마다 사나운 맹수에게 피부를 뜯기는 고통이다. 손등이 밋밋하니 손가락도 밋밋하다. 이제 겨우 손가락들을 따로 떼서 다섯 개를 만들었는데 앞으로 얼마나 이 고통을 이겨내야 할지 막막하다. 어머니 뱃속에서 다 만들어서 나온 손가락과 손가락 마디마디인데, 다시 만들어야 하니 앞으로 열 달은 더 필요할 것이다. 피와 진물이 엉킨 손가락을 하루에도 몇 번씩 거즈로 닦아냈다. 손바닥에도 거즈를 말아 쥐고 피와 진물이 스며들도록 하면서 열 달이 지나면 숟가락과 젓가락 제대로 손에 쥐고 밥을 먹고 반찬을 먹을 수 있을 것이라 믿는다. 될 듯싶다. 물건을 제대로 짚을 수 있을 때까지 해야 한다. 별수 없다. 이거라도 안 하면 다른 건 할 일도 없다. 얼굴은 가려야 한다. 얼굴을 보면 사람들도 놀라고 나도 놀란다. 가끔 자다가 가위에 눌리는 얼굴이 내 얼굴이다. 옛날 얼굴은 그나마 볼 만했다. 어머니는 세상에서 내가 제일 잘생겼다고 했다. 그리고 가끔이지만, 이웃분들도 나를 잘생겼다고 했었다. 하지만 지금은 가려야 한다. 내가 누군지 알아볼 수도 없고 이웃분들도 당연히 나를 알아보지 못할 것이다. 내가 알지 못하는 사람들은 나의 얼굴과 손이 녹아내리기 전 모습을 몰라도 된다. 그게 속 편할 것이다. 지금 모습에 그냥 서로 적응하는 게 나을 것이다. 앞으로 코도 좀 올리고 눈도 조금 더 크게 하고 귀는 흔적이라도 있도록 만들어야 한다. 언제가 될지는 모르겠지만 언젠가는 될 것이다. 손에 진물이 나지 않는 날이 오면 병원에서 내보내 달라고 해야 한다. 평생 여기서 이렇게 연습만 하다가 죽을 순 없을 테니까.

베트콩과의 근접 전투 중에 아군 가까이에 떨어진 네이팜탄을 맞은 부상병은 전투복과 철모가 가린 부분을 뺀 나머지 부분의 피부가 녹아내렸다. 철모 안에 있던 머리카락은 멀쩡했지만, 얼굴과 손이 모두 녹아 버렸다. 병원으로 옮겨졌을 때는 살아날 수 있으리라 생각한 사람은 아무도 없었다. 눈과 코는 거의 붙어 버렸고 입도 거의 구멍만 있는 모습이었다. 귀와 턱도 녹아 버려 제대로 된 얼굴의 형체가 아니었다. 몸에 있는 성한 피부 여기저기를 떼다가 얼굴을 재건하는 수술을 해야 했고 다 붙어서 한 개가 되어 버린 손은 좌우를 각각 다섯 개의 손가락으로 나누고, 손 마디마디가 제 역할을 할 수 있도록 재활과 수술을 반복했다. 재활과 수술을 반복하면서 얼굴과 손에서 흘러나오는 진물을 끊임없이 닦아내야 했고 그 고통이 정신까지 다 파먹지 말기를 바라야 했다. 그러나 포기할 수도 미루어 둘 수도 없었다. 조금이라도 더 굳어 버리기 전에 조금이라도 더 움직여야 했다. 지금 움직이지 않으면 다음 날은 몇 배의 고통이 더 기다리고 있다는 것을 자신이 더 잘 알고 있었다. 부상을 입던 그날 밤벌레가 너무 많아 긴 옷을 걷어 올리지 않아서 그나마 손목은 녹지 않은 것이 다행이라고 여겼다. 세상에 이게 다행이면 다행 아닌 것이 있을까도 싶었다.

　　"내가 먹여 줄 테니까 그냥 있어도 돼"
　　"괜찮아. 그냥 내가 먹을 테니까 어디 있는지만 알려 줘"
　　"아 이 친구야. 아직 잘 안되니까 오늘까지만 내가 도와줄게."
　　"매일 도움만 받으면 내가 언제 혼자 할 수 있겠어? 내가 해야지. 우리 평생 잘 지내겠지만 평생 도움만 받을 수는 없잖아. 고마워."

"그래. 알겠네. 여기 숟가락. 그리고 자 여기… 응… 여기… 그
래… 식판 잡히지?"

"응. 그래."

"그래. 거기. 어어. 조심하고 밥 바로 옆이 국이야. 월남서 깡통만
파먹다가 식판에 밥 먹으니까 좀 이상하지?"

"아니야. 적응하는 게 좀 힘들어서 그렇지 뭐. 곧 적응할 거야. 사
지 멀쩡한 놈이 밥은 혼자서 먹어야지."

"옆에 있을 테니까 필요하면 얘기해. 괜히 혼자 하다가 식판 엎지
말고. 응?"

"그래. 고마워."

"우리 말이야. 퇴원하고 나서 가끔이라도 보고 살자. 세상살이 힘
들건 뻔한 일이지만 우리 둘이 같이 돕고 살면, 마음이라도 의지하면
지금보다야 낫지 않을까?"

"그래. 그래야지."

베트콩이 던진 수류탄 파편이 얼굴 전체를 뒤덮었다. 그 파편 중
에 눈에 박혀 버린 것들 때문에 두 눈을 실명한 부상병이었다. 적의
저항에 밀려 부대 전체가 작전지역에서 빠져나올 때 그 부상병이 혼
자 용감하게 적진으로 뛰어드는 것을 보고 동료들과 같이 용기를 내
서 책임 지역 내 적을 완전히 패퇴시켰다. 하지만 작전이 종료된 후에
무기도 들지 않고 숲속 한가운데 멍하니 서 있는 모습을 보고는 모두
가 기겁했다. 소총은 어디에 있는지 손에 아무것도 들고 있지 않고,
그저 멍하니 서 있는 것을 보고는 앞을 전혀 보지 못한다는 것을 알았

다. 동료들은 숲속을 뒤져 대충의 군장과 소총을 찾아 후방으로 인계했다. 자신은 걸을 수 있으니, 끝까지 도보로 이동하겠다고 고집했다. 다른 동료들이 들것을 가져와도 막무가내였다. 앞이 보이지 않으니, 혼자서는 이동이 힘든 것이 당연했다. 전우들이 들것에 오르게 했다. 혼자는 둘 수 없었다. 어떤 이유인지는 모르겠지만 자꾸만 적 지역으로 뛰어가려고 했다. 왜 자꾸만 적 방향으로 뛰어가려는지 물었지만, 이유는 자신도 모른다고 했다. 병원을 나온 이후로 친했던 둘은 서로 만나지 못했다. 병원을 나서고 나서 잠시는 기억이 있지만 현실에서 서로를 기억해야 할 이유도 없었고 막상 서로의 소식도 알 길이 없었다.

"어이, 그 친구 글로 적어서 보여 줘."

"응? 왜?"

"아. 그 친구 귀가 갔어. 아예 안 들려."

"응? 귀?"

"그래."

"어쩌다가? 다른 데는 살아 있는 거야?"

"그럴 거야. 나도 자세히는 잘 몰라. 대충 들어 보니 포로로 잡혔었나 봐. 베트콩들이 뭘 불라고 했는데 아무것도 협조를 안 해 주니까 어차피 필요 없다고 귀를 대나무로 쑤셨다더라고."

"뭐? 이런 개새끼들. 우리가 뭘 안다고? 뭘 아는 게 있어야 불고 지랄이고 하지."

"그러게 말이야. 우리야 시키는 대로만 하면 되는 쫄따구들인데."

"그래도 저 친구 대단해. 베트콩들이 귀를 다 망쳐 놓고 대나무 통에 집어넣어서 물에다 넣었다 뺐다 하면서 계속 심심풀이로 고문을 했나 봐. 물속으로 들락거릴 때 묶인 밧줄 풀고 참고 있다가 야간에 대나무 통에서 나와 거기 있던 베트콩들을 전부 대검으로 다 목을 찔렀다더라고. 미군들 몇 명이 같이 잡혀 있었는데, 다 구해 주고 베트콩들 시체를 일렬로 눕혀 놓고는 귀에다가 대검을 다 꽂아뒀더래."

"응? 그게. 응? 그게 정말이야?"

"나도 믿지 못하겠지만, 같이 돌아온 미군들이 다 증언했더라구. 뭐 이것저것 빼고 할 것 없이 저 친구 이야기 전부 진짜인 모양이더라구. 저 친구 훈장도 받았어. 참. 안 병장 너도 받았다면서? 훈장."

"난 그냥 운이 좋아서. 별로 한 것도 없는데.

"야. 네 다리 한쪽이 훈장하고 같냐? 씨발. 그거 준다고 팔이 새로 나오냐? 다리가 다시 생기냐?"

"근데, 저 친구는 참 순하게 생겼는데, 어떻게 그렇게 잔인하게 보복했을까?"

"학교 선생님 하려고 어디 대학도 다녔더라고. 근데, 저기 봐. 웃지를 않아. 근데 울지도 않아. 뭐 대충 봐도 선생 하기는 글렀지 뭐."

"안 병장. 너나 나나 뭐 배운 게 있으면 먹고살 거 좀 찾을 수 있겠지만, 이렇게 해서 병원을 나서도 뭐 딱히 할 것도 없고, 우리 걱정이나 하자구. 큭큭."

"글로 적어 주면 답은 잘해 줘? 저 친구. 그냥 모른 체하고 살 거 같으면 나도 저 친구 가까이 가고 싶지는 않은데 말이야."

"어. 답은 잘해. 표정이 없어서 그렇지, 답은 잘해. 아마 표정을

잃어버린 것 같아. 뭐 솔직히 우리가 뭐 표정이라고 지어 볼 것도 없
잖아. 그냥 숨만 쉬고 있는 건데."

"한번 가서 뭐라도 적어 줘 봐. 안 그래도 사람들이 저 친구 옆에
는 잘 안 가더라고. 넌 뭐 성격이 워낙 좋으니까. 하하하. 너 정도면
한번 웃어 줄 수도 있을지 알아?"

"근데 왜 표정이 없을까?"

"글쎄. 베트콩 놈들 목 따고 귀에 대검 박아 넣으면서 제정신이었
겠어? 복수라고는 했는데 자기 스스로를 감당 못 한 거겠지. 원래 마
음 여린 사람들이 한번 돌아 버리면 상상도 못 할 짓도 하잖아. 불쌍
한 사람이지 뭐."

"얼마나 힘들었으면 그랬겠어? 휴우. 망할 놈의 전쟁이 문제지."

"그래. 우리가 질러 놓은 전쟁도 아닌데, 우리만 이렇게 되고."

"그래도 우린 살아서는 왔잖아."

"이게 산 거야. 큭큭. 숨만 쉰다고 산 거야? 차라리 거기서 콱 뒈
져 버렸으면 가족들에게 보상금이라도 더 돌아갔겠지. 이런 몰골로
가족들 애만 태울 거 생각하면 머리가 더 아파. 젠장."

"그런 생각 말어. 개똥밭에 굴러도 이승이 좋다니까."

"내가 개똥밭에 왜 굴러?"

"하하하. 그냥. 그렇다고. 하하하."

"그렇게 해맑게 웃는 걸 보니 너도 제정신이 아니네. 하하하."

들은 것도 있고 해서 인사를 글로 적어 보여 주었다. 살짝 팔을 건
드리자 흠칫 놀라면서 손을 흔들었다. 인사였다. 말도 어눌했다. 들리

지 않게 되고부터는 말도 어눌해지는 게 당연하다고 간호사들이 무심코 지나가면서 알려 주었다. 시간이 나면 가까이 가서 몇 자씩 글자를 적어 얘기를 나눴다. 정말 귀에다가 대검을 다 꽂았냐고 물었다. 다 꽂은 건 아니라고 대답했다. 대검이 그만큼 많지도 않고 자기는 그 정도로 모질지 않다고 했다. 하지만 자기 귀에 대나무를 꽂았던 놈하고 물에다 집어넣었다 뺐다 한 놈들, 그 네 놈들에게는 대검을 꽂았다고 했다. 미군들이 빼내 주니까 고맙다고 그렇게 인사를 하더니 일렬로 뉘인 베트콩 시체를 보고는 덜덜 떨더라고 했다. 웃음인지 뭔지도 모를 표정이 잠시 지나갔다. 그럼, 왜 아무것도 불지 않았냐고 물었다. 뭐라도 얘기를 했으면 그 정도로 고문을 당하지는 않았을 텐데. 그날 작전이 그만큼 중요했냐고 물었다. 대답할 수가 없었다고 했다. 베트남 말도, 영어도 모르니 알아들을 수 있는 것도 없었고 말을 해 줄 수도 없었다고 했다. 다른 이유는 없었다고 했다. 그래서 대검을 귀에다 꽂아 두었다고 했다. 나라면 주둥이에도 대검을 꽂아 뒀을 것이라고 위로했다. 위로되었을지 모르겠다.

"으엇! 놀래라. 아. 미 미안해."

"왜? 처음 봐? 하하. 네 다리도 만만치 않구만. 뭐. 이걸 가지고 그렇게 놀라?"

"근데, 머리가 왜 이래? 한쪽이 다 꺼져 있잖아. 괜찮아?"

"운이 좋았던 건지, 나빴던 건지 나도 잘 모르겠어. 살아 있으니 운이 좋은 것 같기도 하지만 그날 머리를 숙이지 않았으면 저기 영현중대에 가 있겠지. 한쪽 머리가 푹 내려앉아 있어서 보기에 흉하지만 괜찮아."

"작전이 많이 위험했나 보네! 일단 살아 돌아왔으니, 운이 좋은 거겠지."

"그래. 뭐 머리 모양이야 이래도 뭐 살아 있으니까 이런 얘기도 하는 거지."

"난 여기 있은 지 좀 오래됐어. 넌 들어온 지 얼마 안 된 거 같은데? 내가 여기 전우들 얼굴은 대충 다 알거든."

"아. 나도 좀 됐지. 근데 중환자실에 처박아 놓고 꼼짝을 못 하게 하는 바람에 이제 겨울바람 쐬러 다니는 거야?"

"계급은 뭐야? 일병? 상병?"

"하하. 나 병장이야."

"어? 어리게 보이는데? 나보다 고참이네!"

"군대에 좀 일찍 왔어. 고생을 안 해 봐서 그래. 하하하."

"일찍? 뭐가 좋다고 군대를 일찍 와? 그것도 월남에는 왜 간 거야? 이 좋은 꼴을 보려고?"

"말로 다 하려면 오래오래 걸린다. 하하하. 근데 넌 무슨 일이 있었길래 머리가 한쪽이 다 날아갔어? 응? 근데 표정은 전혀 아픈 사람 같지는 않은데?"

"에헤. 고참님. 머리 한쪽이 날아간 건 아닌데. 그냥 한쪽이 화악 찌그러졌을 뿐이야. 난 운전병이야. 베트콩 그 악랄한 새끼들 이중 부비트랩에 당했지."

"어? 그럼 혹시 너 1번 국도 개척하고 나서 중장비 투입 전에 거 뭐더라. 그래. 맞다! 트럭 한 대 빠져서 그거 구난하다가 부비트랩 터져서 열여섯 명인가 전사했던 그 사고? 맞아?"

"아. 고참님. 제대로 좀 알고 얘길 해야지. 사고가 아니고 우리도 엄연한 작전 중이었어. 일단 그 작전 맞아. 재수가 더럽게 없었던 거지 뭐."

"작전이든 사고든 뭐 월남에서는 다 똑같은 거지 뭐. 근데, 어떻게 됐길래 머리가 반이 짜부라진 거야?"

"그래. 운이 좋은 건지, 나쁜 건지. 참! 우리가 도착해 보니 트럭 앞바퀴가 빠져서 도로를 막고 있는 거야. 그래서 몇 명이 사주경계하고 그 트럭 빼내려고 뒤에서 쇠로 된 로프를 걸었지. 슬슬 빼내려고 하니까 이게 잘 안되는 거야. 차량 소통을 빨리 시켜야 하는데 이게 제대로 돼야지 말이야. 그래서 현장에서 간부들이 모여서 회의하더라고. 난 로프 다시 감아야 한다고 해서 스패너 가지러 뒤차 운전석에 앉았는데 그때 터진 거야. 베트콩 새끼들 얼마나 악랄했는지. 참! 원래 거기가 도로 위가 아니었거든. 구난하려고 다른 트럭을 대야 하는 그 지점에 대전차 지뢰를 묻어 놓은 거야. 그것도 두 발. 지뢰탐지기가 거기는 찾을 생각도 안 했는데. 딱 거기 묻어 났더라구. 터지고 또 터진 거지. 두 번째 터질 때 트럭 핸들에 머리를 받쳤지. 잠시 정신을 잃고 일어났는데 이건 뭐 생지옥이더라구. 먼지가 덜 가라앉아서 잘 보이지도 않고 다른 전우들하고 간부들이 왔다 갔다 하고 그중에 팔 한쪽이 없는데 거기서 뛰어나오는 전우도 있었어. 솔직히 난 신기하더라고. 팔이 한쪽이 없는데 뛰어다니는 게 말이야. 소리 지르는 쪽으로 가서 몇 명 데리고 나왔지. 좀 어지러웠지만 난 그래도 괜찮았거든. 근데, 대충 수습하고 후송 기다리는데 여기저기서 총소리가 또 나는 거야! 베트콩 새끼들 기다렸다가 또 총질해 댄 거지. 기어가서 소총 들고 냅다 갈겼지. 베트콩 어느 한 놈이라도 맞으라고 말이야. 한참 쏘고 있는데 헬기 두 대가 오더니 측방 한쪽을 완전히 쑥대밭으로 만들어 버리더라고. 베트콩 놈들이 아마 거기 있었던 모양이야."

"그래? 몇 번 죽다가 살아난 기분이겠는데? 다행인 게 맞나 보다. 머리 반이 없어도 이렇게 얘길 잘하는 거 보니까 말이야. 하하하."

"베트콩들이 총질하면서 튀어나온 곳에 규모가 좀 되는 마을이 있었는데, 거긴 우리 부대원들이 가서 집도 고쳐 주고 벌목도 해 주고 뭐 그렇게 도와준 곳이었거든. 아마도 내가 나오고 나서 그 마을 완전히 박살이 났을 거야. 은혜를 원수로 갚는 것들. 도와줄 때는 그렇게 웃고 하더니만."

"에이. 마을 사람들이야 무슨 죄야? 우리도 전쟁 때 산에서 내려오는 사람들 때문에 애먼 사람들만 엄청 죽어 나갔었는데."

"어어? 그 새끼들 편드는 거야? 그 새끼들은 다 똑같은 놈들이야. 옛날 우리나라 빨갱이 새끼들이나 베트콩 새끼들이나 다 죽여 버려야 해. 실실 웃는다고 살려 뒀다가는 두고두고 애를 먹이고 사람 죽일 족속들이라구."

"뭘 편들어? 근데, 지금은 괜찮아? 네 머리?"

"뭐 별다른 건 없어. 보기가 흉해서 그렇지만. 가끔 머리가 아프긴 해. 심해지지만 않으면 되지 뭐. 혹시 알아? 세상 더 좋아지면 이것도 둥글게 누가 좀 재건시켜 줄는지. 하하. 다른 나라 말고 내 머리나 제대로 좀 재건시켜 주면 좋겠다. 하하하."

운전석에 앉았다가 지뢰 폭풍에 말려 핸들에 머리를 다친 부상병이었다. 나이는 안용근보다 많았지만, 계급은 상병이었다. 성격이 좋다 보니 다른 부상병들과도 매우 쉽게 친해졌다. 육군 수도병원에서 제일 오래 있는 부상병이었다. 트럭 핸들에 부딪힌 머리 한쪽이 사람 주먹만 하게 움푹 들어가 있었다. 모자를 써서 가리면 전혀 부상병 같지 않았다. 모자를 벗고 있으면 머리 한쪽이 날아가 버린 것처럼 기괴한 모습이었다. 둥근 과일을 동물이 파먹은 듯이 오른쪽 머리 위 한쪽이 다 없어진 모습으로 살아 있다는 게 신기할 정도였다. 인간의 목숨이란 정말 질기다는 말이 새삼 느껴졌다. 어디 아픈 곳도 없지만 병원을 떠나지 않고 있었다. 안용근은 저러다 언제 발작이라도 일으키거나 힘없이 고꾸라져 죽을지도 모르겠다고 생각했다. 그 친구는 안용근이 병원을 나설 때도 퇴원할 기약 없이 남아 있었다. 언제가 될지는 모르지만 퇴원하더라도 그런 기괴한 모습으로 정상적인 생활을 한다는 것은 불가능하리라. 여름에도 모자를 쓰면 그래도 나을 것이다. 목욕탕에서도 잠을 잘 때도 모자를 써야 할 형편이었다. 차라리 평생 철모를 쓰고 다니는 군대가 그 친구의 삶에는 더 나을 수도 있다는 생각이 들었다.

"사사… 살려 주세요. 제발 살려 주세요. 제가 잘못했습니다."
"야야. 저기 붙잡아. 어서 저쪽 막아!"
"살살 잡아. 잠시 저러다가 괜찮아지니까. 너무 심하게 하지 마."
"그래. 거기 잡고 있어."
"제발. 좀 조용히 있자. 누가 널 잡으러 온다고 그래? 여긴 우리

나라야. 아무도 너한테 해코지할 사람 없어. 여긴 월남이 아니라고?"

"응? 아니야? 여긴 아니야? 그럼 넌 누구야? 넌?"

"어제 내가 장기 가르쳐 줬잖아. 장기. 응? 장기. 기억나지?"

"장기? 아. 그래. 너였구나!"

"그래. 나야. 자자 방으로 가자. 바람 쐬었으니까 이제 방으로 들어가자."

"근데, 저기 저 모퉁이 뒤에 잘 보고 가야 해. 저기서 한 놈 뛰어나오면 내가 확 갈겨 버릴 거니까."

"나오긴 뭐가 나와? 저긴 화장실인데. 거긴 아무도 없어."

"없어? 뭐가 없어? 어제도 저기서 베트콩 두 놈이 담배 피우면서 우릴 살펴보고 갔어. 조심해야 해. 저 새끼들 언제 치고 나올지 몰라."

"야야. 난 괜찮아. 너 말이야. 정신 차리고. 어서 여기서 나가자. 응? 하하하. 내가 말이야 입대 전에 옷 장사를 했거든. 그게 기가 막히게 장사가 잘되는 거야. 나랑 같이 부산 가서 옷 장사하자. 내가 한 몫 단단히 챙겨 줄게. 응?"

"야. 너 어제는 칼 장사했다면서? 네 아버지랑 같이 칼도 갈고 그랬다면서? 갑자기 옷 장사는 또 뭐야?"

"칼? 칼은 안 돼. 칼은 무서운 거야! 너 칼에 찔리면 죽어. 베트콩들 정글도가 얼마나 날이 서 있는지 모르지? 내가 한번 그여 봐서 알아. 그거 정말 순식간이야. 사람 창자가 막 쏟아져 나온다!"

"아. 정말 이 새끼가. 하루 이틀도 아니고. 방에 좀 들어가자고. 잠깐만 나왔다가 들어가자면서?"

"죄송합니다. 살려 주세요. 시키는 대로 다 할게요. 살려 주세요."

"내가 정말 전생에 무슨 죄를 지어서 너랑 이렇게 해야 하냐? 제발 좀 정신 차려. 제발."

"잘못했습니다. 흑흑. 잘못했습니다. 윽. 어윽."

머리가 움푹 패지 않고 사지가 다 멀쩡해도 병원에 들어와 있는 병사들이 있었다. 귀도 잘 들리고 말도 잘했다. 가만히 보고 있으면 그냥 멀쩡했다. 입을 벌리기 전까지 그들이 환자인 걸 아무도 몰랐다. 말하기 시작하면 그때는 달랐다. 아무나 잡고 살려 달라고 했고 누구에게나 경례했다. 걸핏하면 어디론가 도망을 가고 때론 바닥을 기어 다녔다. 그러다가 다른 사람에게 달려들었다. 무슨 짓을 할지 모르는 환자들이었다. 병실에서 나와 햇볕을 즐길 때도 항상 옆에 다른 사람들이 붙어 있었다. 어디에서건 조용히 앉아 있거나 바람이 부는 그늘에서 쉬는 모습은 평화로웠다. 그럴 때는 조용했다. 마치 말을 하지 못하는 것처럼 조용했다. 하지만 무슨 소리를 듣거나 말을 시키면 곧바로 다른 사람이 되었다. 언제 어떻게 돌변할지 모르는 무서운 환자들이었다. 사람은 고쳐 쓰는 게 아니라고 했다. 그리고 변하지 않는다고 했다. 전쟁은 사람을 전혀 다른 존재로 만들어 버렸다.

"뭐 좀 가져다줄까?"

"아니."

"잠은 잘 잤어?"

"그래."

"배고프진 않아?"

"괜찮아."

"재미있는 얘기 하나 해 줄까?"

"아니."

"물 좀 줄까?"

"그래."

"그만 들어갈까?"

"괜찮아."

"노래 한 곡 불러 줄까?"

"아니."

"내 말 듣고 있는 거야?"

"그래."

"졸리는 거야?"

"괜찮아."

"무슨 소리야?"

"아니."

"내 말 알아듣는 거야?"

"그래."

"지금 딴생각하고 있지?"

"괜찮아."

며칠 후 병원 안이 발칵 뒤집어졌다. 이상한 말을 쏟아내던 그 병
사 무리 중 한 명이 병원 뒤편 유류 창고에서 죽었다. 하루 종일 사람
들이 찾아다녀도 보이지 않다가 보일러 기름 확인하러 가던 외부 보

일러 기사가 발견하고 소리를 질렀다. 얼마나 기름을 많이 먹었는지 입 주위에서 기름이 흘러나오고 배가 퉁퉁 부어올라 있었단다. 높은 사람들이 많이 왔다. 군의관과 간호사들의 얼굴이 달아올라 술에 취한 사람들처럼 보였다. 월남서 작전 나갔다가 소대원의 팔다리만 들고 살아 나온 소대장이었다. 그의 계급은 중위였다. 하지만 그 중위는 죽어서 병사들과는 다른 대우를 받았다. 같은 군복을 입고 같이 싸우다가 왔지만 죽고 난 뒤에 받는 대우는 달랐다. 수의도 다르게 입었고, 관도 다른 것을 썼다. 묻히는 장소도 한 계단 높았다. 장례식에 참석했던 대부분 사람은 그의 죽음보다는 죽고 난 후에 그가 받는 대우에 관심이 더 많았다. 죽은 마지막 모습을 알고 있는 군의관이 장례식에 참석했다. 죽고 나서야 그게 다 무슨 소용이냐는 말을 하고 다녔다. 나중에 또 다른 얘기를 들었다. 파월 사령관이었던 엄청 높은 분이 자기가 죽으면 같이 싸우던 병사들이 묻힌 그 곁에 묻어 달라고 했다는 것이었다. 희한한 사람도 다 있구나 싶었다. 부상병들과 그 무리들은 격리되었다. 가까이 가는 것도 금지되었다. 사지가 멀쩡하게 달려 있고 목숨도 제대로 붙어 있어서 살아는 있지만 죽은 사람보다 나은 것이 없는 사람들이었다. 앞으로도 어떻게 될지 아무도 미래를 짐작조차 할 수 없는 사람들이었다. 불쌍한 것만이 같은 처지였다.

"안 병장님. 저 친구 말입니다."

"그래. 왜?"

"사지 멀쩡해 보이는데 왜 귀국해서 여기 처박혀 있는 겁니까? 혹시 왜 그런지 아십니까? 꾀병이면 손을 좀 봐줘야겠고 뭐 오락가락하면 그냥 넘어가려고 그럽니다. 하하."

"그냥 둬. 저 친구 말이야. 그러고 보니 저 친구 사정에 대해서 아무것도 못 들었나 보네? 그 왜 벌레 죽인다고 미군들이 비행기에서 뿌려 대던 거. 그거 기억나지?"

"아! 네. 비도 아니고 뭐 냄새도 별로였지만 벌레 없애 준다고 해서 몇 번 뛰어나가서 맞은 적은 있습니다. 근데, 맞고 나면 축축해서 기분도 별로고 안 그래도 땀에 절어 있는데 더 찝찝해지는 게 싫어서 전 보통은 판초우의 뒤집어쓰고 있었습니다."

"야. 잘했어. 그게 말이야. 여기서 들어 보니 사람 몸에 엄청나게 안 좋은 독약이었다더라구. 그걸 많이 맞아서 저렇게 된 거라고 하던데?"

"네? 독약? 에이. 미군들이 독약을 왜 우리한테 뿌립니까? 같은 편인데."

"글쎄. 그건 나도 잘 몰라. 하여튼 그거 많이 맞은 전우들이 저렇게 막 긁고 그런다더라구. 무슨 피부병이 심해져서 진물도 나고, 제대로 씻지도 못한다던데? 하기야 뭐 나도 제대로 씻지는 않지만. 하하."

고엽제였다. 모기 같은 해충을 없앤답시고 아군의 머리 위에 뿌려대던 그 약이 문제였다. 사전에 아무런 교육도 받지 못하고 해충이 달려들지 않는다는 소리에 윗옷을 벗고 흠뻑 맞기도 했던 그것이 사람의 몸속까지 파헤치고 망가뜨렸다. 제대로 된 지식이나 정보가 없으니 제대로 된 치료도 있을 수 없었다. 피부병이 심해져서 귀국한 그 친구도 하루 중 대부분을 긁으면서 지냈다. 하지만 고통은 매한가지였다. 월남에서 돌아온 전우 중 전사자를 빼고는 모두가 헤어날 수 없는 고통 속에서 살았다. 안용근이 전사자의 가족들까지 그런 고통을 당하고 있다는 것을 안 것은 시간이 많이 지나서였다. 귀국해서 전역을 한 사람들이 가끔 병원에 남아 있는 전우들을 찾아오는 경우가 있었지만, 정상적으로 사는 사람은 거의 없는 듯했다. 얼굴에 서린 불안과 어둠이 사회에서의 생활을 충분히 말해 주었다. 병원을 찾지 않는 전우들은 제대로 살고 있기를 바랐다.

"어어. 안 병장. 저기 또 들어온다. 또."

"아아. 오늘은 더 많은 거 같네. 무슨 일이 있었길래 저렇게 줄이 긴 거야?"

"요 며칠 동안은 열도 안 되더니 오늘은 열여섯, 열일곱. 자꾸 들어오네."

"내려가 볼까? 우린 살아왔는데 저 전우들은 뼛가루만 돌아오니, 아이고. 내려가서 저승길 편안하라고 경례라도 해야 하는 거 아냐?"

"뭐? 죽은 친구들한테 경례해 봐야 뭐 달라지냐? 아무짝에도 쓸데없는 짓을 하려고 그래!"

"그래도, 한번 내려가 보자. 그렇게라도 해야 마음이 좀 편할 거 같다."

"그래. 내가 밀어줄게."

"어쩌다가 우리가 다행인 사람이 되어 버린 건지. 참!"

월남으로부터 전사자 유해가 병원에 도착하면 병원 내 모든 사람의 분위기는 다시 한번 더 깊은 고통으로 밀어 넣어졌다. 살아 있어도 산 사람이 아닌데도, 죽어서 오는 사람들보다는 낫다고들 했다. 낫다고는 했지만, 마땅히 위로받을 만한 이유가 없었고 위로해 줄 수 있는 사람도 없었다. 그날 안용근은 보수대 동기의 유골함을 보았다. 믿기지 않았지만 사실이었다. 부모님이 곧이어 도착했고, 눈물로 인사를 대신했다. 길게 할 말은 없었다.

"잘 가라. 친구야. 잘 가."

"용근아. 너라도 어서 나아야지. 평생 여기 있을 순 없잖아."

"네. 고맙습니다."

"그래. 부디 뭐라도 하고 잘 살아야지."

"네. 어떻게든 살아 봐야지요.

"그래. 여기서 주저앉으면 우리 애도 슬퍼할 거야. 그렇게 고생했는데, 앞으로는 잘 살아야지. 잘."

"월남서 제가 저 친구를 잘 보살펴야 했는데. 이렇게 되니 후회만 됩니다. 휴우."

"네가 후회할 일이 아니다. 휴우."

"우린 이만 가 볼 테니 부디 몸조리 잘하거라."

"죄송합니다."

안용근은 무리해서라도 하루빨리 진해로 가고 싶었다. 뭐라도 하고 살려면 한시라도 서둘러 하는 것이 나을 것 같았다. 전쟁의 기억만 안고 살다가는 헛된 죽음만이 있다는 것을 자살하는 전우들로부터 배웠다. 배우기가 싫어도 배워지는 것이 그런 것들이었다. 성치는 않지만 사정사정해서 서둘러 퇴원했다. 부대에서 해 줄 수 있다는 모든 것들을 착실하게 챙겨서 진해로 내려갔다.

"조심히 가요."
"네. 감사합니다. 그동안 신세 많이 졌습니다."
"앞으로가 더 걱정이다."
"걱정 말어. 괜찮을 거야."
"그래. 그 망할 전쟁터에서도 살아왔는데 뭐가 문제겠어?"
"그래. 퇴원하면 진해로 한번 와. 그동안 자리 잡고 열심히 살고 있을 테니까."
"그래. 넌 잘할 거야. 내가 믿는다."
"고마워. 먼저 갈게."

전쟁터는 미래를 그리는 사람들이 오는 곳이 아니었다. 전쟁터에서 살아남은 자들도 제대로 된 미래를 그릴 수 없었다. 더욱이 한쪽 다리를 잃은 안용근에게 부대 밖 세상은 차가운 현실을 있는 그대로 보여 주고 느끼게 해 주었다. 그래도 뭔가 할 수 있는 일이 있을 것이라 믿으며 목발을 짚고 다닐 수 있는 곳은 다 돌아다녔다. 누구라도 만나서 무슨 말이라도 해야 했다. 그렇게 하다 보면 오래되지 않아 자신을 필요로 하는 시간과 장소와 사람이 있을 것이라 스스로를 위로했다. 거리를 헤매다 지치면 아무렇게나 놓인 돌이나 길바닥에 앉아 가쁜 숨을 몰아쉬며 물 한 모금 마시고 다시 걸었다. 멈출 수도 없었다. 잠시 앉아 있노라면 동전을 던져 주는 이도 있었다. 거지가 아니라고 해도 동전을 던지는 사람들이 있었다. 멀리서 동전을 던지고는 안용근 주위를 멀리 돌아서 지나가는 사람들도 있었다. 사람들은 안용근의 말을 듣지 않았다. 아무리 말해도 들으려 하지 않았고, 이해하려고 하지 않았다. 안용근의 외침은 완전히 고립된 곳에서 혼자만의 독백이었다. 시간은 그렇게 흘러갔다.

"용근아. 오늘은 밖에 나가지 말고 집에 있자. 아무래도 오늘 네 동생이 애를 낳을 것 같아. 아니면 같이 가 보든지."

"벌써요? 하긴 제가 병원에서 나온 지도 좀 됐으니까. 전 그냥 집에 있을게요. 가 보시고 무슨 일 있으면 막내 데리고 갔다가 전해 주세요. 괜히 지금 제가 가 있어 봐야 별 도움도 안 될 것이고."

"또 그렇게 말한다. 네 동생이 널 얼마나 좋아하는지 잘 알면서 자꾸 그런 말을 하는 거냐?"

"별 뜻 없이 그런 거니까 신경 쓰지 마세요. 하하."

"동생은 집에 다 두고 갈 테니까, 나중에 점심때 지나서 오면 될 거다. 그래봐야 창문 밖에서 애기 얼굴이나 보고 오겠지만. 갓난이들은 사람들이 자꾸 보러 가면 안 되는 거거든."

"네. 점심때 지나서 동생들 데리고 갈게요. 그럼 어머닌 오늘부터 동생네서 지내셔야겠네요?"

"그래. 제 서방이 하루 이틀은 집에 있겠지만 출근해야 하니까 내가 옆에서 수발을 좀 들어줘야 할 것 같다."

"걱정하지 마시고 어서 챙겨서 가세요."

어떤 식으로든 시간은 흘러갔다. 동생이 낳은 조카는 너무 작았다. 창밖에서 겨우 볼 수 있었지만, 얼굴도 너무 작았고 강보에 싸여 있어 손발은 보지 못했다. 그렇지만 사랑스러웠다. 첫아이라 진통을 오래 했다. 아침에 온 진통은 점심때를 넘기고 한참 후에야 끝이 났다. 웬 녀석이 그렇게나 오래 나오지 않는지 모두들 걱정이었다. 집안에 처음으로 나오는 아기이니 걱정이 이만저만 아니었다. 혹시라도 무슨 일이 생길까 봐 전전긍긍했다. 어떻게 해 줄 방법이 없다 보니 모두들 답답하기는 마찬가지였다. 어머니는 동생 곁에서 산파와 같이 죽을힘을 썼다. 어머니가 다시 애를 낳는 기분이었다는 말을 듣고는 다들 웃었다. 동생도 건강했고 아이도 건강했다. 동생이 자랑스러웠다. 새로운 가족이 생겼다. 살아서 돌아오길 잘했다는 생각이 들었다.

"저기. 실례합니다. 누구 안 계세요?"

"네! 누구세요?"

"사람을 찾는데요. 혹시 여기 안용근이라는 사람이 사나 해서요?"

"그런 사람 없는데요!"

"아. 네. 죄송합니다."

"잠깐만요. 혹시 월남 갔다 온 그 안 병장? 아 그 사람 알아요!"

"네? 그럼 혹시 지금 그 사람 어디 사는지 아세요?"

"알지요. 저기 아래 모퉁이 돌아가면 산 바로 아래 작은 웅덩이가 보일 거요. 거기 바로 옆 함석으로 된 문이 있는데 그 집에 살 거요."

"고맙습니다. 고맙습니다."

"몸이 많이 무거워 보이는데 그 짐을 다 들고 가긴 멀 텐데."

"아닙니다. 저기 뒤에 트럭 타고 가면 됩니다. 정말 고맙습니다."

"응? 저 트럭 짐이 다 새댁 거란 말이요? 저렇게나 많은 짐이?"

"네. 그럼, 이만. 고맙습니다."

　동생이 조카를 낳은 후 며칠 지나지 않은 때였다. 안용근은 생각지도 못한 술집 여주인의 방문에 말문이 막혀 버렸다. 술집 여주인의 배는 여동생이 아이를 낳기 직전보다 훨씬 더 크게 불러 있었고 타고 온 트럭에는 제법 산다는 집안의 살림살이 양의 짐이 가득 실려 있었다. 술집 여주인은 안용근에게서 작은 부상으로 귀국할 것이라는 편지를 받고 술집을 정리하기 시작했었다. 점점 불러오는 배를 가지고 장사를 할 수 없었고, 아이를 낳는다 해도 누구 하나 돌봐줄 사람도 없었다. 술집 여주인은 죽어도 살아도 안용근의 곁에 있어야겠다는 생각으로 모든 것을 정리하고 진해로 내려왔다. 가족들이 있으니, 애를 낳아도 손을 빌려 줄 것이고, 특히 어머니는 다섯이나 되는 아이를 낳아 길렀으니 충분히 기댈 수 있으리라 생각했다.

　집안의 모든 사람은 뜻밖의 일에 어리둥절했다. 안용근이 집에 아무런 말도 하지 않고 애를 만들었다는 것과 여자 혼자서 그 많은 살림을 다 가지고 먼 길을 내려온 것에 놀랐다. 제일 놀란 사람은 안용근이었다. 자신의 아이가 생겼다는 것을 여태 모르고 있다가 갑자기 부른 배를 안고 나타나 같이 살겠다고 말하는 술집 여주인을 보고 놀라지 않을 수 없었다. 가족들은 어찌할 바를 몰랐다. 안용근도 마찬가지였다. 술집 여주인은 먼저 맨땅에서 부모님께 절을 했다. 그러면서 자신은 안용근의 아이를 가졌으니, 이제부터 함께 살게 해 달라고 했다.

안용근이 월남으로 가면서 한 말이 있어 지금껏 혼자 장사하면서 살아왔노라고 했다. 아이를 건강하게 낳기 위해 그저 먹고살 정도로만 일을 했고, 안용근이 귀국한다는 편지를 받고서 곧장 찾아가려 했지만 때가 되면 안용근이 찾아 줄 것이라 믿으면서 기다렸다고 했다.

안용근의 한쪽 다리가 없는 것은 전혀 모르고 있었지만 살아 돌아왔다는 것만 중요할 뿐 그 정도의 부상은 아무것도 아닌 듯했다. 술집 여주인은 안용근 가족들의 생각은 묻지도 않은 채 그저 같이 살게만 해 달라고 애원했다. 어디 갈 곳도 없다고 했다. 가족들은 마다할 이유가 없었다. 한쪽 다리가 없는 안용근의 짝을 찾아 장가보내는 것도 힘든 일인데 아이까지 뱃속에 데리고 나타난 여인이 고마울 뿐이었다. 그리고 그 많은 살림살이는 안용근과 여인이 당장 신혼집을 차려 나갈 수 있을 정도였다.

"죄송합니다. 이렇게 불쑥 나타나서요."

"아니. 그게."

"배 속의 아이는 용근 씨 아이입니다. 아니면 제가 여기서 자결을 할 수 있습니다."

"그게. 아니고."

"어머님. 아버님. 이렇게 나타나는 것이 도리가 아닌 줄 압니다. 하지만, 몸이 이렇게 무거워서 어떻게 할 도리가 없었습니다. 죄송합니다."

"아니에요. 어서 들어와요. 얼마나 힘들었겠어요. 혼자서."

"그래요. 어서 들어와요. 땅바닥에 앉아 있지 말고. 어서요."

"감사합니다. 흑흑."

"넌 뭐 하니? 어서 안사람 들이지 않고."

"네? 네. 어머니. 들어가자. 어서."

"고맙습니다. 흑흑"

술집 여주인을 급히 집 안으로 들인 후 가족들은 지금까지 안용근과 있었던 일들을 들었다. 힘든 시기에 돈을 보내어 먹고 살 끼니를 구할 수 있도록 해 준 것도 이 여인이었다는 것을 듣고 어머니는 덥석 손을 잡았다. 아버지도 고맙다는 인사를 했다. 여인은 숨김없이 가족들을 대했다. 말하지 않아도 될 이야기도 했다. 자신은 어릴 때 한 번 시집을 갔었고 아이까지 있었지만, 남편은 국군의 포탄을 나르다 폭사했고 남겨진 아이도 불발탄을 만지다가 사고를 당해 두 사람 다 육신은 아무것도 남기지 않고 떠났다고 했다. 안용근보다 여섯 살이 위라고도 했다. 하지만 세상 끝이 나더라도 안용근 곁에서 아이 낳고 잘살 것이라고 했다. 자신은 안용근이 다시 살린 목숨이니 죽어도 안용근 곁에서 죽을 것이라고 했다.

저녁이 되자 어머니는 아껴 두었던 돈으로 평소에 먹지 못하던 생선과 고기를 사서 가족들의 식사를 준비했다. 술집 여주인도 어머니 곁에서 음식 만드는 것을 도왔다. 술집을 하면서 온갖 음식을 다 만들어 본 솜씨라 어머니께서도 놀랄 지경이었다. 채 하루도 지나지 않았지만, 어머니는 술집 여주인을 며느리로 받아들였다. 아버지도 싹싹한 성격에 안용근을 바라보는 술집 여주인의 눈을 보면서 안심했다. 기별을 넣어 매제도 불러서 함께 저녁을 먹었다. 트럭을 몰고 온 기사도 같이 식사했다. 트럭에 실린 짐이 많아 당장 내리지 못하고 다음 날 가족들이 다 같이 내리기로 했다. 식사 후 설거지를 끝낸 가족들은 다시 모여 앉았다. 앞으로 안용근과 술집 여주인이 살 집도 마련해야 했고 곧 아이가 나올 것이므로 이것 또한 준비해야 했다.

문제는 돈이었다. 어릴 때는 많은 돈을 벌 수도 없었지만, 큰돈이 필요치도 않았다. 다만 먹고살 정도만 있어도 행복했다. 거기다 학교에 갈 수 있다면 그것은 사치였다. 그런 시절이 있었다. 하지만 지금은 달랐다. 세상이 변하고 있었고 사람처럼 살기 위해서 돈과 배움이 필요했다. 이런 걱정을 하는 사이 술집 여주인이 꺼낸 돈은 다시 한번 가족들을 놀라게 했다. 당분간 돈 걱정은 하지 않아도 된다는 말과 함께 허리를 두르고 있던 전대를 내밀자, 안용근도 멈칫하면서 뒤로 물러나 앉았다.

"으응! 이게 다 돈이야?"

"네. 당신이 팔아서 돈 만들라던 것들 제대로 팔아서 돈 만들었고, 그중 일부는 집으로 보냈어요. 그리고 돈 필요한 사람들에게 빌려주고 이자도 받아서 조금 더 불렸어요. 장사는 배 속 아이와 제가 먹고살 정도만 했구요."

"그렇게 해서 모은 돈이 이렇게 많아?"

"네. 종잣돈이 많으니까, 돈도 금세 불더라구요."

"아가. 이 많은 돈을 어디다 보관했던 거야? 이 무서운 세상에."

"네. 아버님. 제가 하던 식당이 부대 담벼락 밑이라 그 아래에 땅을 파고 숨겨 뒀어요. 군부대 담벼락이라 군인들이 지켜 주니 걱정할 필요도 없었어요. 보통 사람들은 얼씬거리지도 못했거든요."

"아이구. 네가 정말 똑똑하구나. 용근아. 이런 며느리를 어디서 구하겠니? 잘했다. 정말 잘했어."

"네? 뭐가 잘했어요? 뭐 나쁘진 않지만."

"여기 근처에 세 식구 살 집만 마련해 놓고 식당이라도 해야겠어요. 제가 가진 재주라고는 음식 만들어 파는 게 전부이고 용근 씨는 몸이 성치 않으니 앉아서 할 수 있는 일을 찾아야겠구요."

"아버지. 동생들 학교 보내는 데 드는 돈은 여기서 먼저 좀 떼어 놓고 나머지는 저랑 이 사람이 식당 준비하는 데 써야 할 거 같아요."

"그래. 근데, 저분 생각도 물어봐야지."

"아버님. 저분이라니요? 전 오래전부터 이 집 사람이에요. 아직 결혼식은 못 했지만 용근 씨 안사람입니다."

"그래. 그래. 미안하다. 내가 아직 경황이 없어서 실수했구나. 며늘아."

"자. 너무 서두르지 말고 오늘은 일찍 자자꾸나. 아이들은 우리 방에서 같이 자고 용근이랑 새아기는 건넛방으로 가거라."

"네. 어머니. 제가 열심히 살 테니까 너무 걱정 마세요. 전 용근 씨만 있으면 뭐라도 할 수 있을 것 같아요"

"내가 무슨 복이 이리 많은지 모르겠다. 이게 꿈은 아니지? 응?"

"호호호. 어머니도 참. 내일 아침에 트럭 기사가 오면 나머지 짐 내리고 정리도 해야 하니까 얼른 주무세요."

다음 날, 트럭을 집 앞에 대고 뒷문을 열자, 가족들은 모두 힘을 합쳐 짐을 내렸다. 간단한 가재도구들은 잘 정리하여 부피를 줄여 실려 있었다. 크기가 있는 짐들 사이사이에 작은 짐들을 알뜰살뜰 넣어 온 모습이 얼마나 꼼꼼하게 살림을 살았는지 알 수 있었다. 짐을 실은 모습을 보며 안용근의 어머니는 다시 한번 술집 여주인을 기특하게 생각했다. 귀한 것들부터 챙겨서 집 안으로 옮겼지만, 생각보다 짐이 너무 많아 일부는 옆집 사이에 있는 공간에 쌓고 군용 텐트로 덮어 두었다. 그중 일부는 다시 팔아 돈을 만들 수 있을 정도로 상태도 좋고 귀한 물건들이었다. 다음 날 안용근의 여동생이 몸을 조금 추스르고 난 후 집으로 왔다. 여동생과 술집 여주인은 서로를 부둥켜안고 울었다. 부산항에서 월남으로 보낼 때 본 얼굴이 기억에 남아 있었기 때문에 더욱 살갑게 대하면서 울었다. 며칠 전 아이를 낳았고 이제 곧 아이를 낳아야 하는 것도 둘 사이의 동질감을 더욱 짙게 했다. 사랑하는 사람을, 그리고 오빠를 월남으로 보내면서 얼굴도 보지 못했던 그 아쉬움을 이제는 가족이라는 테두리로 보상받는 기분이었다. 모르는 사이에 안용근의 가족들과 술집 여주인은 많은 것들이 얽혀 있었다.

"네네. 여기 나갑니다."

"아. 여기 국밥이 그렇게 맛있어?"

"그래. 여기가 이 근방에서 제일 싼 집이야. 한 그릇에 십오 원밖에 안 한다고."

"뭐? 십오 원? 혹시 돼지가 멱 감고 나간 국물 아냐?"

"한번 먹어 봐. 주인 인심이 철철 넘쳐흐른다니까. 저기 봐. 탁배기도 한 잔씩 팔고 김치 맛도 기가 막혀."

"국밥 맛이 다 그렇지 뭐. 별다를 게 있나?"

"이 집 알려 줘서 나한테 고맙다고 할걸! 하하하!"

"국물도 국물이지만 건더기가 제대로야. 아주."

"그렇게 하면 남는 게 있나?"

"이 사람아. 우리가 장사하는 사람 남는 거 걱정할 팔자야?"

"하긴 그렇지만."

"주인 인사도 아주 좋아. 돈 받는 사람이 남편인데 월남에서 다리를 다쳤나 봐. 그래서 주변에 불편한 사람들에게는 가끔 공짜 밥도 주는 모양이더라고."

"그래? 복 받을 사람이구만. 그래."

"그렇다니까. 그런 마음이니까 음식도 복 받을 정도로 만들어서 파는 거야."

"이거 기대가 많이 되는구만. 하하하."

"어서 들어가자구. 어떤 때는 다 팔려서 못 먹는 경우도 있거든."

술집 여주인은 무거운 몸이지만 곧장 식당을 알아본 후 장사를 시작했다. 아이도 건강하게 낳았다. 아들이었다. 안용근과 어머니는 얼굴에 표시가 날 정도로 걱정했지만 아이는 수월하게 나왔고 머리카락도 제법 많았다. 아이가 나오는 날 안용근은 제대로 숨을 쉴 수 없었다. 자신의 아이가 나온다는 것은 상상도 할 수 없을 정도의 행복이었다. 제발 건강하게 아이가 나오게 해 달라고 하늘과 땅에 빌었다.

"건강하단다. 둘 다."

"건강하지요? 건강하게 나온 거 맞지요?"

"그래. 걱정하지 말거라."

"아이가. 아이가. 제 아이가."

"하늘이 도운 거야. 저 아이가 우리 집으로 온 것부터가 하늘이 도운 거야."

"어머니."

"조금 있다가 들어가 봐라."

"네. 어머니."

어머니의 도움으로 몸조리도 편안하게 했다. 술집 여주인은 일어나 앉을 수 있게 되자 어머니의 손을 잡고 울었다. 감사하다는 말을 몇 번이나 했다. 안용근은 조카가 태어날 때의 모습보다 조금 크게 나온 아이를 보고 탄성을 질렀고 웃음이 그치지 않았다.

살아 돌아온 것은 정말로 잘한 일이었다. 아이를 낳은 후 몸을 추스른 술집 여주인은 서둘러 주방에 자리 잡고 음식을 정성 들여 만들어 냈다. 음식 나르는 일은 어머니와 아버지 그리고 가족들이 돌아가면서 도왔고 안용근은 계산했다. 음식값이 싸고 맛이 있어서 손님들은 많았지만, 큰 이익은 남지 않았다. 때론 돈이 없는 사람들 돈은 받지 않고 그냥 보내 주기도 했다. 남들이 보기에 장사는 잘되었지만, 안용근과 가족들의 형편은 크게 나아지지 않았다. 그나마 술집 여주인이 가지고 온 돈과 물건들을 팔아서 만든 돈이 있어 먹고사는 것은 크게 걱정하지 않았다.

식당에 딸린 작은방에서 신혼 아닌 신혼살림을 시작한 두 사람은 아이가 태어난 지 백일이 되는 날 며칠 쉬기로 했다. 진해로 내려온 이후 그동안 서로에게 보고 싶었던 마음을 제대로 표현도 못 하면서 아이 낳는 것과 식당을 하는 일에만 매달렸다.

출생신고도 했다. 아이는 안용근을 그대로 닮아 있었다. 씨도둑 질은 못 한다는 옛말이 맞았다. 며칠 쉰 이후 두 달 정도 지나자 다시 술집 여주인의 배가 불러왔다. 둘째는 더 수월하게 낳았다. 역시 아들 이었다. 안용근은 이제 곧 죽어도 한이 없을 것 같은 기분이었다. 모 든 일이 잘되었고 모든 사람이 고마웠다. 식당에서 돈을 내지 않고 공 짜 밥과 공짜 술을 먹고 마시는 사람들까지도 고마웠다. 힘든 시간을 이겨낸 것에 대해 세상 모두가 보상해 주는 기분이었다. 비록 식당 한 구석에 앉아 계산만 하는 신세였지만 최대한 두 팔을 놀려 자신이 할 수 있는 모든 방법으로 사랑스러운 아이들을 돌보았다. 아이들의 웃 는 얼굴을 보는 것이 행복한 한평생을 누리는 것처럼 느껴졌다. 이런 안용근의 모습을 보는 가족들과 술집 여주인도 이제야 세상의 복이 굴러들어 오고 있다고 여겼다.

"어쩜 요렇게 아버지를 쏙 빼닮았나 몰라."
"아버지가 워낙 잘생겨서 그래요. 호호호."
"이 사람아. 나보다는 엄마가 더 생긴 건 낫지. 하하하."
"눈매 봐요. 눈썹이 머리카락만큼 길어요."
"허허허. 눈썹이 어떻게 머리카락만큼 길겠어? 허허허."
"눈웃음을 살살 치는 게 아버지만큼 여자를 잘 홀리겠는걸요."
"내가 언제 여자를 홀렸다고 그래?"

"그럼 내가 알아서 당신을 따라온 거란 말이에요?"

"허허허. 그건 모르지."

"용근이가 그런 재주가 있는지는 우리도 몰랐다. 하하하."

"얌전한 고양이가 부뚜막에 먼저 올라간다잖아요. 호호호."

"우리 용근이는 그냥 얌전하기만 한걸."

"그렇게 얌전한 용근이가 아이를 연년생으로 낳아요?"

"아이 낳는 거하고 얌전한 거하고는 상관이 없는 거요. 하하하. 우리도 그렇잖아요. 하하하."

"새아기가 고생이 많았다. 우리 복덩이 새아기야."

"고맙습니다. 어머니 덕분에 조리할 것도 없었어요."

"그래도 몸 잘 돌봐야 한다. 혹시 필요하거나 먹고 싶은 거 있으면 말하고."

"네 고맙습니다. 아버님."

"이제 우리 집이 사람 사는 것 같다. 이제야 내가 사람 사는 집사람이 된 것 같아."

8. 보증保證, 다시 수렁으로

보수대 동기의 아버지가 어떻게 알았는지 기별도 없이 식당으로 찾아오셨다. 반갑기 그지없었고, 죄송한 마음이었다. 보수대 동기와 함께 돌아왔다면 반가운 얼굴로 맞이할 수 있었지만, 혼자 살아 돌아 왔다는 것은 죄책감이 되었다.

"오랜만이네. 안용근 병장."

"네. 아버님 그동안 별고 없으셨습니까? 어머니와 동생은 잘 지내지요?"

"허. 자네야 살아 돌아왔지만, 우리 애가 그렇게 되고 나서 제대로 살아졌겠나?"

"죄송합니다."

"자네가 죄송할 게 있나? 다 내가 덕이 없어서 그런걸. 근데 장사가 꽤 잘되나 보네?"

"네. 크게 잘되진 않지만 먹고살 만한 정도입니다."

"저리 사람들이 많이 들어오는데? 다행이네. 자네라도 잘살고 있으니까, 말이야."

"감사합니다. 근데 진해는 어떤 일로 오셨습니까? 혹시 친척분이라도?"

"아니야. 아니야. 사실은 말이야. 미안하지만 부탁이 있어서 찾아왔네."

"부탁이라니요. 아버님. 제가 할 수 있는 게 있다면 뭐라도 해 드려야지요. 걱정 마시고 말씀하세요."

"그게 말이야. 우리 애가 월남서 그렇게 되고 나서 나도 군복을 벗었지. 그때 난 우리 애가 전사한 이유가 전신 파편상이라고 해서 이상하다고 생각했었네. 그 작전에서 전사한 다른 사람들은 전부 총상이었는데, 우리 애만 전신 파편상이라고 하니 믿을 수가 없었지. 그래서 정확한 이유를 알고 싶었네. 하지만 사관학교 동기생들도 제대로 연락받지 않고 전사 당시의 상황을 제대로 알려 주는 사람은 아무도 없었지. 모두 약속이라도 한 것처럼 입을 다물었었네."

"많이 힘드셨겠습니다. 저도 가끔 그 친구 생각을 합니다. 제가 정말 도움을 많이 받았습니다."

"기억이라도 해 준다니 고맙네."

"제가 아버님 찾아뵙지 못해서 죄송합니다. 제 꼴이 이래서."

"아니야. 아니야. 음. 휴우."

"아버님 무슨 일이인지 편하게 말씀하시지요."

"그게 말이야. 내가 전역을 하면서 받았던 얼마 안 되는 돈으로 그애와 관련된 조사를 한다고 돌아다니다 보니 집안도 말이 아니게 되었고 얼마 전부터 애 엄마가 몸이 안 좋아져서 병원 신세를 지고 있네. 원인도 없고 나아질 기미도 보이질 않아. 그래서 내가 병원에 자주 가서 보살펴야 하거든. 일단 나도 먹고살아야 해서 친구와 동업해서 작은 사업을 시작하기로 했네.

"다행입니다. 아버님."

"근데, 이게 말이야. 자금이 좀 필요한데, 은행에서 돈을 빌려야 해. 은행에서 뭐 간단한 거지만 보증을 좀 설 사람이 필요하다네. 집이나 뭐 이런 것도 좀 있는 사람이 말이야. 그래서 자네한테 신세를 좀 져야 할 것 같네."

"뭐 큰일도 아닌데요. 제가 서겠습니다. 필요하신 게 있으시면 여기 적어 주세요. 제가 마련해서 보내 드리겠습니다."

"아니야. 여기 서류에 도장만 두어 군데 찍어 주면 되네. 귀찮게 하지는 않을 테니까 걱정 말고."

"네 아버님. 그럼, 식사라도 하고 가시지요."

"아니야. 난 됐네. 어서 나서야 병원에 도착할 수 있을 것 같네."

"네. 아버님. 어머니도 어서 나으셔야 할 텐데요."

"곧 좋아지겠지. 고맙네. 고마워."

한순간이었다. 도장을 찍는 그 한순간에 모든 것이 날아갔다. 보수대 동기의 아버지가 안용근의 도장을 받고 황급히 사라지고 난 뒤, 한 달쯤 지난 후부터 우편물들이 도착하기 시작했다. 알 수 없는 어려운 말들이 적혀 있어 무심코 버리기도 했고 별거 아니려니 생각했다. 늦게 군대 간 형이 휴가를 나와 조카들을 보고 난 후 점심을 먹다가 우편물을 상세히 보고는 안용근과 제수씨에게 큰 사달이 일어났음을 알렸다. 형이 더 이상 점심을 먹지 못하는 것을 보고 그제야 안용근과

299

술집 여주인은 뭔가 크게 잘못되었음을 알게 되었다. 뒤이어 형의 휴가가 끝나기도 전에 한 무리의 사람들이 찾아와 자신들의 돈을 내놓으라고 식당 입구를 틀어막고 엄포를 놓았다.

장사를 할 수가 없었다. 가지고 있는 돈을 모두 털어 주고서 장사는 할 수 있게 해 달라고 요구했다. 술집 여주인은 장사해야 돈을 갚을 수 있으니 식당 입구는 막지 말라고 당당하게 요구했다. 술집을 하면서 단련된 사람이라 강단이 있었다. 하지만 쓸데없는 강단이었다.

처음에는 제 돈만 찾으면 된다던 그 무리들은 이자까지 한 번에 다 내놓으라며 물건을 집어 던지고 소리를 질렀다. 집이라도 팔고 숨겨 둔 돈은 모두 내놓으라며 자리를 뜨지 않았다. 경찰을 불러도 소용없었다. 월남에서 돌아온 부상병이라 이제 겨우 자리를 잡고 장사를 하고 있으니, 시간을 달라고 해도 들은 척하지 않았다. 오히려 숨겨 놓은 돈을 내놓지 않는 지독한 인간들이라며 경멸 섞인 말들을 쏟아냈다. 그 무리 중 서넛은 늦은 밤이 될 때까지 남아 돈을 요구했다. 심지어 다른 일을 하지 못하고 있으니 그 비용까지 내놓으라고 했다. 어느 날은 자신들의 아이들까지 데리고 와 식당 입구에서 같이 죽자면서 울음바다를 만들어 놓았다. 돈이 될 만한 것들은 내다 팔아 돈을 만들어 그 무리들에게 건네주었다. 그 무리들 사이에서도 싸움이 일어났다. 서로 먼저 받아 가겠다면서 악을 썼다. 무서운 얼굴들이었다. 보수대 동기 아버지에게 연락했다. 도대체 어떻게 된 일인지 그리고 얼마나 많은 돈을 갚아야 다시 장사할 수 있을지 막막했다.

여러 차례 급한 사정을 알리는 편지를 썼고 아버지는 주소를 가지고 보수대 동기 아버지가 남긴 주소로 찾아 나섰지만 찾을 수 없었다.

안용근은 목발에 기댄 채 보수대 동기 어머니가 입원해 있다는 병원을 찾았다. 입대할 때처럼 기차와 버스를 타고 하루 꼬박 걸려 병원에 도착했다. 하지만 병원비도 다 지불하지 않고 몰래 도망을 가 버려 오히려 안용근에게 행적을 묻는 형편이었다. 병원을 나서는 안용근에게 혹시라도 만나게 되면 세상 끝까지 가서 병원비를 받아 낼 것이니 먼저 찾아와서 사과하고 병원비를 낼 것을 전해 달라고 했다. 병원이 아니라 전쟁터에서 볼 듯한 무서운 얼굴이었다. 보수대 동기 부모님들은 찾을 수 없겠다는 생각이 들었다.

"아무것도 없습니다. 더 이상 주고 싶어도 드릴 게 없습니다."

"뭐가 없어? 응? 어디다 숨겨 놓은 걸 모를 줄 알지?"

"정말 아무것도 없습니다. 집도 다 팔아서 드렸잖아요."

"두 연놈이 짜고, 그 사기꾼 새끼까지 합쳐서 우리 돈 빼먹고 잘 살 줄 알았어? 당장 내놔!"

"아닙니다. 저흰 그분한테 동전 한 닢 받은 적이 없어요. 그냥 도장만 찍어 준 것밖에 없어요."

"도장만 찍어? 그래! 도장 찍었으니, 책임을 져야지. 그놈이 우리한테 사기 친 돈을 다 받으려면 아직 멀었어. 그 잘난 목발이라도 팔아. 응? 너희 사기꾼들 때문에 우리까지 다 굶어 죽게 생겼으니까."

"선생님들 우리 애가 아무것도 모르고 그냥 사람이 좋아 그분을 믿고 도와주려고 한 것뿐입니다. 뭐라도 해야 조금씩 갚아 드릴 거 아니겠어요? 그러니 이젠 제발 좀 돌아들 가시고 시간을 좀 주세요. 여기서 이러신다고 없는 돈이 생기는 게 아니잖아요. 네?"

"그분? 너희들한테는 그분이지? 우리한테는 그 사기꾼 새끼야.
응? 알어? 우리가 그놈 찾는다고 전국을 다 헤매고 그 마누라에 자식
까지 찾아보려고 병원이며 온갖 군데를 다 찾아봤지만 얼마나 영리한
지 그림자도 없더구만. 이 먼 데까지 와서 보증받아 간 걸 보면 네놈
들이 그동안 우리 돈을 삼키려고 얼마나 치밀하게 준비한 건지 이제
확실히 알겠어. 어서 내놔. 내 돈. 부모나 자식이나 다 똑같은 작자들
이구만. 자식이 잘못했으면 부모라도 책임을 져야지. 아니면 여기서
다 같이 죽든가?"

"이보세요. 우리가 드린 돈이 얼만데 그걸 가지고 죽는다니요?
네? 제발 우릴 좀 놔줘요. 우리도 먹고살아야 하잖아요."

"네놈들이 먹고사는 건 우리하곤 전혀 상관이 없는 일이야. 알아?
우리 돈 사기 쳐서 떼먹고 니들만 잘살려고 했으니까 전부 다 책임을
져야. 양심이 있으면 어디 그 잘난 입으로 대답을 해 봐. 응?"

부모님과 동생이 살던 집도 팔았다. 가족들이 가진 것 중 돈이 되
는 것은 전부 팔아 그 무리에게 주었다. 몇 달을 괴롭히던 그들도 더
이상 받아 낼 것이 없다는 걸 알고서 가지고 온 종이를 내던지고 사라
졌다. 당장 잠을 잘 곳도 없었다. 급한 마음에 세 들어 살던 윗동네 집
으로 가서 주인에게 사정을 얘기했다. 좋은 감정으로 이사를 보냈던
터라 때마침 비어 있는 집에 당분간 기거할 수 있도록 해 주었다. 죄
와 복은 지은 데로 간다는 말이 맞았다. 비록 실수로 찍어 준 도장이
지만 그 도장은 죄가 되어 돌아왔다. 술집 여주인은 그 와중에도 쌀독
아래에 몰래 숨겨 놓았던 얼마간의 돈을 가지고 그 집을 나왔다.

안용근은 친구와의 추억이 담긴 카메라를 팔았다. 가재도구와 며칠이라도 먹을 쌀을 제일 먼저 샀다. 원호처에서 나오는 약간의 돈으로 쌀과 보리, 밀가루를 섞어서 끼니를 해결했다. 주인집에서 찬거리를 내주면 그것이 전부인 식사였다. 동생들은 다니던 대학교를 그만두었다. 형에게는 알리지 않았다. 매제가 가끔 들러서 약간의 도움을 주기도 했다.

"야. 술 가져와. 술."

"술 살 돈이 어디 있어요? 정신 차리고 다시 뭐라도 해야지 이렇게 늘 술만 찾으면 어떻게 해요?"

"이런 씨발. 술집 하던 년이 술이 없어?"

"제발. 정신 좀 차려요. 부모님도 다 계신데 정말 왜 이래요?"

"부모님? 야! 내가 월남서 다리 팔아 온 돈으로 그동안 잘들 먹고 살았으면 이제 사람값 좀 하고들 살라고 해. 뭐? 내 말이 틀렸어?"

"여보. 당신 동생들이랑 애들이 들어요. 제발! 흑흑! 으흑흑!"

"울긴 왜 울어? 응? 너도 살기 싫으면 너 살던 대로 가. 내가 언제 네년 여기 있으라고 잡았던 적 있어? 그냥 가 버려!"

"용근아. 왜 이러니? 우리가 다시 열심히만 하면 살길이 있을 거다. 그러니 이러지 말고 살길을 찾아보자. 응?"

"살길? 하아! 씨발! 내 사는 게 원래 이랬었는데 무슨 살길을 찾아요? 그게 찾는다고 찾아지면 저기 길바닥에 드러누워 있는 병신 새끼들은 왜 저런 건데요? 네? 다 소용없어요. 다."

"아빠. 아빠."

"그래. 불쌍한 내 새끼들. 병신자식에 거지 자식까지 달고 살겠구나. 이게 다 이 아비 복인데 어떻게 하겠니? 그저 길바닥에서 굶어 죽지나 말면 되는 거야."

"여보. 제발. 엉엉엉! 흑흑! 제발 정신 차려요"

팔다리 잘리고 온몸에 파편을 맞은 상이군인들은 그들끼리 모였다. 처음에는 어떻게 해서라도 살아 보려고 기술을 배운다, 일자리를 구한다고 하면서 몇 명이 모여 의논하고 시내를 돌아다녔다. 하지만 도와주는 사람은 없었다. 재수가 없다며 소금을 뿌리는 집도 있었고 아예 문도 열어 주지 않는 사람들도 많았다. 그들은 정상인 사람들이 사는 세상에서 더 이상 필요 없는 존재가 되어 갔다. 시간이 지나면서 상이군인들과 장애인들, 그리고 거리의 부랑자들이 섞여 누가 왜 이곳에 왔는지, 어떻게 왔는지 알 수 없게 되었다. 갈 곳 없는 부랑자들은 날이 갈수록 더 모여들었다. 누가 상이군인인지 구분이 되지 않았다. 열심히 살아 보려고 일자리를 구하고 기술을 배우자던 사람들은 점점 사라지고 술 마시고 행패 부리는 사람들만 늘어갔다. 술값이 떨어지면 구걸하거나 심지어 지나가는 사람들을 위협하기도 했다. 그렇게 해서 몇 푼 생기면 길바닥에서 노름하거나 술을 마셨다. 노름해서 나오는 돈도 술을 사는 데 써 버렸다. 오후가 되면 취기로 붉게 달아오른 얼굴로 골목이나 도로변에 널브러졌다. 오물을 뒤집어쓴 채 잠을 자기도 했고 정신을 잃은 채 쓰러져 있다가 어디론가 끌려가 버리기도 했다. 끌려간 사람 중 돌아오지 않는 사람들도 있었다. 사람들은 길에서 마주치기를 꺼렸고 멀리서 보이기만 해도 길을 돌아서 갔다.

시간이 갈수록 점점 더 보통의 사람들이 사는 사회에서 있어서는 안
될 존재가 되어 가고 있었다.

"어이. 너. 거기 너 말이야."

"뭐야?"

"어? 이 새끼 봐라! 너 이쪽으로 와 봐!"

"볼일 있음 니가 와. 이 새끼야! 니가 뭔데 오라 가라 하는 거야?"

"어쭈? 입은 아직 살아 있나 보네?"

"그래. 내가 다리가 없지 입이 없냐? 네놈은 눈을 뜨고도 제대로
못 봐? 네놈 눈도 병신이구만."

"하하. 그래. 내가 눈이 있어도 사람을 잘 못 보지. 거기 있지 말
고 이쪽으로 와. 거기 있는 놈들은 우리 전우들이 아니야. 잘 봐. 여
기! 여기로 와서 잘 보라구. 여기가 우리 전우들이 있는 곳이야."

"응? 전우?"

"그래. 넌 거기 있을 사람이 아니야. 친구."

"어? 넌? 넌 죽었잖아! 넌 사진에만 남아 있잖아!"

"그래. 너 때문에 저승도 못 가고 다시 왔지. 이 친구야! 거기서
나와. 넌 여기서 살아야 해. 넌 내 몫까지 살아야 하잖아."

"응? 내가?"

"그래. 난 이제 갈 거야. 내가 가야 할 길은 너랑은 또 다른 길이
야. 친구. 절대로 거긴 다시 돌아가지 마. 살아남은 전우들과 여기서
내 몫까지 열심히 살아야 해. 알겠지?"

"가지 마. 이 친구야. 조금만 더 있다가 가. 응?"

"이제 너도 봤으니 나도 편하게 저승길 가서 함께 간 전우들하고 오해나 풀어야겠어. 부디 행복하게 지내."

"이봐. 가. 가. 가지 마. 가지 말라고. 가지 마. 제발!"

꿈속에서 보수대 동기를 만났다. 생전 얼굴 그대로였다. 전신 파편상으로 전사했다는데 얼굴은 깨끗했다. 보수대 동기가 왜 나타났는지 안용근은 잘 알고 있었다. 지금 자기 모습을 그 친구가 본다면 아마도 좋은 소리는 못 들었을 것이다. 귀국하면 월남에서 함께 찍은 사진을 찾아서 같이 보고자 했건만, 그 작은 희망도 이루지 못하고 먼저 저승길로 떠난 친구였다. 어떻게 전사했는지 명확히 알 수 없었다. 부모님의 행방도 알 수 없었다. 비록 그 친구 아버지의 보증을 선 것이 잘못되어 집안 전부가 풍비박산이 났지만 그래도 소중한 친구였다. 지금도 할 수만 있다면 뭐든지 도와야 한다고 생각했다.

그날 꿈에서 보수대 동기를 본 후로 안용근은 술을 끊었다. 바닥이 닳아 빠져 제대로 지탱을 할 수 없었던 목발도 깨끗하게 손질하고 아이들도 깨끗하게 씻겼다. 무슨 의식을 치르는 것 같은 행동이었다. 부모님께 찾아가 그동안의 잘못된 행동에 대해 앞으로는 그런 일 없을 테니 걱정하지 마시라고 안심시켰다. 그리고 술집 여주인에게도 다시 살아 볼 테니 힘을 내자고 다독였다.

"얘들아. 아빠가 미안하구나. 이런 모습을 보이다니. 이런 짓을 하다니."

"어머니, 아버지. 죄송합니다. 제가 어리석었습니다."

"미안해요. 내가 이런 정신 나간 짓을 하다니."

"어떻게든 다시 살아 볼 궁리를 해 보겠습니다. 이것보다 더한 일들도 겪어 왔는데요. 찾아보면 뭐라도 할 수 있는 일이 있을 겁니다."

집안사람들 모두가 놀랐다. 매제가 혹여나 하는 마음으로 술 한 병을 사 왔지만, 입에도 대지 않았다. 그날 그 술은 매제가 기쁜 마음으로 다 마셨다. 술집 여주인은 버스 정류장 근처에 있는 식당에서 일한 돈으로 가족들이 끼니를 거르지 않도록 했다. 두 아들은 아직 학교에 갈 나이가 아니었기 때문에 온 가족들의 끼니를 먼저 챙겼다. 부모님도 안용근이 어떤 이유에서 그렇게 변했는지 알 수 없었지만, 술도 끊고 시내를 다니면서 일거리를 찾는 모습을 보고 안도했다. 안용근이 살아온 것을 보면 뭐라도 할 수 있는 아들이고 어떻게라도 살아갈 아들이라 믿었다.

월남! 그 지옥 같은 전쟁터에서 살아 돌아온 상이군인 중에서 몇몇은 그래도 희망을 잃지 않았다. 진정으로 자유와 평화 그리고 민족을 위해 참전하여 용감하게 싸웠고 비록 부상은 당했지만, 자신들이 죽기로 싸운 대가로 본국에 있는 사람들이 먹고살 수 있다고 자신 있게 소리를 내었다. 존경과 관심으로 들어주는 이는 많지 않았지만, 충분히 그럴 자격이 있고 그래야만 했다. 가만히 있다고 해서 누구 하나 알아주는 이가 있을 리 만무했기 때문이었다.

원호처에 가서 호소도 하고 높은 사람들을 찾아가 하소연도 했다. 자신들이 받아야 할 대우를 가로챈 사람들을 벌하고 이제라도 정당한 대우를 해 달라고 요구했다. 하루아침에 달라지는 것은 없었다. 기대도 하지 않았다. 하지만 언젠가는 조금씩 변할 것이라 믿으며 전우들의 목소리를 모아 나갔다. 작은 도움이라도 되기를 바라며 안용근도 시간이 날 때마다 전우들을 찾아 행동을 같이했다. 뜻을 함께하던 전우들 중에는 6.25 때 일가친척을 다 잊어버리고 혈혈단신으로 살아남아 먹고살기 위해서 월남으로 간 뒤 부상을 당한 전우, 종갓집의 장손이면서도 참전해 부상을 당한 전우, 부인이 첫아이를 낳고 열흘도 지나지 않아 참전했다가 부상을 당한 전우, 자신의 부상 사실도 모르고 부모님이 돌아가신 전우들도 있었다.

삶은 각양각색이었다. 다친 이유도 다 달랐고 월남으로 간 사연도 다 달랐다. 식당에서 평소보다 조금 일찍 일을 마친 날이면 술집 여주인은 안용근을 따라나섰다. 큰애를 걸리고 둘째는 업고서 안용근과 뜻을 같이하는 사람들의 작은 시중이라도 들고자 따라나섰다.

조금이라도 도움을 줄 수 있는 전우들이 십시일반으로 돈을 모았다. 작은 돈이지만 모이기 시작하자 그중 대학에 다녔던 전우가 앞장서서 규칙을 만들고, 움막처럼 초라했지만, 사무실도 열게 되었다. 상이군인들의 처우와 관련될 것 같은 기관으로 호소문도 보내고 작은 집회도 열어서 뜻을 전달하려고 노력했다. 자신들을 위한 작은 변화라도 있기를 바랐다. 질서를 지키며 시위했고 다른 일반 사람들에게 절대로 피해를 주면 안 된다는 것을 끊임없이 강조했다. 모이는 수도 얼마 되지 않았다. 그러나 규모는 작은 집회였지만 질서 있었고 전달하려는 의미가 명확하니 주변을 지나는 사람들의 뜻하지 않는 박수도 받았다. 상이군인에 대한 인식이 조금이라도 변해서 자신들의 희생이 정당하게 인정받게 되기를 바랐다. 자신들의 부상이 명예로운 상처로 남기를 바랐다. 안용근을 따라다니던 술집 여주인에게 집사람이라는 호칭이 붙여진 것도 전우들과 조용히 함께한 집회 장소였다. 시간만 되면 아이 둘을 데리고 집회에서 궂은일을 도맡아 했다. 그런 술집 여주인을 보고 전우들은 세상 둘도 없는 최고의 집사람이라고 높여 주었다. 안용근도 그 호칭이 듣기 좋았다. 비로소 집사람이었다. 다른 사람들에게도 우리 집사람이라고 소개했고 부모님께도 집사람이 준비한 식사라고 했다. 술집 여주인이 안용근의 부모님으로부터 새아기라는 호칭을 불리기까지 그리고 안용근의 주변 사람들로부터 집사람이라는 호칭으로 불리기까지는 돌아보고 싶지 않을 정도의 고통이 있었다. 그 고통이 없어지는 것은 한순간이었다.

사람 사는 것은 모든 것이 한순간 같다. 그렇게 하려고 해도 되지 않고, 그렇게 보고 싶어 해도 나타나지 않고, 그렇게 노력해도 이룰 수 없던 것들이 지나고 보면 저 스스로 된 듯했고, 잠깐 순간에 바뀌어 있었다.

"저. 혹시. 저 모르시겠어요?"

"네? 엇? 혹시? 소대장님? 우리 소대장님 아니십니까!"

"안 병장! 안 병장 맞지? 응! 우리 안용근 병장 맞지?"

"네. 아! 충성! 병장. 안용근! 으흐흑! 소대장님. 흑! 흑!"

"그래. 고생 많았지? 응?"

"네. 소대장님. 흐흑! 소대장님이 여기 어떻게?"

"휴우! 나도 한 방 맞았지. 그냥 살짝 스친 거야. 근데 안 병장 괜찮아? 너 떠나보내고 나서 제대로 찾아보지도 못하고. 미안하다. 다들 네 생각 많이 했는데 그날 일 때문에 미안해서 찾아가지도 못했어."

"아닙니다. 소대장님. 월남서 소대원들 덕분에 그래도 이렇게 살아서 돌아오지 않았습니까?"

"오른쪽이구나. 나도 그날 너무 느닷없이 당해서 정신이 없었지. 내가 조금 더 정신을 차렸더라면 이렇게 되지는 않았을 텐데. 정말 미안해."

"소대장님. 전 정말 괜찮습니다."

"그래. 여기는 어떻게?"

"네. 전 여기 가끔 나옵니다. 집사람도 여기 있는 전우들하고 다 잘 아는 사이입니다. 아마 좀 있으면 나올 겁니다. 근데, 소대장님은 여기 어떻게 오셨습니까?"

"아. 난 뭐 많이 다친 것도 아닌데 제대를 시켜 버리더라구. 멀쩡한데 말이야. 귀국하고 나서 병원에서 퇴원할 쯤에 원호처에서 일을 좀 해 보라고 해서 간단하게 시험 치고 일하게 된 거야. 그래. 넌 좀 어때? 어떻게 살아? 많이 힘들었을 텐데."

"저야 뭐. 그럭저럭 살고 있습니다. 제대 후에 사연이 좀 많습니다. 하하."

"그래. 진즉에 내가 찾아봤어야 하는데. 미안하다. 정말로."

"아닙니다. 소대장님. 전 지금도 소대장님께 감사하다니까요. 하하. 그리고 소대장님은 어딜 다치셨는데 그렇게 강제로 제대를 시킨 겁니까? 뭐. 팔다리는 멀쩡하신 것 같은데요."

"아. 보여 줄까? 하하. 난 복부 총상이야. 뭐 난 기억은 나지 않지만 죽을 고비를 한두 번 넘겼다고 하더라구. 하지만 지금은 아무 문제

없어. 근데 뭘 많이 못 먹어. 술도 못 마시게 되어 버렸고."

"복부요? 아니. 그게 작게 다친 겁니까? 참 소대장님도. 하여튼 월남에서도 늘 우리들 앞에 나서시더니."

"이봐. 소대장은 늘 앞장서라고 그렇게 교육해서 그래. 하하하. 그건 당연한 거야."

"월남에서도 늘 우리를 지켜 주시더니 이제 또 우리 같은 상이군인들을 위해 일해 주시니 너무 고맙습니다."

"솔직히 처음엔 전우들도 좀 찾고 뭔가 도움을 주고 싶어서 시작은 했어. 근데, 하다 보니 지금은 그냥 직업 같아. 처음 먹은 마음이 달라지면 안 되는데 말이야."

"소대장님은 그럴 분이 아니란 걸 제가 더 잘 압니다. 하하하."

소대장은 안용근이 부상을 당해서 야전병원에 있을 무렵 몇 번이고 찾아가서 위로하고 싶었다. 하지만 소대장들이 남아도는 상황이 아니었기 때문에 자리를 비울 수 없었다. 진정으로 아끼고 지켜주고 싶었던 소대원들이라 누구 하나 전사나 부상을 당하면 소대장은 죄책감에 시달렸다. 함께 근무한 민 중사도 많은 변화가 있었다. 죽음의 문턱에서 마음 깊은 곳에서부터 끓어오른 전우애는 돈과 명예 같은 것들을 초월해 버렸다. 옆의 전우가 내 형제였고 목숨과도 같은 사람이었다. 돈이 목적이었던 민 중사도 시간이 지나 자란 곳도, 배운 것도, 월남으로 온 이유도, 모든 것이 다른 소대원을 친형제처럼 아끼게 되었다. 막사 생활에서 불편한 것이 없는지, 필요한 물품들은 제때 지급이 되는지를 꼼꼼하게 챙겼고 시간을 내어 말벗도 되어 주었다. 하지만 민 중사는 돌아오지 못했다. 소대장이 복부 총상을 당한 그 작전에서 기관총 사수를 대신해 베트콩의 집중사격을 받아 전사했다. 교전이 소강상태일 때 소대원들이 민 중사를 끌어내어 후방으로 옮겼지만 이미 숨을 거둔 뒤였다. 민 중사는 숨이 끊어질 때까지 M60 기관총의 방아쇠를 놓지 않았다고 전투상보는 적고 있었다. 민 중사의 가족들에게는 전달된 무공훈장은 전달된 그날부터 장롱 속 깊은 곳에 묻혔다.

"안 병장."

"어. 소대장님 바쁘실 텐데 또 오셨어요?"

"그래. 오늘은 안 병장 너랑 얘기 좀 해야 할 게 있어서 왔어."

"네. 말씀하십시오. 무슨 일이라도 있습니까?"

"그건 아니고. 저쪽으로 가서 얘기 좀 하자."

"괜찮습니다. 다 전우들인데요. 여기서 해도 됩니다."

"아니야. 긴히 할 얘기니까 잠시만 자리를 옮기자."

"네."

"……"

"안 병장. 솔직히 너 지금 일하는 거 없지? 뭐 직업이나 장사나 이런 것 말이야."

"네. 죄송하지만 지금 뭐 저 같은 사람을 누가 써 주지도 않고."

"그래서 말인데, 혹시 뭐 하고 싶은 일이나 그런 거 있어? 원호처에서 상이군인들 중에서 좀 특기가 있는 사람들을 특채로 뽑아서 여기저기 취직시키고 있거든."

"제가 뭐 배운 게 없어서. 솔직히 저는 뭐 딱히 기술도 없습니다."

"그러지 말고. 이럴 때 어디라도 들어가서 일을 해야지. 응? 내가 해 줄 수 있는 게 이것밖에 없어서 미안해."

"또 그러십니까? 소대장님 전 소대장님께 제가 신세를 졌다고 생각하는 사람입니다."

"음. 우리 말이야. 월남 있을 때 안 병장 네가 이것저것 잘 고쳤잖아. 그런 쪽으로 좀 알아볼까?"

"하하. 그게 무슨 재주입니까? 남들도 다 할 줄 아는 건데요."

"음 일단 내가 좀 더 알아보고 다시 찾아올 테니까 여기 집 주소 좀 적어 봐. 다리가 이러니 크게 움직이지 않고 소소하게 할 수 있는 일을 찾아볼게."

"그럼. 소대장님. 주소는 적어 드리겠습니다. 그리고 저…"

"어. 말해 봐."

"혹시라도 그런 자리가 있으면 죄송하지만 뭐 공무원은 안 될까요? 제일 밑이라도 좋습니다. 돈이 적어도 상관없습니다. 우리 아버지께서 항상 형제 다섯 명 중의 한 명은 관에서 일하는 거 보고 죽는 것이 소원이라고 해서요. 하하. 죄송합니다."

"그래? 안 될 것도 없지. 안 병장 네가 얼마나 성실한지는 내가 잘 알잖아. 시간이 좀 걸릴지도 모르지만 조금 기다려 봐. 내가 네 일부터 제일 먼저 알아볼 테니까. 솔직히 이거라도 해야 내가 마음이 편해질 것 같아."

"아이구. 소대장님. 제가 괜히 쓸데없는 일을 만든 건 아닌지 모르겠습니다."

"여기 모이는 전우들은 그래도 뭐라도 해 보려고 노력도 하고, 응. 관련된 기관에 편지도 보내고, 그런데도 뭐 부수거나 하는 행동도 하지 않고 사람들을 불편해하지 않아서 좋아. 다니다 보면 무슨 요구를 하는지도 확실하지 않고 막무가내로 뭘 보이기만 하면 부수고 하는 사람들이 많거든. 그런 전우들은 도와주고 싶어도 도와줄 수가 없어. 그런 사람을 쓰고 싶다는 사람이 누가 있겠어?"

"그분들도 답답해서 그럴 겁니다. 부끄럽지만 저도 얼마 전까지 그랬던 적이 있습니다. 소대장님! 우리 전우들 잘 살펴주십시오."

"그래. 뭐라도 해야지. 그리고 다 할 수 있을 거야. 우리가 살아서 나온 그곳이 어떤 곳인데. 거기 비하면 여긴 양반이지. 양반. 하하하."

소대장의 약속은 보름도 지나지 않아 지켜졌다. 진해 세우관이었다. 건물의 보일러실을 관리하는 자리였다. 보일러실 안에서 시간이 되면 갈탄으로 난방하면 되는 일이었다. 건물 여기저기 손봐야 하는 소소한 일들도 있었다. 부대에서 하던 영선반이었다. 안용근은 간단한 면접을 마치고 몇 가지 서류도 제출했다. 낮빛이 밝은 안용근과 함께 따라온 집사람을 보고 사람들은 입을 모아 칭찬했다. 다리를 다친 상이군인인데도 얼굴이 밝고 부부가 사이좋게 다니는 것을 보고는 일을 시켜 보자고 했다. 면접을 본 후 바로 출근해 달라는 연락이 왔다. 전임자가 다른 직장을 찾아서 갑자기 떠나는 바람에 생긴 자리였다. 첫 출근 전날 안용근의 집사람은 남아 있던 옷 중에서 제일 깨끗한 것을 골라 손질했다. 보일러를 지키고 있는 것이 주된 일이라 크게 단정할 필요는 없지만 첫인상이 중요한지라 정성껏 준비했다.

"첫인상이 중요한 거예요. 사람들이 당신 다리 불편하다고 이상하게 보면 안 되잖아요."

"다리 불편한 걸 숨길 수도 없는 일이고. 그냥 이대로 보이면 될 뿐이야."

"그래도 첫 출근하는 공무원이 성의는 보여야지요. 첫날에 지저분하게 보이면 보는 사람들도 좋은 감정이 생기겠어요?"

"보일러실에서 불 지피고, 소소한 물건들 고친다는데. 내가 무슨 깨끗한 옷이 필요하겠어?"

"옷이 사람을 만들어요. 출근할 때 깨끗하고 퇴근할 때 지저분하면 그것만 봐도 열심히 일하고 있다는 걸 사람들이 알 거예요."

"허허. 아무래도 우리 애들은 엄마를 닮아서 똑똑할 거야."

"겉모습은 아버질 닮아서 잘생겼구요?"

"허허허. 그만하자구. 허허허."

세우관에서 생활하는 세무서 직원들은 다들 친절했다. 그야말로 단순한 일을 하는 화부였지만, 안용근은 보일러실에서 일하는 것 이외에도 자신의 손재주로 사람들이 원하는 것은 뭐든 잘 고쳐 주었다. 개인적인 물건을 고쳐 주었지만, 보수는 바라지는 않았다. 화장실에 문제가 있어도 맨손으로 다 처리하면서 싫어하는 기색이 없었다. 수도꼭지가 고장나면 어디서든 구해서 갈아 끼워 넣고 이용하는 사람들이 불편하지 않도록 열심히 일했다. 문짝에 이상이 있으면 좋은 손재주로 흔적이 남지 않을 정도로 깨끗하게 덧붙였다. 소리가 나는 문은 기름도 치고 경첩을 새로 달아 조용하게 해 주었다. 밤늦게까지 야근하고 퇴근하는 사람들이 불편해하지 않도록 안용근은 남아서 보일러실을 가동했고 다른 물건들까지 전부 정리한 후에 퇴근했다.

입주자들이 모두 좋아했다. 다리가 불편한 상이군인인 줄 느끼지 못할 정도로 일을 하는 안용근에게 불만이 있는 사람은 아무도 없었다. 오히려 미안해할 정도였다. 고마운 마음에 입주자들이 끼닛거리도 가져다주었고 작은 선물들도 해 주었다. 처음에는 극구 사양했지만 고마운 마음들이라 감사히 받았다. 머지않아 아이들이 학교에 가게 되면 부모님의 직업 적는 칸에 공무원이라고 자랑스럽게 적을 것이기에. 안용근과 집사람은 그 생각을 하면 너무나 행복했다. 많은 돈을 받거나 높은 직위가 아니었지만, 떳떳한 직업이 있다는 것이 행복했다. 안용근과 안용근의 집사람은 간혹 길에서 세우관 입주자들과 마주치면 꼭 손을 잡고 허리까지 굽혀 인사했다. 감사한 마음의 표시였다. 아끼고 또 아껴 써야, 겨우 땟거리를 걱정하지 않을 정도의 봉급이었지만 안용근의 집사람은 식당에서 받는 돈과 안용근의 봉급으로 알뜰살뜰 살아 나갔다. 부모님께 시동생들을 위해 얼마간의 돈을 드렸고, 다른 아이들에게 무시당하지 않도록 아이들을 키우기 위해 죽을힘을 다해 노력했다. 좋은 음식에 비싼 옷은 아니었지만, 항상 깨끗하게 입히고 먹였다.

"용근아. 나 왔다."

"어. 형! 하하. 생각보다 빨리 왔네. 고생 많았네. 형."

"고생은 뭐. 새벽에 내보내 줘서 빨리 왔어. 제수씨하고 조카들 잘 지내지?"

"응. 형. 덕분에 잘 지내. 집에는 갔다 왔어?"

"아니. 너 일하는 데 먼저 보려고 달려왔지."

"하하. 내가 하는 일이야 이게 다야. 뭐 힘든 것도 없고. 사람들도 모두 잘 대해 주고. 좋아."

"그래. 너무 힘든 건 무리해서 하지 마라. 몸도 성치 않은데 다치면 안 된다. 조심하고. 응?"

"형. 고마워. 근데 뭐 내가 애도 아니고. 하하. 이래 봬도 아이 둘 아버지에 공무원이야. 하하하."

"그래. 하하하. 저녁때 집에 올 수 있어? 오랜만에 매제도 불러서 저녁이나 먹자. 오늘은 내가 군대서 모은 돈으로 맛있는 거 먹자."

"안 그래도 형 오늘 제대한다고 집사람이 일찍 집에 가서 어머니랑 음식 만든다고 하던데! 동생도 매제 퇴근하면 바로 올 거야. 우리 가족들이 전부 모이는 게 얼마 만이야? 하하하."

"그래? 이거 뭐 내가 준비할 게 없겠는데? 하하. 그럼. 난 시내에 나가서 가족들 선물이나 좀 사 가지고 들어가야겠다. 우리 예쁜 조카들은 특별히 내가 좀 신경 써서 사 가야지. 하하하."

"좋지. 나도 오늘은 조금 일찍 마치고 집으로 갈 거야."

"휴우. 용근아. 고맙다."

"뭐가?"

"네가 이렇게 살아 주니 이젠 내가 미안한 마음도 좀 덜고, 마음이 좀 편해."

"별소릴 다 한다. 좀 이따 봐. 형."

늦은 나이에 형이 무사히 군을 제대하고 난 후 안용근은 세우관 뜰에서 작은 결혼식을 올렸다. 하객은 많지 않았다. 평소 알고 지내던 상이군인들 몇 명과 세우관 입주자들이 참석해 주었고 나머지는 가족들이 전부였다. 음식을 나누어 먹고 축의금은 받지는 않았다. 다들 어려운 형편이라 소대장의 주례로 간단한 인사와 사진 찍는 것이 전부였다. 안용근의 집사람은 사진관에서 결혼사진 받아 오는 날 펑펑 울었다. 안용근의 품에서 아무 말 없이 울기만 했다. 아이들이 옆에서 엄마를 찾자 더 크게 울었다. 안용근의 집사람은 행복한 마음으로 그렇게 많이 울어 보기는 처음이었다.

"용근아. 직장 다니는 건 좀 어때? 힘들지 않아?"

"어. 형. 괜찮아. 힘들지도 않아. 형은 좀 어때? 그래도 정비소 사장님이 좋네. 제대하자마자 곧장 다시 출근하라 하고."

"그래. 좋은 분이야. 운이 좋은 거지 뭐."

"하하. 형이 열심히 하니까 그렇지."

"그래. 나도 열심히 해야지. 근데, 용근아. 내가 들어 보니까, 왜 직장에 다니는 사람들 말이야. 나처럼 뭐 작은 정비소 이런 데 말고."

"응."

"너처럼 그런 직장에 다니는 사람들은 열 개를 받으면 그중에 한 개는 다시 써야 한다는데. 네가 잘하는 것도 있지만 주변 사람들 도움이 많으니까 그 사람들한테 조금씩 쓰고 살아야 직장 생활이 편안하다고 하더라구. 오래 직장을 다닌 사람들 말이니까 새겨들어야 할 것 같다."

"에이. 형도 참. 나야 뭐. 형도 알다시피 보일러실에서 하루 종일 있다가 가끔 일 있으면 밖에 나가는데 사람들하고 어울릴 일이 있겠어? 그냥 이렇게 조용히 살면 되는 거지 뭐. 하하."

"그래. 근데 너도 오래오래 다녀야 하니까 윗사람들한테도 조금씩 쓰고 그렇게 해. 지금 사정이야 다들 어렵지만 미래를 생각해서 그렇게 하자. 응?"

"그래. 뭐. 형이 시키는데 하면 되지. 하하."

"그래. 세상 사는 게 한순간이 아니니까 미리미리 복을 쌓아 둬야지. 하하하."

어느 종교에서 열 개를 벌면 한 개를 내야 한다는 소릴 들었다. 하지만 안용근은 열 개 중 한 개를 낼 만한 여유가 없었다. 종교를 가진 적도 없었다. 어머니께서 가끔 절에 가서 쌀 한 되를 내고 오는 경우와 고향에서 조왕신께 물을 떠 놓고 비는 모습은 본 적이 있었다. 그게 전부였다. 안용근에게 종교는 너무 멀리 있었고 크게 필요하다고 느낀 적이 없었다. 큰 욕심이 없으니 크게 바랄 것도 없었다. 하지만, 형이 시키는 대로 했다. 봉급 봉투는 집사람에게 주고, 그중 10%는 떼서 다른 사람들을 위해 썼다. 윗사람들 경조사는 반드시 찾아가 봉투와 함께 인사를 했고, 명절에도 주변과 윗사람들에게 선물이나 봉투를 주었다. 큰돈은 아니었지만, 성의로 보일 수 있는 금액을 넣었다.

안용근의 집사람은 돈이 든 봉투는 아니지만, 바닷가에서 구할 수 있는 해산물이나 생선 등을 사서 윗사람들의 잔치에 보냈다. 일하는 식당에서 주인과 상의해서 싼값으로 사 오는 고기는 신문이나 달력을 잘라서 만든 종이봉투에 넣어 주변 사람들에게 돌렸다. 세우관 입주자들에게는 반찬을 해서 가져다주었고, 김장철이 되면 어김없이 가족들이 먹을 양 이상으로 담아서 세우관 마당 장독에다 묻어 두고 누구든지 꺼내 먹으라고 전했다. 세우관 입주자들은 안용근과 안용근의 집사람, 그리고 안용근의 아이들을 한 식구라고 생각했다. 그러다 보니 안용근의 존재는 시간이 갈수록 점점 더 중요한 사람으로 입주자들에게 인식되었다.

세우관 입주자들 대부분이 안용근의 아이들에게 심심치 않게 용돈도 주었고 학용품도 사 주었다. 아이들이 뭐라도 받아 오면 안용근과 집사람은 인사와 답례를 잊지 않았다.

고마운 사람들이었다. 안용근과 가족들은 세우관 입주자들을 고마워했고, 세우관 입주자들도 안용근과 가족들에게 고마워했다. 서로에게 잘 대하는 만큼 생각하게 되었고, 그렇게 이루어진 사이는 더욱더 큰 신뢰와 정으로 이어졌다.

9. 암초暗礁는
조용한 바다 아래에 잠자고 있었다

"어이! 안 주사. 잠시 올라와 봐."

"네. 관장님."

"이번에 말이야 내가 승진해서 저기 마산으로 가는 거 알지?"

"네. 알고 있습니다. 관장님. 다시 한번 더 축하드립니다."

"하하. 그래. 이게 다 안 주사 덕분이야. 지난번 그 생선들 말이야. 그게 인기가 인기가. 하하하. 참 대단해. 그런 귀한 걸 어디서 다 구한 거야?"

"별거 아닙니다. 관장님."

"아니야. 이번에 내가 안 주사한테 단단히 신세를 졌네."

"아이구. 관장님 승진하신 건 다 열심히 직원들 돌보셨으니까 그런 건데요. 하하하. 제가 뭐 한 게 있겠습니까? 떠나시는 건 좀 아쉽지만 제가 더 기분이 좋습니다. 하하하."

"햐아! 이 사람이. 이 사람이. 월남서 짜웅을 제대로 배워 왔구만. 으하하하."

"하하하. 관장님 우리 어머니께서 집이나 밖에 나가서 거짓말하면 절대로 안 된다고 어릴 때부터 말씀하셨습니다. 정말로 제가 다 승진한 기분입니다. 하하하."

"그래? 그럼, 뭐 이대로 떠나도 서운하지는 않겠구만. 하하하."

"네. 관장님 가시더라도 여기 사람들 잊지 마시고 진해 놀러 자주 오십시오. 제가 한 상 잘 차려놓고 기다리겠습니다."

"안 주사. 그러지 말고 뭐 필요한 거 있으면 말해 봐. 나도 진심이야. 버스 떠나고 나서 손 흔들어 봐야 아무 소용이 없어. 응! 어서."

"굳이 그렇게까지 말씀하시니. 솔직히 제가 여기서 일한 지가 좀 되지 않았습니까? 애들도 학교에 들어갈 나이고요. 하하. 좀 쑥스럽지만, 저도 그냥 진급, 뭐 승진 이런 거 한번 해 보고는 싶습니다. 어려운 줄 알지만 다른 분들 승진하면 늘 축하만 해 온지라 그런 생각을 한번 해 봤습니다. 하하하."

"그렇지. 안 주사 네가 결혼식도 여기서 했고. 내가 이참에 우리 안 주사 한번 챙겨 준다. 내일 당장 서장님한테 가서 내가 청을 한번 넣어 볼게. 서장님도 안 주사 너 잘 알잖아. 지난번 상 당했을 때도 네가 밤에 와서 다 지키고 거기 전등 나간 것도 바로 다 고치고, 잘 아시니까 나를 한번 믿어 봐. 하하하."

"하하하. 괜히 그냥 욕심을 한번 내 봤습니다. 마음에 담아 두지 마십시오. 관장님."

"사람이 말이야. 오는 게 있으면 가는 게 또 있어야 사람 사는 맛이 나는 거야. 기다려 봐. 하하하."

승진했다. 기능직 9급이 되었다. 하지만 하는 일이 변한 것은 없었다. 늘 보일러실에서 일하며 건물 여기저기를 둘러보고 작은 부품들은 자비로 고쳤다. 어지간히 고장 난 물건들은 입주자들이 말하기 전에 찾아서 고쳤다. 가만히 앉아서 보일러만 보고 있다가 봉급을 받는다는 것은 안용근의 상식에서는 있을 수 없었다. 무슨 일이라도 하면서 사람들에게 복을 짓고 싶었다.

세월이 흐르면서 퇴근 후에 마주치는 길거리 풍경이 조금씩 변하기 시작했다. 입고 다니는 옷 색깔도 달라지고 먹는 것도 변하기 시작했다. 거리에 달린 가로등과 간판들도 제각각의 모양을 달리하면서 뽐을 냈다. 세상은 조금씩 변하고 있었다. 그러는 사이 세우관에 기름 보일러가 들어왔다. 인부들이 질문에만 열심히 대답해 주면 되기에 교체 공사 동안은 조금 늦게 출근해서 일찍 퇴근했다. 생각보다 일찍 공사가 끝나 새롭게 설치된 보일러 사용법을 익히는 시간은 충분했다. 보일러 설치 인부와 기술자들이 상세히 설명해 주었다. 공사 기간을 채워야 돈을 다 받는다며 일이 끝났는데도 계속 찾아와서 세세한 것까지 설명해 주었다. 문제가 있으면 누구에게 연락해야 하는지 주소도 알려 주고 수리 방법도 꼼꼼히 알려 주었다.

안용근은 가만히 듣고만 있어도 전문가가 되어 갔다. 고마운 마음에 생선 꾸러미를 준비해서 전해 주자 필요한 공구 몇 개를 더 주고 떠났다. 보일러 설치가 끝나자 다시 일을 시작했다. 이전보다 일이 수월해서 세우관 주변의 나무도 예쁘게 가꾸고 도로도 쓸었다. 잡초는 기미만 보여도 모두 뽑아 버렸고 예쁜 나무와 꽃도 심었다. 나뭇가지도 예쁘게 전정하고 잔디도 심어 정원을 볼 수 있는 풍경을 만들었다.

휴식 시간이 되면 인근 건물 사람들까지 몰려와서 구경하고 갔다. 안용근은 매제의 부대에서 나오는 탄 박스를 가져다 벤치를 만들었다. 톱, 망치 그리고 몇 개의 못만 있으면 되는 것으로 생각하고 시작했는데, 만들다 보니 페인트칠도 해야 하고 벤치가 놓일 바닥도 단단하게 다져야 해서 생각보다 돈과 시간이 많이 들어갔다. 입주자들은 휴일에도 멀리 가지 않고 마당에 둘러앉아 쉬며 음식을 나눠 먹었다. 주변 사람들에게도 인기가 좋아 벤치를 두 개 더 만들어야 했다.

자신이 자랑스러웠다. 안용근에게 세우관은 삶의 바탕이자 희망이었다. 가족을 건사할 봉급을 주고, 자신이 몸을 움직이면 남들이 존재를 인식하고 인정해 주는 곳이었다. 입주자들이 새로 들어오는 날에는 미리 깨끗이 청소해 두었고, 나가는 사람들에게는 전날쯤에 몇 가지 음식으로 환송회를 열어 주었다. 어려운 일이 있으면 상담도 해 주었고 몇 가지 기술들도 알려 주었다. 아무런 보상도 바라지 않고 입주자들과 가진 것을 나누었다. 가끔 급한 돈이 필요한 사람들에게 이자도 없이 돈을 빌려주었다. 차용증 같은 것은 쓰지도 않았다. 큰돈은 없었지만, 성의를 느낄 수 있는 정도로 빌려주었고 빌려준 돈 중에서 받지 못한 돈은 없었다. 입주자들에게 안용근은 존경받는 존재로 자리 잡고 있었다.

"안 주사님. 이거 드시고 하세요. 호호호."

"아이고. 이 귀한 걸. 고맙습니다."

"어제 말씀드린 거 벌써 고쳐 놓으셨던데요. 정말 우리나라 최고 기술자 같아요."

"별말씀을 다 하십니다. 그거 그냥 풀어서 선만 연결하면 되는 거더라구요."

"부속값이 좀 들어간 거 알아요. 그건 제가 드릴게요. 얼마지요?"

"아이구. 참. 들어간 거 없어요. 하하하. 이거면 충분합니다."

"번번이 이러시니까 제가 더 미안하잖아요. 그리고 토요일 저녁에 여기 식구들이 축하 잔치 한번 하자는데요. 다른 일 없으시죠?"

"네? 아이구. 무슨 잔치를. 저 같은 사람한테 이렇게 해 주셔서 고마울 따름입니다."

"그동안 고생하신 거 여기 사람들 말고 주변 사람들도 다 알아요. 가족들도 같이 모시고 오세요. 멀리 갈 필요도 없잖아요. 떡 하고 몇 가지 준비하고 술도 좀 가지고 올 거예요. 호호호."

"고맙습니다. 그럼 저도 뭘 좀 준비해야 하는데, 혹시 지난번 멸치 다 드셨어요? 우리 집사람이 일하는 식당에서 그걸 한꺼번에 많이 사면 좀 싸거든요."

"아. 그거요. 정말 맛있었어요. 저기 부산 어디서 나는 거라던데. 맞죠? 다들 엄청 좋아했어요."

"그럼, 제가 그걸 조금 더 가지고 오겠습니다. 제가 가만히 앉아서 뭘 받을 수 있겠습니까?"

"네. 그것도 좋겠네요. 뭐 제가 말려도 소용없을 테니까요. 호호호. 안 주사님! 고맙습니다."

조촐한 승진 축하 잔치가 있었다. 입주자들과 주변 사람들까지 참석했다. 소대장과 상이군인 몇 명도 참석했다. 모두가 칭찬 일색이었다. 사정이 좋지 않은 전우들에게는 음식을 조금 더 싸서 들려 보내고 소대장에게는 멸치를 조금 담아 선물했다. 집사람은 혹시라도 선물이 빠지지 않는지 일일이 살펴보고 챙겼다.

잔치 후에도 하는 일은 크게 달라지지 않았다. 달라진 것은 공금으로 물건을 사러 가는 일이 추가되었다. 이전에는 일반직 직원들이 주로 사다주는 물건으로 일을 했지만 이제 작은 물건들은 안용근이 직접 사서 사용했다. 인근 가게 사람들에게 안용근은 인기가 있었다. 물건을 사는 양은 많지 않았지만, 덤으로 뭘 얹어 달라고 하지 않고 그날그날 현금을 내고 사 갔기 때문이었다. 몇 가지 소모품은 한 번에 여러 개를 사서 매번 현금을 주었고 영수증에도 정확한 액수를 적어서 가지고 갔다. 공금으로 물건을 사면 개중에는 몇 개씩 챙겨서 개인적으로 사용하는 사람들이 있었지만, 안용근은 일절 그렇게 하지 않았다. 가끔 가게 주인들이 고맙다며 작은 물건이라도 얹어 주면 잘 정리해서 세우관에서 사용하거나 주변 사람들에게 나눠 주었다.

원호처에서 무슨 법이 바뀌었는지 매월 안용근에게 나오는 돈이 조금씩 더 나왔다. 원호처에서 온 편지에는 복잡한 내용이 많아 다 이해할 수는 없었지만, 그중에서 보상금이 더 나온다는 것은 확실했다. 승진한 데다 원호처 보상금도 더 나오니 생활하기가 점점 더 여유로워졌다.

집사람에게도 식당 일을 그만두게 하고 원래 있던 집 크기의 새집으로 이사를 했다. 새집에서 가족들과 저녁을 먹으면서 사진도 찍었다. 집사람은 안용근이 시간이 날 때마다 부모님께 자주 찾아뵙게 했고 동생들까지 돌볼 수 있도록 해 주었다. 가끔 상이군인들이 모이는 곳에 음식도 가져가게 했다. 안용근은 학교를 마친 동생들의 직장도 알아봐 주었고, 첫 출근을 하기 전 입을 수 있도록 깨끗한 옷을 사서 선물도 했다. 아이들이나 동생들 그리고 주변 사람들에게 처음이라는 일이 생기면 항상 작은 선물을 준비해서 의미를 주었다. 첫 등교, 첫 출근, 첫 휴가, 결혼 등 챙겨야 할 일들은 많았지만, 안용근과 집사람은 항상 즐거운 마음이었다. 아이들이 학교에 들어가면서부터 더욱 신경을 썼다. 입는 것부터 쓰는 것까지 일일이 좋은 것으로 챙기고 절대로 다른 아이들에게 업신여기지 않도록 노력했다. 과하면 조금 부족한 것보다도 못하다고 했다. 조금씩 생기는 여유는 큰 문제를 만드는 빌미를 주고 있었다. 살림살이가 조금씩 나아질 때마다 아이들에 대한 집착은 커졌다. 심지어 밀수해 왔다는 학용품도 아이들이 쓰도록 사다 주었고 신발이나 옷도 비싸다고 하는 것만 사다 주었다.

안용근은 어릴 때 겪은 고통을 아이들에게 대물림하지 않겠다는 의지가 날이 갈수록 심해져 어느덧 집착이 되었다. 이러한 아버지의 잘못된 집착은 아이들에게 좋지 못한 영향을 주었다. 친구들과 마찰이 생기고 학교 공부도 하지 않는 지경이 되었다. 집사람은 아이들에게 절약하며 깨끗한 용모만 있으면 된다고 했지만 안용근의 성화를 억누를 수는 없었다. 아이들은 친구들과의 다툼이 항상 친구들의 잘못이라고 생각했고, 조금이라도 어렵게 보이는 친구들은 거지라고 놀리며 괴롭혔다. 아이들끼리의 주먹다짐도 돈으로 해결했다. 코피만 나도 얼마간의 돈을 주고는 없었던 일로 만들어 버렸다. 안용근은 자신의 아이들이 기가 죽어 사는 것보다 이것이 낫다고 생각했다. 올바른 생각이 아닌 걸 알고 있었지만, 남에게 지고 사는 자식들을 보기 싫었다.

"형. 이번 주에 낚시나 가자."

"응? 낚시? 그래. 어디로 갈까? 용원으로 넘어가 볼까?"

"하하. 용원은 무슨. 배 타고 앞에 나가면 물고기가 천지인데."

"배? 누구? 배 빌릴 데가 있어?"

"빌리긴? 그냥 내 배 타고 가면 되지!"

"응? 배를 샀어? 그게 얼마나 비싼데?"

"작은 거 하나 샀어. 집 이사하고 돈이 조금 남아서 그냥 샀지."

"이번에 옮긴 집도 큰 집이던데. 돈이 남았어?"

"그냥. 조금 남았어. 형 말대로 열 개 중에 한 개는 다른 사람들한테 쓰고 있으니까 걱정 마."

"근데, 네 봉급이 그리 많지 않잖아? 어디서 그 돈이 다 난 거야?"

"매월 보상금이 조금 나오고, 봉급도 그대로 나오니까 조금 여유가 있는 거야. 얼마 전부터 집사람이 또 식당을 한다고 해서 집안 살림도 좀 나아졌고. 걱정 마. 열심히 하다 보니까 조금 여유가 생긴 거야. 집사람이 어머니께도 조금 드리고 있을 거야. 하하하."

"그래! 네가 알뜰하게 사는 건 알지. 근데, 배를 살 정도야? 하하하. 축하해. 근데 배 몰 줄 알아? 그게 기술이 좀 필요할 것 같은데?"

"하하하. 걱정 붙들어 매시고. 낚시 가서 형 가을에 결혼하는 것도 얘기 좀 해야지."

"그 사람이 그냥저냥 살자고 하네. 지금 사는 집도 괜찮고 아마 조금 있으면 네가 작은아버지가 될 거야!"

"응? 벌써? 야. 형 축하해. 하하하. 드디어 내가 작은아빠가 되는구나. 어머니, 아버지도 아셔?"

"아니. 아직. 말씀드리기가 좀. 아직 식도 못 올렸는데."

"왜? 오늘 저녁에 내가 말씀드려 놓을게. 괜찮지?"

"그래. 그럼. 네가 눈치 봐서 말씀 좀 전해 줘."

"그럼, 낚시 가서 물고기나 실컷 잡자구. 하하하."

여기저기서 나오는 돈이 제법 되었다. 안용근은 저축도 했지만, 하고 싶은 건 모든 걸 다 하면서 살고 싶었다. 배를 사서 낚시도 다니고 사냥총을 구입해서 사냥도 다녔다. 보통 사람들이 할 수 있는 이상의 호사를 누렸다. 여행도 다녔다. 부모님을 모시고 온천도 다니고 경주도 택시를 불러서 다녀왔다. 출근할 때는 조용히 보일러실과 건물을 오가면서 성실히 일했고 쉬는 날에는 하고 싶은 일들을 다 하면서 지냈다. 더 이상 상이군인들이 모이는 장소에는 나가지 않았다. 집사람도 보내지 않았다.

"형. 미안해. 다 내 잘못이야. 엉! 엉!"

"용근아. 네가 잘못한 게 뭐 있어? 그냥 운이 나빴던 거야."

"내가 가자고 우기지만 않았어도 이런 일이 일어나진 않았을 건데. 다 내 잘못이야. 엉! 엉!"

"용근아. 울지만 말고 손님들 맞아야지. 네가 부모님께 열심인 건 모두가 다 아는 사실이야. 근데, 뭐가 미안하다는 거야? 그렇게 생각하지 마."

"용근 씨! 아주버님 말씀이 맞아요. 너무 자책하지 말아요. 네?"

"서방님. 상은 치러야지요. 울지만 말고 저쪽 방으로 가서 손님들

하고 인사는 해요. 네?"

"용근아. 여기 이러고 있으면 오시는 손님들이 무안하잖아. 오시
는 분들 거의 다 네 손님인데. 어서 저쪽으로 넘어가서 인사하자.?"

"어머니. 아버지. 죄송합니다. 엉! 엉!"

휴가를 내어 부모님을 모시고 고향에 갔다. 마을 사람 중 얼굴이
이미 낯선 사람들이 많았지만 담 높은 집 어른들은 첫눈에 알아볼 수
있었다. 세월이 가도 고마운 마음을 가진 얼굴들이라 생생하게 기억
이 났다. 준비해 간 선물을 드리고 하룻밤을 묵으면서 지나간 일들에
대해 얘기를 나눴다. 처음에 안용근의 다리와 목발을 본 어른들이 놀
라서 말을 잇지 못했지만, 밝은 얼굴의 안용근을 보고는 그나마 안심
이라는 듯 얘기를 이어 갔다. 지난날에 대한 고마움과 앞으로 자주 찾
아보겠다는 인사를 한 후 고향에서 나왔다.

친구는 외지로 나가서 사업을 한다고 했다. 만나지 못한 것이 아
쉬웠지만 연락처를 건네고 안부를 전했다. 고향 마을 거리를 걸어 보
았다. 새로웠다. 하지만 그때로 돌아가고 싶지는 않았다. 고향을 둘러
본 후 거리는 조금 있었지만, 부모님을 위해 진주에 들러 촉석루와 진
주성 주변을 구경시켜 드렸다. 진주성 안에도 사람들이 살고 있어서
가정집 같은 식당에서 점심 식사도 해결했다.

시간이 늦어 하루를 더 묵고 가기로 한 것이 문제였다. 조금 비쌌
지만, 진주성 인근에서 가정집을 개조하여 여인숙을 하는 집을 골랐
다. 집주인 성격이 그대로 묻어 있는 깨끗한 집이었다. 따뜻한 물도
대야로 나오고 냄새도 나지 않는 방 두 개를 잡고 느긋하게 누워 지나

간 일들을 떠올려 보았다. 안용근은 시간이 나거나 편안한 생각이 들면 버릇처럼 지나간 일들을 떠올렸다. 정말이지 모든 것들이 한순간 바뀌며 살아온 것 같았다. 부모님도 피곤하셨는지 조용히 방에서 쉬고 계셨다.

해가 다 넘어갔을 무렵, 이런저런 옛날 생각으로 머리가 조금 복잡해졌다. 복잡한 마음도 달래고 쉬고 계신 부모님도 생각이 나서 여인숙 주인에게 부탁하여 부모님 방에 약간의 간식거리를 넣어 드렸다. 안용근은 오랜만에 혼자 술 한잔 즐기고 싶은 생각이 들어, 술을 사러 가는 길에 여인숙 주인에게 약간의 안주를 부탁했다. 다리가 불편한 아들이 술을 사러 가는 것을 들은 어머니께서 당신이 다녀올 테니 안용근은 그냥 방에 있으라고 말렸다. 밖에서 나누는 이야기 소리에 아버지도 나오셨다. 두 분이 구경도 할 겸 다녀올 테니 기다리라고 한 것이 마지막이었다. 낯선 골목길을 돌아 나서던 부모님은 트럭을 보지 못하고 사고가 났다. 연세가 있으신 까닭에 심하게 부딪힌 것은 아니었지만 병원으로 옮겼을 때는 과다 출혈로 이미 돌아가신 뒤였다. 안용근은 부모님의 장례식을 치른 다음에 다시 휴가를 신청했다. 고향마을 작은 봉분으로 모신 부모님 곁에서 5일을 지냈다. 눈물만 흘렸다. 이제 겨우 살 만하다고 생각해서 어디든지 모시고 다닐 작정이었다. 부모님 고생하신 걸 곁에서 본 안용근은 무덤 옆에서 먹지도 마시지도 않았다. 5일이 지나 담 높은 집 친구가 소식을 듣고 멀리서 왔다. 그 친구가 겨우 말려서 집으로 데려가 씻기고 먹였다.

너무나도 허무했다. 오랜 세월이 지나서 만난 고향 친구는 그래도 친구였다. 친구는 안용근을 위로하면서 어린 시절의 기억을 되살려 주었다. 지나간 것은 모두 추억이고 추억은 모두 아름다운 것이니 너무 괴로워만 하지 말고 있는 자리로 돌아가서 열심히 살자고 했다. 고마운 친구였다. 하지만 부모님의 얼굴을 잊을 수는 없었다. 안용근 자신 때문에 천수를 다 누리시지 못하고 돌아가셨다는 자책감은 시간이 지날수록, 그리고 살림이 나아질수록 더 가슴 깊게 자리 잡았다. 불필요한 욕심과 여유는 시간이 갈수록 그리움을 부풀리는 힘이 있었고, 생각지도 못한 일을 벌이게 하는 원인이 되었다.

"그 여자가 그렇게 좋으면 그 여자하고 살아요. 난 여기서 그냥 아이들하고 살 테니까. 죽은 것처럼 살 테니까 걱정하지 말고 당신 살대로 살아요. 내가 몰라서 여태 이렇게 있는 줄 알아요? 애들 보기 부끄러워서 참고 있었던 거지 내가 왜 몰랐겠어요? 네? 동네 사람들이 뭐라는 줄이나 알아요? 그렇게 표시를 내고 돌아다니는데! 부모님 돌아가신 거 핑계 대지 말아요. 먹고살 만하니까 그새 하는 짓이 새 여자 들이는 거예요? 내가 어떻게 해서 지금까지 살아왔는데? 응? 굶어 죽어도 내가 당신 지키면서 살아왔잖아요. 시동생들 다 키우고 애들 키우면서 죽기로 살아왔는데 겨우 하는 짓이 여자 들이는 거예요? 그게 무슨 자랑이라고 동네까지 데리고 와서 사람들 비웃음을 사요? 네? 도대체 생각이 있는 거예요? 애들도 부끄러워서 학교를 못 다니겠어요. 세상 사람 모두가 변해도 당신은 이러면 안 되는 거예요. 어떻게 저한테 이럴 수가 있어요? 월남 가서 그렇게 되어 왔어도 내가 말 한마디 한 적이 있어요? 다 내가 짊어지고 가면 된다고 하면서 그렇게 버텨 왔어요. 나이 많은 게 죄고 한 번 결혼했다가 온 게 다 죄라고 생각하면서 그렇게 살았어요. 그리고 내가 결혼했던 게 내 잘못이에요? 네? 부모님이 가라고 하니까 간 거고 부부니까 애가 생긴 거고 그러다가 포탄에 다 날아가 버리고 당신 만난 거 당신이 다 알고 있잖아요. 박복한 내가 무슨 복이 있을까 싶어서 말 한마디 제대로 하지 않고, 술 먹고 때리는 당신 손도 피하지도 않고 붙잡으면서 살았어요. 언젠가는 다시 그대로 돌아오겠지, 생각하면서 참고 살았어요. 근데, 인제 와서 나이 좀 어린 여자가 나타나니 그렇게 좋아요? 죄지으면 벌 받아요. 그걸 알아야 해요. 당신이 지금까지 복만 짓고 산 줄 알아요? 턱도 없는 생각이에요. 저한테 한 것만 해도 죄는 넘쳐나요. 이제 나도 당신 더 이상 붙잡지 않을 거예요. 두 발 달린 짐승이 어딜 못 가겠어요? 가요. 가. 당신 가고 싶은 데로 가요. 흑흑! 하지만 우리 아이들은 내가 키울 거예요. 절대로 다른 여자 손에 못 넘겨요. 내가 배 아파 낳은 내 아이들이에요. 그 여자하고 지지고 살든 볶고 살든 알아서 해요. 그리고 다시는 내 앞에 나타나지 말아요. 절대로."

집사람은 떠났다. 하고 싶은 말은 다 하고 떠났다. 안용근은 대꾸하지 않았다. 대꾸할 수가 없었다. 틀린 말이 단 한마디도 없었기 때문이었다.

"저 여자하고 살기 싫어요."
"그러면 못 써. 응? 엄마라고 불러야지."
"우리 엄마는 쫓겨나서 가 버렸는데 무슨 엄마예요?"
"용근 씨. 그냥 두세요. 시간이 지나면 아이들도 알게 될 거예요."

333

"미안해. 아이들이 버릇없게 굴어서."

"아니에요. 다 제 잘못이에요. 제가 잘할게요."

"아버지하고 저 아줌마 하고 둘이 잘살아 보세요. 전 동생하고 알아서 살 테니까."

"이놈이? 너 어디서 그런 말버릇을?"

아이들의 마음도 떠났다. 아버지로부터 마음이 떠난 아이들은 학교생활에서 더 큰 문제를 일으켰다. 둘째는 그런대로 학교는 다녔지만 첫째는 학교생활 자체를 싫어했다. 아버지에 대한 반항을 엉망인 학교생활로 대신했다. 아버지와는 말도 섞지 않았고 집에서 밥을 먹는 일도 없었다. 둘째는 형과 아버지 그리고 새엄마의 눈치 속에서 힘들어했다. 자신마저 형과 같이 방황하는 생활을 한다면 집안이 너무 어려워질 것이라는 깊은 생각도 했다. 하지만 둘째가 할 수 있는 일은 없었다. 그저 형의 눈치를 살피며 새엄마와 거리를 두었고 아버지와는 항상 멀리한 채 방 안에 틀어박혔다. 새엄마도 안용근과 아이들의 눈치 살피기에 바빴다.

안용근과는 여행을 다니면서 만났다. 제대로 한번 살아 보려고 모든 위험과 손가락질을 참아내며 안용근을 따라 집으로 들어왔지만, 막상, 현실은 생각했던 것보다 훨씬 힘겨웠다. 아이가 없었던지라 아이들을 키우는 것도 어려웠고 특히나 말 자체를 하지 않는 첫째는 두렵기까지 한 존재였다. 원양어선을 타던 전남편은 일 년에 한두 번 집에 올 뿐 평소에는 생사도 제대로 알 수 없었다. 집으로 돌아오면 늘 술에 취해 며칠을 보냈고 걸핏하면 이유도 없이 주먹을 휘둘렀다. 맞아도 하소연할 곳도 도망갈 곳도 없었다. 맞아서 죽을 것 같은 지경이 되면 겨우 골목으로 도망을 갔고 거기서 밤을 새웠다. 아침이 되어도 전남편의 폭력은 계속되었다. 자신이 목숨 걸고 번 돈으로 혼자 잘 먹고 잘 사는 것이 보기 싫다는 이유였다. 이해할 수 없는 이유였다. 애를 낳지 못하는 쓸모없는 여자라는 얘기를 이웃들에게도 하고 다녔다. 부부관계가 좋아도 애가 생기기 힘든데 걸핏하면 때리면서 애가 생기기를 바라니 어이가 없었다. 그날, 이유 없이 때리고 바다로 떠난 지 이틀이 지났을 때 가려움과 냄새로 병원을 찾았다. 성병이었다. 바다로 나가 있는 남편만 바라보고 살았던 것에 대한 배신감과 후회가 밤이 새도록 울게 했다. 여섯 달 정도 지난 후에 돌아온 전남편에게 부엌칼을 들고 달려들었다. 정말 죽여 버리리라 생각했다. 딸린 아이도 없으니 더 홀가분했다. 더 맞기만 했다. 성병에 걸려 치료받은 사실을 얘기하고 이혼을 요구했다. 두말없이 이혼이 이루어졌다. 혼자 사는 것은 익숙해져 있어 공장에 나가면서 편안하게 살았다. 얼마 되지 않는 주변 친구들과 그만저만 지내며 전남편으로부터 받은 상처들을 치료했다. 전쟁터에서 남편을 잃은 친구들의 권유로 일을 쉬는 날에는 근처로 여행을 다녔다.

거기에서 안용근을 만났다. 말이 많지 않고 사람들 사이에서 씀씀이도 작지 않다 보니 안용근은 인기가 많았다. 불편한 다리 때문에 먼 곳은 가지 못했지만, 배도 있고 사냥도 다녔기 때문에 자연스럽게 함께 있을 수 있는 시간은 많았다. 해안에 배를 대고 하루를 같이 지냈다. 그날 안용근의 셋째가 생겼다. 그렇게 아이를 가지려고 노력했던 전남편과는 아이가 생기지 않았는데 안용근과는 첫날에 아이가 들

335

어섰다. 시간이 있을 때마다 안용근과 같이 시간을 보냈다. 집사람과 아이들이 있다는 걸 알았지만 곁에 있고 싶었다. 부드러운 말 한마디가 안용근 곁에 있도록 묶어 두었다. 사람의 인연이란 어디서 어떻게 나타날지 모르는 일이었다. 떳떳하진 않지만, 평범한 부부처럼 살아 보고 싶은 욕심이 일었다.

집사람이 떠나자 곧바로 혼인신고를 했다. 미룰 이유도 없었다. 아이들의 눈치가 보였지만 집사람이 떠난 후여서 마음이 가는 대로 했다. 주위 사람들이 수군거렸지만, 전쟁터에서 살아왔으니 해 보고 싶은 것 다 해 보라고 응원하는 친구들도 있었다. 막내가 태어나자, 안용근은 다시 아이에게 매달렸다. 세상 모든 걸 다 해 줄 듯이, 시간만 나면 막내 곁에 붙어 있었다. 그럴수록 아이들 새엄마의 입장은 불편해졌다. 전처 소생의 두 아이에게 소홀하지 않기 위해 나름대로 최선을 다했다. 들은 바가 있어 세우관 사람들에게도 인심을 잃지 않으려고 노력했고, 부모님과 형제들에게도 시간을 내어 형제간의 우애가 깨지지 않도록 여러모로 살폈다.

시간은 많은 것을 해결해 주었다. 아이들 새엄마는 비가 억수같이 퍼붓던 날 둘째 아이 학교 앞에서 군용 판초 우의를 뒤집어쓰고 한참 동안 기다렸다. 허벅지에 종기가 생겨 제대로 걷지를 못하는 둘째를 업고 집에 온 후에 몸살에 사흘을 몸져누웠다. 지켜보던 큰아이의 입에서 새어머니라는 말을 듣자 곧장 일어나 아이들을 보살폈다. 몸 아픈 건 큰 문제가 아니었다. 아이들과 남편이 함께 행복하기를 진심으로 바랐다. 좋은 마음에 좋은 일이 따라왔다.

수많은 일이 있었지만, 안용근은 자신에게 주어지는 모든 것 중에서 열 개 중 한 개를 계속 주변 사람들에게 베풀었다. 일해서 받는 봉급 이외에도 수입이 있어서 그 정도를 써도 크게 아깝지 않았다. 보통의 사람들은 적은 수입이라도 생기면 어디 모아 둘 생각을 앞세웠지만, 안용근은 남은 돈을 다른 곳에 쓰는 데 더 관심이 많았다. 아이들을 위해 얼마간은 모아 두라고 아이들 새엄마에게 얘기해 두고, 자신이 가진 돈은 전부 쓰면서 지냈다. 주변에 사람들이 끊이지 않았다.

"안 주사. 내가 참 복이 많아. 그치?"

"관장님은 덕이 많으신 거지요. 하하하. 관장님 모실 기회를 가질 수 있어서 복은 제가 많은 것 같습니다."

"하하하. 이 사람이. 이 사람이. 안 주사 네가 참 진국이야. 진국."

"하여튼 관장님 진급하셔서 다행입니다. 여기저기서 분위기가 뭐 이상하다고들 얘길 하는 걸 들어서 걱정했습니다."

"운이 좋은 거지 뭐."

"아이구. 우리 관장님 아니면 누가 진급을 하겠습니까? 고생 많으셨습니다."

"안 주사 네가 이번에 공이 크다. 내가 다 알지. 청장님도 안 주사 많이 아끼시는 거 알지? 서울서 온 손님들 접대가 제대로였어. 다들 안 주사 네 공이라고 얘기한다니까."

"제가 뭘 한 게 있겠습니까? 다 관장님 덕이 높으셔서 잘된 겁니다. 하하하."

"어제저녁에 청장님하고 한잔하면서 자네 얘길 했지. 어때? 뭐 필요한 거 없어? 이번에는 청장님이 특별히 자네 청 하나는 들어줘야 한다고 몇 번을 말씀하셨거든."

"저는 뭐 지금 하는 일이 좋습니다. 관장님이나 입주해 계신 분들이 잘들 대해 주시니 특별히 바랄 게 없습니다. 하하하."

"자네 진급한 지가 좀 오래됐지? 내가 다 알어. 하하하. 청장님께서 직접 챙기신 거니까 걱정 말게. 좋은 소식이 있을 거야."

"아이구. 관장님. 다른 분들 얼마나 고생하시는데요. 전 아직 괜찮습니다."

"이봐. 이럴 땐 사양하는 게 아니야. 청장님이 직접 챙기셨다니까! 소식 나오면 청장님께 인사 한번 하라구. 알겠지? 뭐 그건 내가 얘기 안 해도 잘하겠지만 말이야."

"감사합니다. 관장님. 이번엔 서울로 가시지요! 진해 오시면 꼭 연락하십시오. 제가 잘 준비해 놓고 기다리겠습니다. 저기 지난번 청장님 모시고 간 그 섬에 제가 뭘 좀 해 놓았습니다. 한번 오시면 제가 거기로 모시겠습니다."

"아. 거기 다른 걸 만들었어? 그만하면 충분할 것 같던데. 하여튼 재주도 많아. 우리 안 주사. 으하하하! 그럼 그때 그 여자분들도 초청하겠구만. 하하하."

"관장님. 그때 그 여자들 청장님 마음에 드셨는지 모르겠습니다."

"말도 마. 이 사람아. 마음에 안 들었으면 안 주사 승진 얘기를 꺼냈겠나?"

"다음엔 좀 더 예쁜 여자들로 알아 두겠습니다. 하하하. 세상이 뭐 과부 천지니."

"전쟁만 벌써 몇 번째야? 그러니 우리라도 과부 위로 좀 하고 살아야 하지 않겠어? 크크크."

"예. 예."

안용근은 다시 승진했다. 하지만 하는 일은 전과 크게 차이가 없었다. 이번에는 좀 더 많은 물건과 좀 더 큰 물건을 살 수 있는 권한이 주어졌다. 손에 사서 들고 오던 물건들보다 크고 비싼 물건들까지 안용근이 직접 사 왔다. 가끔 트럭에 실어 한꺼번에 많이 사 와서 나눠 주는 물건도 안용근이 직접 사 왔다. 거래하는 가게 주인들은 열 개를 사면 한 개는 안용근 몫으로 알아서 챙겨 주었다. 얹어 주는 것은 계속 받아 왔지만, 안용근이 집으로 가지고 가는 일은 없었다. 계속해서 세우관 입주자들이나 다른 거래처 주인들에게 나눠 주었다. 한 개를 더 준 업자들은 다른 물건 한 개를 더 받았다. 보일러실 일이나 건물 여기저기를 보수하는 일은 늘 생기는 일도 아니고 평소에 안용근이 열심히 점검하고 관리하다 보니 안용근의 일은 눈에 띄게 줄어갔다.

나무를 가꾸고 잔디를 관리하는 것이 하루 일과의 전부일 때도 있었다. 가끔 마당에 놓은 벤치에 앉아서 편안하게 휴식해도 누구 하나 입을 대는 사람이 없었다. 처음 일을 시작했을 때나 지금이나 게으름을 피운 적은 없었다. 구석구석 일을 찾아서 하는 성격이고 지금도 작은 부속들은 자기 돈으로 사서 고쳐 놓았기 때문에 입주자들과의 사이는 늘 좋았다. 여전히 보상은 바라지 않았다.

오래된 보일러 배관을 교체하는 공사가 있었다. 제법 큰 공사라 본청에서 사람들이 와서 조사하고 설계했다. 안용근은 옆에서 묻는 것에 열심히 대답했다. 혹시라도 모자란 것이 있을까 해서 묻지 않는 것까지 손으로 짚어 가며 알려 주었다. 불편한 다리를 이끌고 높은 층까지 올라 다니면서 열심히 설명해 주었다. 본청 사람들이 진행한 조사 기간 내내 오후가 되면 안용근은 마당에 술자리를 봐 놓고 저녁 식사까지 대접했다. 열 개 중에 한 개라는 마음으로 대접하는 비용은 안용근 자신이 부담했다. 조사를 하는 사람들도 안용근에 대해서 이미 들어서 알고는 있었지만, 진심으로 자신들을 돕고 있고, 자기 일에 최선을 다하는 것을 보고는 칭찬을 아끼지 않았다. 조사를 마치고 돌아갈 때 신발 한 켤레씩을 사서 선물했다. 본청에서 온 사람들의 조사가 끝난 후 두 달 정도가 지나자, 공사가 시작되었다.

보일러 배관이 설계대로 설치되는지 안용근은 꼼꼼하게 살폈다. 본청에서 감독관들이 왔지만, 자리를 비우기 일쑤였기 때문에 공사 내내 안용근이 자리를 지키고 감독을 대신했다. 공사 인부들에게는 가끔 막걸리도 사 주었고 애들 새엄마에게 시켜서 새참은 빠지지 않도록 챙겼다. 일을 꼼꼼히 살피는 안용근의 태도와 노력에 감독관은 마음을 놓았고, 인부들은 꾀를 부리지 않고 열심히 일해 주었다. 공사 기간만 해도 석 달이 넘는 큰 공사였기 때문에 외부 숙소에서 기거하던 감독관들은 토요일 아침이 되면 집으로 돌아갔고, 월요일 오후가 되어서야 나타났다. 공사와 관련된 일지들도 안용근이 전부 챙겼다. 공사 기간에 보일러실을 지킬 일이 없었기 때문에 자진해서 일을 하겠다고 했다. 처음에 감독관들은 안용근이 자진해서 공사장을 살펴보는 것을 보고 별 이상한 사람이라고 여겼다. 하지만 자신들과 인부들을 대하는 태도를 보고는 이내 친근해졌다. 배관 공사가 끝난 후에 보일러 관리는 자신이 해야 하니, 처음부터 잘 살펴보아야 한다는 말에 더욱 신뢰가 갔다. 공사가 빠르게 진행될 방법도 알려 주었고 자재와 장비를 임시로 놓아둘 장소가 부족해지자 평소 사이좋게 지내던 이웃들의 마당을 빌려 쓰게도 해 주었다.

공사 회사 사장이 돈봉투를 가지고 왔다. 생각보다 공사가 수월하게 진행되어 공사 기간도 단축되었고, 자재도 많이 남아 안용근에게 고마움을 전하기 위해서였다. 두툼한 봉투 두 개를 안용근에게 주었지만, 자신의 주머니에 넣지 않았다. 땅을 빌려준 이웃에게 먼저 약간의 돈을 건네고 나머지는 인부들에게 나눠 주었다. 봉투 한 개는 전부 감독관들에게 주었다. 인부들로부터 이 소식을 들은 회사 사장은 청장에게 편지를 썼다.

'존경하는 청장님과 직원 여러분께!

하루가 다르게 날씨가 시원해지고 산속의 녹음이 단풍으로 변하는 이 좋은 시절에 가내 두루 평안하시고 행복하시기를 기원드립니다.

저는 월남상사 대표 이대표입니다. 다름이 아니오라, 제가 맡아서 공사 중인 진해 세우관 배관 공사와 관련하여 평소 존경하는 공무원 선생님들의 선행에 대해서 알리고자 몇 자 적습니다.

저희 회사는 규모는 작지만, 월남에서의 공사를 스무 건 이상이나 충실히 수행해서 능력을 인정받은 탄탄한 회사입니다. 우리 파병용사들이 안전하게 거처할 건물과 방벽 공사 등을 수행하였고 이후에 진해에 자리를 잡고 관급 공사와 민간 공사를 병행하면서 더욱 높은 기술력을 키우고 있습니다. 이런 기술력을 바탕으로 진해 세우관 배관 공사를 수주하여 계획된 공사 기간을 맞추기 위해서 온갖 노력을 하고 있으나 운송 수단이 부족하고 자재 창고가 없어 많은 애로를 겪었습니다. 하지만, 공사 감독을 담당하옵고 계신 공무원 선생님들의 지극히 헌신적인 협조와 지도 편달로 어려운 고비를 아주 쉽게 넘기면서 공사 마무리 단계에 와 있습니다. 인근 주민들과의 적극적인 협조를 통하여 장비와 자재를 제때 공급하도록 돌봐 주시고 공사가 끝난 이후의 관리까지 신경을 쓰는 모습에 감탄하지 않을 수 없었습니다. 감독관님들의 세밀한 지도와 현장 담당 공무원 선생님의 적극적인 협조가 없었다면 저희 공사는 제시간에 완공되지 못하였을 것입니다. 이런 훌륭한 공무원 선생님들은 격려받아 마땅합니다. 우리 직원들이나 심지어 현장 노가다 인부들도 공무원 선생님들의 노력에 감사하고 있습니다. 부디 이런 타의 모범이 되는 공무원 선생님들의 선행이 널리 알려져서, 우리나라 대한민국이 무궁히 발전할 수 있도록 살펴봐 주시기를 간곡히 당부드립니다. 글이 짧아 제 심정을 이루 다 말씀드릴 수 없음을 안타깝게 생각하는 바입니다. 끝으로 현장을 담당하고 계신 안용근 주사님께 다시 한번 더 깊이 감사드립니다.

단기 0000년 시월 초사흘

월남상사 대표 이대표 올림

추신: 공사 기간 단축 및 자재 소요 절감으로 인한 추가 이익은 국가와 민족의 번영을 위해 헌금으로 내놓겠습니다.

편지는 동일한 내용으로 두통이 마산과 서울로 보내졌다. 공무원들에게 흘러 들어간 돈에 관한 내용은 일절 언급되지 않았다. 마산의 청장은 신문에도 내야 하는 선행이라면서 전 부서에 모범사례로 전파

했고 서울서도 높은 사람들이 내려와서 사진을 찍었다. 한 푼이라도 더 받아먹을 욕심이었던 감독관들도 얼떨결에 사진이 찍히고 신문에 이름도 나오게 되자 안용근의 손을 잡고 고마워했다. 아이들 새엄마의 노력도 언급이 되어 청장의 감사장을 받았다. 직원 부인이 청장으로부터 감사장을 받는 유례없는 사태가 벌어졌고 오랜만에 안용근의 집에는 가족들이 모여 조촐한 잔치까지 했다. 공사는 순조롭게 마무리되었고 공사회사 사장은 생각보다 훨씬 많은 이윤을 남겼다.

공사가 끝난 후 대금 지급이 전부 마무리될 즈음에 서울에서 장관의 표창장이 날아왔다. 안용근과 감독관들 모두 포상금과 표창장을 받았다. 감독관들은 다시 내려와 안용근에게 고마움을 표시했고 앞으로 어떤 부탁이라도 다 들어주겠노라고 다짐했다. 안용근은 감독관들을 데리고 마산까지 나가서 값비싼 요정에서 극진히 대접했고, 형과 동생으로 영원히 함께하자는 약속도 이어졌다. 표창장은 집 안 마루 위, 천장 바로 아래에 가족사진과 함께 걸렸다. 감사장도 액자에 넣어서 같이 걸어 두었다. 2년 뒤 감독관들과 공사 사장은 부산에서 다시 만나 일을 함께했다. 감독관들은 봉투 한 개를 가지고 안용근을 찾아왔다. 지난번보다 두 배 이상의 금액이 들어 있었고 안용근은 안주머니에 고맙게 받아 넣었다.

"형. 왜 하나만 낳고 안 낳는 거야? 조카 키우는 게 힘들면 내가 좀 도와줄게."

"하하. 하나만 있어도 난 행복해. 뭐 많아도 좋겠지만. 하하하. 요새 많이들 얘기하잖아. 하나씩만 낳아도 삼천리는 초만원에다가 덮어 놓고 낳다 보면 거지꼴을 못 면한다잖아."

"그래도 형수 입장을 봐서라도 하나 정도는 더 낳아야지. 하하하. 부모님 돌아가시고 나니까 내가 형한테 잔소리를 다 하네."

"난 우리 동생들 다 잘 지내고 우리 애 이 정도만 키우면 행복해. 우린 복 짓고 살고 있잖아. 이 정도 살면서 복 짓고 사는 게 어디 쉬운 일이야?"

"하긴 그래. 우리 애들도 예쁘지만, 조카가 이렇게 귀엽고 사랑스러운 줄은 몰랐어. 이건 뭐 내 아이들보다 더 예쁜 거 같아. 하하하."

"네가 자꾸 오냐오냐하니까 그 녀석이 너한테만 안기잖아. 장난감도 너무 많이 사 주지 말고."

"하하하. 나를 제일 잘 따르잖아. 그러니 귀여울 수밖에. 그러지 말고 형도 그만 좀 아끼고 장난감도 좀 사 주고 그래라. 하하하."

"지난주에도 너네 집에서 살 거라고 하는 바람에 집에 데리고 온다고 모두들 혼이 났잖아. 엄마도 싫고 아빠도 싫고 삼촌만 좋아하니까. 이러다가 그냥 너네 집에 살려고 할 거 같다."

삶은 어딜 가도 오르막과 내리막이 있었다. 안용근은 어릴 때 형이 해 준 모든 일이 고마웠다. 모든 걸 동생을 위해 양보했었고 안용근도 가능한 것이 있으면 모든 걸 형에게 양보하려 했다. 군대와 월남 그리고 집안을 위한 안용근의 모든 희생은 형의 희생이 그 근본에 있었다. 안용근은 눈에 보이지 않는 형의 희생을 잘 알고 있었다. 그래서인지 조카에 대한 안용근의 사랑은 남달랐다. 무엇이든 해 주고 싶었다. 공부를 위한 비용도 안용근이 일부를 책임지겠다고 공언했다.

형과 형수는 이런 안용근의 제안이 고마웠고 거절할 수도 없었다. 형이 정비소를 다니면서 받는 돈은 미래를 염두에 두기에는 모자랐기 때문이었다. 세월은 산색이 변하는 것보다 훨씬 더 빨리 지나갔다. 산색이 푸르다 싶으면 이내 마른 나뭇가지가 잎을 떨어뜨렸고 아이들이 자라는 모습은 세월을 더욱 빠르게 흘러가게 하는 것 같았다.

"형아!"

"응?"

"나 안 추워!"

"그래도 이불 잘 덮어야 해. 우리 막내. 감기 걸리면 안 돼."

"나 감기 안 걸려. 항상 우리 집은 따뜻하잖아."

"그래도 이불은 잘 덮어야 해. 잠잘 때는 이불을 목까지 잘 덮어야 해. 감기는 어깨를 타고 온다고 아버지께서 말씀하셨거든."

"응? 그게 무슨 말이야? 너무 어렵다. 감기가 왜 어깨를 타고 오는 거야? 말도 아니고 자전거도 아닌데 감기는 뭘 타고 다니는 거야?"

"하하하. 참 우리 막내는 아직 잘 모르겠구나. 좀 더 있으면 알게 될 거야."

"형아!"

"응?"

"형아는 내가 좋아?"

"그럼. 당연히 우리 막내가 세상에서 제일 좋지. 우리 막내는 세상에서 누가 제일 좋을까?"

"음. 음. 음. 몰라. 난 몰라. 형아는 내가 왜 좋아?"

"글쎄. 우리 막내니까 좋지."

"형아. 우리 엄마가 좋아? 우리 엄마 때문에 형아, 엄마가 다른 곳에 살고 있다는 거 나도 알아."

"막내야. 그건! 음. 그건 말이야. 어른들 일이야. 우린 그냥 우리끼리 지금처럼 지내면 되는 거야."

"그래도. 형아는 엄마 보고 싶지 않아? 우리 엄마가 싫지 않아?"

"막내야. 형도 새엄마 있잖아. 물론 엄마 보고 싶지. 하지만 새엄마도 좋아. 그러니까 우리는 엄마만 둘인 거야. 다른 사람들은 좋은 엄마가 하나인데 우리는 좋은 엄마가 둘이니까 더 좋은 거야."

"음. 알겠어. 우린 좋은 엄마 둘."

"그래. 작은형아도 그렇게 생각하고 있는걸."

"음. 알겠어. 이불 잘 덮고 잘게."

아이들은 친형제와 다름없이 서로를 아끼며 잘 지냈다. 막내와 나이 차이가 크게 나서 형들이 막내를 돌보는 일이 많았다. 형이 둘이나되니 서로 나눠서 업어 주기도 하고 놀아 주기도 했다. 큰아이가 한글을 가르치면 둘째 아이는 숫자를 가르쳤다. 식사할 때도 곁에 두고 서로 밥과 반찬을 떠먹여 주면서 돌봐 주었다. 새엄마는 아이들에게 감사하고 미안했다. 자신의 존재가 아이들에게 미안하지 않도록 노력했지만, 한계가 있었다. 두 아이도 내색하지 않았다. 늘 새엄마를 존중하고 불평은 일절 하지 않았다. 새엄마는 아이들이 작은 불평이라도해 주기를 바랐다. 하다못해 반찬 투정이라도 하고 용돈을 달라는 말이라도 하기를 바랐지만, 두 아이는 늘 조용히 동생을 돌보면서 사이

좋게 지냈다. 새엄마도 더 이상 아이들에게 뭘 바라는 것 자체가 욕심일 수도 있다는 생각이 들었고, 아이들을 조용히 지켜보면서 모자란 것을 채워 주리라 다짐했다.

"다녀오셨어요? 마음이 안 좋겠네요. 친한 친구 아버지라면서요. 급하게 가시더니 며칠이나 계시고."

"그래. 마음이 안 좋네. 그렇게 가실 분이 아닌데."

"누구신데요? 그 친구는 만났어요?"

"아니. 그 친구는 먼저 간 지 오래됐어. 월남에서 내가 다치고 귀국한 지 얼마 되지 않아서. 음. 그러니까. 내가 병원에 있을 때 그때 전사했어."

"네?"

"그렇게 됐어. 그 사진첩에 그 친구 사진이 있을 텐데."

"그럼, 장사는 누가?"

"동생들이 있는데. 아직 형편도 그렇고 장사 치르는 거 이런 걸 뭘 잘 몰라. 경황도 없고. 가 보니 어머니도 같이 돌아가셨더라고."

"네? 아니 어쩌다가요? 사고라도 났어요?"

"아니. 두 분이 자살하신 거야."

"네? 자살요?

"응. 기억나는지 모르겠네. 왜 내가 보증 섰다가 힘들었던 적이 있다고 했지? 그때 보증 서 드린 분이야."

"자세히는 모르지만. 조금은 알죠."

"근데, 왜 자살을? 빚이 많았나 보네요."

"그래. 가서 보니 빚쟁이들이 나보고 또 뭐라고 할 기세더라고."

"네? 또 보증을 선거예요?"

"아니야. 그게 아니고. 내가 선 건 이미 다 정리됐지."

"근데, 왜요?"

"그분이 사관학교를 졸업하신 분인데 말이야. 또 사기를 당하신 모양이더라고. 뭐 나랑은 그런 일이 있고 나서 연락이 전혀 안 되다가 대충 정리되고 난 후에 두 번 전화를 받았지. 그래서 돈도 조금 돌려받았어. 물론 얼마 되지는 않았지만 말이야. 미안하다고 몇 번이나 말씀하시면서 조금씩 갚을 테니 조금만 더 기다려 달라고 하시더라고. 나야 뭐 괜찮으니까 신경 쓰지 마시라고 했지. 한번 오신다기에 그냥 너무 머니까 소식이라도 전하면서 뭐 좋은 일 있으면 내가 올라가서 뵙겠다고도 하고. 하여튼 그렇게 잘 지내시는 줄 알았지. 뭐 잘 지낸 다기보다는 옛날처럼 지내시기를 바랐지."

"근데, 갑자기 왜요?"

"이번에는 또 다른 동기 한 사람이 일제 무슨 전자제품을 가져와서 판다고 했다든가. 하여튼 동생들 얘기를 좀 들어보니 그것도 사기 였더라구. 그래서 그동안 조금 모은 돈하고 뭐. 다 날린 모양이야. 애들도 당장 오갈 데도 없고. 아직 결혼도 못 하고 그렇게 살고 있더라고. 내 마음이 너무 아프고. 참."

"이제 다 큰 어른들인데 참. 어떡해요?"

"그래서 말인데, 당분간 동생들을 우리 집 근처에 데리고 와서 좀 돌봐 주면 안 될까?"

"집도 옮겨 주고. 나한테는 친동생처럼 돌봐야 하는 애들이라."

348

"저야 당연히 찬성이죠. 당신이 그렇게 아껴야 하는 분들이면 저도 당연히 같이 돌봐 드려야죠. 걱정 말고 내일 가서 데리고 와요. 그리고 뭐 이사할 게 많으면 며칠 머무르면서 다 정리하고 데리고 와요. 전 괜찮으니까 걱정하지 말구요."

"어? 그. 그래. 고마워. 근데 너무 쉽게 이러는 거 아니야? 좀 생각해 보는 게 어떨까 하는데."

"당신이 그런 얘길 하는 거 보면 다녀오는 동안에 많이 생각한 거잖아요. 그러니까 지금 반대를 해 봤자 소용도 없을 테고, 딱히 저도 반대를 하고 싶지 않아요. 저도 복 짓고 살아야지요. 호호호."

"그래. 복 짓고 살며 나중에 복 받으면서 오래 잘 사는 거야. 죄하고 복은 지은 데로 가는 거야."

"우리 애들이 저렇게 사이좋게 잘 지내는 것도 당신이 복을 지어서 그런 것 같아요. 그 형님한테는 늘 미안하지만요. 제가 뭐 이런 말할 자격은 없지만."

"됐어. 그 얘긴 그만하고. 내일은 출근해서 세우관에 자초지종 좀 얘기해 놓고 얼른 다녀와야겠네."

안용근은 다음 날 아침 일찍 출근해서 미리 챙겨 둬야 할 일들을 처리했다. 보일러도 살펴보고 화장실이며 앞마당까지 구석구석 돌아다니면서 점검하고 조금이라도 이상이 있는 곳은 수리해 놓았다. 시간이 조금 걸릴 것 같은 것에는 수리 예정이라고 종이도 붙여 놓았다.

관장에게 승낙을 얻었다. 관장도 평소 안용근의 성품을 잘 알고 있는지라 걱정하지 말라며 휴가를 보내 주었다. 늦게 퇴근한 안용근은 아이들 새엄마와 함께 곧장 인근에 비어 있는 집을 찾아 주인을 찾아가서 사정 이야기를 했다. 집주인도 안용근과 막역한 사이로 지내고 있어서 당분간은 거처를 마련할 수 있었다. 다음 날 조금 넉넉하게 여비를 챙긴 안용근은 보수대 동기의 동생들을 데리러 올라갔다. 문상하러 갔을 때 이미 동생들과 몇 가지 의논을 해 두었던 것이 있어서 동생들은 병원에서 기다리고 있었다. 병원에서 장례비와 몇 가지 비용을 해결하고 난 뒤 보수대 동기 동생들의 거처를 진해로 옮기기로 했다. 병원에서는 안용근이 공무원임을 알리자 잘 협조해 주었고, 어릴 때 안용근을 본 기억이 있는 동생들도 서둘러 안용근을 따라나섰다. 안용근이 아니고서는 딱히 갈 곳도 없었다. 사관학교 출신에, 군에서 높은 계급이었던 아버지 덕분에 고생은 모르고 자란 아이들이었지만 보수대 동기의 죽음으로 집안이 몰락하자 일가친척 누구도 돌보아 주려 하지 않는다는 것을 잘 알고 있었다.

보수대 동기의 동생들은 나이가 들기 전에 사회 물정을 알 수 있는 경험도 없었고, 그렇다 보니 제대로 된 직장을 잡을 수도 없었다. 진해로 내려온 동생들은 우선 직장을 먼저 알아봐야 했다. 특별한 기술도 없고 나이가 있는지라 직장을 잡는 데는 시간이 필요했다. 그나마 성실한 성격의 동생들이라 안용근은 마음이 놓였고, 자신의 발품만으로도 어지간한 직장은 알아봐 줄 수 있을 것 같았다. 동생들의 다친 마음이 우려스러웠지만 걱정했던 것과는 달리 동생들 스스로 슬픔을 잊으려고 노력하는 모습이 역력했다.

보수대 동기의 어머니는 이런 일들을 어렴풋이나마 예견했던 듯했다. 생전에 남은 아이들에게 당신께서 받으신 반지와 집안에서 내려오는 몇 가지 장신구, 그리고 아이들 앞으로 명의를 돌려놓은 땅문서를 몰래 준비해 놓으셨다. 무슨 일이 있더라도 절대로 성인이 될 때까지는 남에게 알리지 말라는 당부도 함께 해 놓으셨다. 병마와 집안의 몰락, 두 가지의 험난한 일을 겪으시면서도 남은 아이들을 위한 마지막 준비는 빼놓지 않으셨다. 보수대 동기의 어머니는 훗날 아이들이 학업을 다 마치고 독립해서 나갈 즈음에 안용근에게 연락하고, 안용근이 시키는 대로 하라고 일러두었다.

안용근이 보수대 동기의 동생들로부터 그 땅에 대한 소유권을 받았을 때, 극구 사양했지만, 믿을 곳이 없으니 부디 맡아 달라고 사정했다. 아이들의 미래를 부탁할 곳이 안용근밖에 없다는 내용과 함께, 그동안 자신들로 인해 피해를 본 것에 대한 작은 보상이니 부디 받아 달라고 하는 편지를 보고서는 어쩔 수 없이 받아 두었다. 동생들이 진해에 도착하자 땅에 대한 처분을 상의했고 안용근과 동생들은 그 땅을 기부하기로 했다. 살아가면서 큰 욕심을 부리면 안 된다는 것을 누구보다도 절실하게 느끼면서 살아온 보수대 동기의 동생들도 흔쾌히 찬성했다. 안용근의 처분을 따르기로 했고, 가능하다면 부모님의 흔적이 조금이라도 남으면 더 좋을 것이라고 의견을 얘기했다.

진해에서 용원으로 나가는 큰길 옆에 있는 작은 장애인 보호시설에 그 땅을 전부 기증했다. 건물이 낡고 제대로 된 지원이 부족했던 그 보호 시설에 그 땅은 한 줄기 희망과도 같았다. 안용근은 그 땅을 팔아 마련된 돈에 대해서 단 한 푼도 관여하지 않았다. 대신 시설 입구에 돌아가신 두 분 부모님의 성함과 약력 몇 자를 적어 뜻을 기억해 달라고 했다. 시설을 관리하는 분도 좋은 뜻이 널리 알려지고 다른 사람들의 동참을 기대할 수 있으니 흔쾌히 받아들였다. 부모님의 마지막 유산은 좋은 곳에 값지게 쓰였다.

"오빠! 흑흑. 어쩔 수 없는 일이잖아. 오빠가 이러고 있으면 가는 새언니도 편히 못 가아."

"다 내가 죄인이다."

"용근아. 네가 할 도리는 다했다. 이제 제수씨 편히 보내 드려."

"형. 다 내가 지은 죄 때문이야. 저 사람이 왜 나 때문에 저리 허무하게 가야 하는지."

"아버지. 흑흑."

"아버지. 흑흑."

"아빠! 엉엉엉. 정말 엄마 죽은 거야? 아빠아. 엄마 죽은 거냐고?"

"미안하다. 내가 죽인 거야. 내가."

"오빠. 이제 그만하자. 응? 오빠. 언니 이제 보내 드리자. 응?"

"용근아. 자. 나가자. 응? 이제 나가야지."

"서방님. 이제 나가야 해요. 네! 동서 가는 길 이제 막으면 안 돼요. 네?"

"그렇게 아프면서 말 한마디도 안 하고 이렇게 가면 내가 어떻게 해야. 하아. 미안해. 내가 전부 다 미안해. 다 내 잘못이야. 하아."

"혀엉. 흑흑. 나가자. 응? 애들 데리고 이제 나가야 해."

"그래. 나가자. 나가야지. 저 사람 얼굴 한 번만 더 보고 나가자. 응? 이제 영영 못 볼 텐데. 한 번만 더 보고 나가자."

"아빠아. 엄마 두고 갈 거야? 아빠아!"

"아이고오. 아이고오. 내 새끼. 이 어린걸. 이 어린 걸 어쩌라고 그리 간단 말이야!"

"아빠아. 엄마 살려낼 수 있지? 아빠아. 응?"

"미안하다. 다 내가 지은 죄가 커서 이렇게 된 거야. 미안하다."

"이러다가는 안 되겠다. 당신이 조카들 먼저 데리고 나가요. 용근이는 동생들이랑 내가 데리고 나갈 테니까."

"네. 그렇게 해요. 흑흑."

"용근아. 우리 모두 다 제수씨 보내기 싫어. 그래도 이젠 나가야해. 여기 평생 이러고 있을 순 없잖아. 응?"

"형. 나 도저히 저 사람 못 보내겠어. 엉엉."

"휴우. 하늘이 용근이 너한테는 왜 이리 힘든 일만 내리는지."

"제수씨 저리된 건 너 때문이 아니라 어쩔 수 없는 일이야. 너도 알잖아. 응? 암이 누구 맘대로 고쳐지는 병이 아니잖아. 그동안 병원에서 네가 한 건 제수씨도 잘 알잖아. 응? 밤이고 낮이고 병시중 들고 네가 다 했잖아. 그럼 할 만큼 한 거야. 제수씨도 그랬잖아. 혹시라도 이런 날 오면 애들 잘 건사하고 같이 만나던 해변에 뿌려 달라고. 응? 그러니까 이제 나가자. 응. 용근아."

"오빠. 언니도 오빠 마음 다 알고 있어. 가는 언니는 얼마나 힘들었겠어! 아이들 걱정, 오빠 걱정뿐이었지만 그래도 저렇게 잘 키워 놨으니, 언니도 그런 말 편하게 한 거야. 애들 앞으로 통장도 다 만들어 놨고 옷가지들도 다 정리해 놓은 거 봤잖아. 언니 병원에 입원하는 날 다 얘기했어. 이제 내가 애들 잘 돌볼 테니까. 응. 오빠. 이제 나가자."

아이들 새엄마가 암으로 세상을 떠난 날 안용근은 다시 한번 하늘과 세상을 원망했다. 세상은 다 지뢰밭이고 어디를 가도 만나는 사람들은 다 지뢰라고 저주했다. 허무했다. 둘째 마누라, 첩이라는 생각 때문에 하루를 편하게 산 날이 없는 사람이었다. 누구도 그렇게 생각하진 않았지만 스스로 눈치를 보면서 살아왔던 것을 안용근은 잘 알고 있었다. 전 부인의 아이들 눈치를 보면서 항상 조용하게 아이들의 마음이 열리기를 기다렸던 사람이었다. 아이들이 새엄마라는 말을 하는 날도 말없이 울던 착한 여자였다. 안용근이 직장 사람들과 회식하고 야유회를 갈 때도 항상 힘든 일은 도맡아 했고, 음식 준비와 명절날 인사도 빠짐없이 챙겼다. 아주버님과 시동생, 시누이, 손위 형님 그리고 조카들까지 항상 온화한 얼굴로 조용히 대하면서 스스로 숨어 지내듯이 살았던 착한 사람이었다.

안용근과 같이 산 이후로 단 한 번도 큰 소리를 낸 적이 없었다. 주변 사람들의 칭찬이 끊이지 않았고 항상 아끼면서 주변 사람들을 돌보았다. 안용근이 받는 칭찬을 같이 받았다. 하루하루 어눌해지는 말투가 이상해서 병원을 찾은 날, 두 사람은 서로를 안고 떨어지고 싶지 않았다. 안용근을 몇 번이나 스쳐 지나갔던 저승사자는 아이들 새엄마에게는 죽음을 준비할 시간도 제대로 주지 않았다.

목 안에 자리 잡고 급하게 자란 암 덩어리는 눈에 띄게 말투를 어눌하게 했고 효과가 좋다는 진통제 몇 알은 암이 자라는 것을 알지 못하게 막아 준 역할만 했다. 일본에서 몰래 수입한 약이라 어지간한 병은 다 고쳐 준다는 말만 믿고 사 먹은 약이었다. 그 약이 암 덩어리의 고통을 느끼지 못하도록 막고 있었다. 자신도 모르는 사이에 몸이 망가지고 있었다. 강한 진통제라 간혹 머리가 멍할 때가 있었지만 고통이 약해지니 당연히 몸도 나아지고 있는 것으로 생각했다. 계절이 바뀌기도 전에 말할 수 없는 지경이 되었고 병원에서도 더 이상의 희망이 없다고 말했다.

　너무도 허망했다. 아이들에 대한 당부도 말로 할 수 없으니 글자 몇 자로 대신했다. 숨 쉬는 것도 힘겹게 되자 아이들 얼굴만 찾았다. 전처 소생의 아이 둘과 자신이 낳은 아이를 구분하지 않았다. 세 아이의 얼굴을 찬찬히 훑어보면서 슬퍼하거나 울지 않았다. 셋이 사이좋게 눈앞에 있으니 행복한 마음만 생겼다. 아이들도 앞에서는 울지 않았다. 하지만 시간이 얼마 남지 않았다는 것을 듣고는 울지 않을 수 없었다. 숨쉬기가 고통스러울 즈음, 더 이상 아이들에게 오지 말라고 했다. 그 이후로 오래 버티지 못했다.

　장례식장에는 많은 사람이 왔다. 안용근의 가족들도 이미 많은 수로 늘어나 있어서 쓸쓸한 장례식은 아니었다. 하지만 산목숨을 대신할 것은 아무것도 없었다. 직장 동료들과 월남전 전우들이 다녀갔다. 윗사람들도 화환을 보내고 높은 분들도 몇 사람이 직접 문상을 왔다. 안용근은 장례를 치를 힘이 없었다. 안용근 대신 가족들이 오는 손님들을 맞고 인사를 대신했다. 모두 안용근과 아이들 새엄마의 행복했던 시간을 알고 있었기 때문에 조용히 위로만 하고 돌아갔다. 보수대 동기의 동생들도 상주임을 자처했다. 모두 한 가족이라 생각했다. 입관할 때 안용근과 가족들이 모두 들어갔지만, 안용근은 끝내 스스로 나오지 않았다. 안용근도 전남편과의 일을 알면서 결혼했고, 아이들 새엄마도 안용근의 다친 다리를 의식하지 않고 결혼했다. 살아오면서 아이를 낳고 전처의 아이들까지 살뜰히 보살폈던, 진정으로 사랑하는 여자였다. 안용근은 떠나보낼 수가 없었다. 가족들에 이끌려 겨우 입관실에서 나왔지만, 장례가 끝날 때까지 음식 한번 입에 대지 못했다. 말하지 못하고 숨을 몰아쉬면서 아이들의 사진을 안고 있었던 모습이 기억에 남아 도저히 음식을 넘길 수가 없었다. 같이 죽을 수 있다면 그렇게 하고 싶었다. 삶은 모진 것이었다.

　"어이. 안 주사."

　"저기 이번에 온 보일러는 엄청 좋은 거라던데? 뭐가 그리 좋은 거야?"

　"네. 이번에 완전히 신형으로 바꿨는데요, 가스보일러입니다. 에어컨도 전부 다 제일 좋은 겁니다."

　"우리가 도에서 제일 먼저 받은 거라면서? 이거 안 주사 공이 크구만. 이번 청장님하고도 근무한 적이 있다면서?"

　"운이 좀 좋았습니다. 마산 갔다가 잠시 인사하는데, 이번에 여기로 좀 밀어주신다고 하셔서 저도 놀랐습니다. 우리 건물이 좀 오래되었다고 하시면서 시설개선 사업을 좀 해야겠다고 하시더라구요. 청장님과는 같이 근무한 것은 아니구요, 진해 계실 때 잔심부름만 제가 좀 했었습니다."

　"햐아. 이 사람이. 안 주사 눈이 대단해. 진해 처박혀 있던 양반이 저리 승승장구하면서 청장 자리도 저리 빨리 꿰찰 줄 누가 알았겠어? 이게 다 안 주사가 사람 보는 눈이 좋아서 그래. 하하하."

　"아이구 관장님. 제가 뭐 사람 보는 눈이 있겠습니까? 저야 뭐 시키시는 일만 하는 건데요. 뭐 특별히 한 것도 없습니다."

"듣자 하니 잔심부름이 아니던데? 웅동하고 뭐 지사 어딘가에 땅도 알아봐 드렸다면서?"

"아. 그건 청장님 은퇴하시고 바닷가 근처에 자리 잡고 사신다고 해서 제가 알고 지내던 사람한테 그냥 소개만 해 드렸습니다. 제가 뭐 특별히 한 건 없습니다. 청장님께서 덕이 많으시니 좋은 일이 생긴 것 같습니다."

"어? 자네 알고 있구만. 거기 개발인가 뭔가 한다고 땅값이 땅값이. 햐아! 몇 배는 올랐다고 하던데! 그러니 자네를 아낄 수밖에. 그러지 말고 나도 뭐 좋은 건수 하나 알려 줘 봐. 뭐 나도 은퇴하고 나면 여기 근처에 살고 싶다고. 하하하. 그때도 자넨 뭐 나하고 같이 편안히 살 수 있을 거 아니야."

"관장님도 아시다시피 진해가 살기 좋습니다. 바다도 있고, 산도 있고, 해군들이 많으니 먹고살 것도 많고, 특히나 사람들이 착합니다. 봄이면 꽃도 좋고 파도도 세지 않으니까 배 타고 나가서 낚시도 하고. 아마도 전국에서 제일 살기 좋은 동네 중 한 곳일 겁니다."

"그래. 그래. 나도 알지. 그러니까 뭐 좋은 땅 하나만 알려 줘 봐. 내 자네 공은 잊지 않을 테니까. 자네도 내 성격 알잖아?"

"아이구. 관장님이야 누구보다 제가 제일 존경하지요. 우리 같은 아랫사람들 명절까지 다 챙겨 주시고 꾸중 한 번 안 하시고도 이렇게 지낼 수 있도록 해 주시는 건 항상 감사하게 생각하고 있습니다."

"아. 이 사람아. 내가 뭘 그리했다고? 뭐 신경을 안 쓴 건 아니지만 하하하. 그러니까 이번에는 나도 뭐 퇴직하고 나서 조용히 살 만한 곳 좀 소개해 줘 봐. 응?"

"그럼. 혹시 저기 얘기 들으신 적 있으신지 모르겠습니다."

"응? 어디? 뭐 좋은 데가 있어?"

"지난번에 낚시 갔다가 몇 번 들었는데요, 저기 왜 삼박골하고 안산 아시지요?"

"그래? 안 주사 자네 말이면 내가 믿지. 하하하. 근데, 그런 정보는 다 어디서 나오는 거야? 하기야 사람이 부지런하니까 뭘 들어도 듣는 거겠지만. 나야 뭐. 집에 딱 들어앉아서 세월이나 보내고 있으니. 내가 생각해도 내 인생이 참 큰일이다. 큰일!"

"아이구 관장님 같은 훌륭한 분이 어디 계신다고 그런 말씀을 하십니까? 제가 여러 분 모셔 봤지만, 우리 관장님을 제일 존경합니다. 하하하. 삼박골은 너무 무리하지 마시고, 그 골짜기 사이에 가 보시면 지금은 사람들이 떠나고 빈집이 좀 있습니다. 거기 주변에 집 한 채 정도만 사 두시면 퇴직 후에 별걱정은 안 하셔도 될 겁니다."

"이거 들어 보니, 자네, 확실한 거구만. 자네도 거기 좀 샀어?"

"아이구. 제가 돈이 어디 있겠습니까? 전 그냥 관장님처럼 훌륭하신 분들이 퇴직 후에도 편안히 잘 지내시길 바라는 마음에서 말씀드린 것뿐입니다. 아마 거기 가 보시면 삼거리 안쪽에 지붕이 내려앉은 슬레이트집이 있는데, 아주 작습니다. 그건 제가 얼마 전에 사 두었습니다."

"자네한테 내가 이번에 제대로 신세를 지는구만. 하하하. 그리고 말이야. 토요일 근무 마치고 말이야. 응? 저기 자네 섬 안에 무슨 집 비슷한 게 한 채 있다고 하던데, 거기 손님 좀 데리고 갈 수 있겠나?"

"거긴 손님들 모시고 가기에는 좀 초라합니다. 관장님. 그냥 서울 손님들은 마산으로 모시는 게 좋지 않을까요?"

"이 사람아. 이번에 오는 손님들은 짝으로 온다구. 하하하. 거기 숙소도 있다면서?"

"네. 있긴 하지만 수도가 없어서 우물을 써야 하고 화장실도 별로 좋지 않습니다. 그저 가족들끼리 음식 싸 들고 가서 한 이틀 정도 쉬면 좋은 곳입니다."

"그래. 그래. 그래서 내가 거길 추천하는 거야. 두 쌍인데 말이야 그 양반들 다른 사람들 눈을 좀 피해야 하는 거 같더라구. 나도 전해서 들었는데 우리 청이 아니고 다른 기관 사람들이라고 하더라구."

"아. 알겠습니다. 하하하. 그럼. 제가 내일 낮에 좀 가서 지저분한 것들 치워 놓고 청소도 좀 해 놓겠습니다. 필요한 것도 좀 준비해 놓고 오겠습니다."

"아니야. 아니야. 이 사람아. 내가 직원 두 명 붙여 줄 테니까, 같이 가서 좀 하게. 애들 엄마가 없으니 자네 혼자 뭐 준비하긴 힘이 들 거야."

"제가 여동생 데리고 가서 준비하면 됩니다. 관장님. 괜히 직원들 손 빌리기가 미안해서요."

"그게 뭐 자네 혼자 일인가? 다 우리 직원들 잘해 달라고 하는 게지. 안 그래?"

"번번이 감사합니다. 관장님. 하하하. 제대로 준비해 놓겠습니다. 그리고 관장님도 그 손님들 다 치르고 나서 마산 한번, 아니 부산 한번 가시지요! 코코호텔 거기 제가 하나 잡아 놓겠습니다."

"응? 코코호텔? 거기 우리가 갈 수 있나? 엄청나게 비싸다고, 응! 시설이야 뭐 최고라고 하긴 하던데. 거긴 너무 비싸. 우리야 뭐 자갈치에서 회 한 접시 하고 오면 되지. 하하하."

"아닙니다. 관장님. 이번에는 제가 존경하는 우리 관장님 제대로 한번 모시겠습니다. 여기 마치시고 옮기시면 제가 모실 기회도 없을 텐데요. 우리 관장님도 승승장구하셔서 청장님 한번 하셔야지요."

"아이구. 참. 내가 무슨 청장이야? 청장이. 하하하."

"이번 손님들도 중요하지만, 그동안 여기서 치른 손님이 얼마입니까? 이번에는 좀 물러나 계셨지만, 청으로 복귀하셔서 원래 자리에 가셔야지요."

"그래. 내가 말이야. 이번에 여기서 자네 덕분에 다시 올라가게 됐지. 뭐. 내가 자네 공은 잊지 않을 거야. 고맙네. 여러 가지로."

"제가 영광입니다. 하하하."

"아마 자네한테도 좋은 소식 있을 거야. 기대해도 되네. 이건 내가 주는 선물이야. 하하하."

아이들 새엄마의 상을 치르고 일 년을 보냈다. 일 년이 지난 후 곧바로 남은 여동생과 막내인 남동생의 늦은 결혼식을 올려 주었다. 집안에 상을 치렀으니 일 년은 보내고 동생들 결혼식을 올려 주자는 형의 말에 안용근은 처음에 반대했다. 집안 형편 때문에 결혼식도 못 치르고 지낸 동생들이 더 이상 자신으로 인해 피해 보는 것을 원치 않아서였다. 하지만 동생들도 형과 마찬가지로 어차피 많이 늦은 자신들의 결혼식을 조금 더 미루어도 상관이 없다고 했다. 날이 조금 미뤄지는 바람에 동생들 둘의 결혼식은 한 번에 하기로 했다. 이미 서로 합쳐서 산 지 오래되었고 아이들도 다 컸기 때문에 결혼식 준비는 무난히 진행되었다. 부모님이 안 계신 관계로 형과 형수가 혼주 자리에 앉고, 안용근은 그 옆에 따로 마련된 자리에 혼자 앉았다. 신랑, 신부가 된 동생들의 절을 받자, 안용근은 울었다. 결혼식 준비 때부터 식이 시작될 때까지 웃기만 했던 안용근이었다. 식장 입구에서 손님들을 맞이할 때도 웃기만 했다. 살다 보니 이런 좋은 날도 온다고.

하지만 동생들이 형과 형수에게 절을 하고 난 뒤 곧장 다시 안용근에게 절을 하자 일어설 수도 없는 입장이라 그냥 앉아 울기 시작했다. 성실하게 살아온 동생들이 고마웠다. 동생들과 함께 가족이 되어 아이까지 낳고도 여태 결혼식을 못 한 채 살아온 새 가족들이 고마웠다. 가족들이 같이 울기 시작했다. 안용근 곁을 지키고 있던 삼 형제도 울었고 형과 형수도 울었다. 안용근이 겨우 목발에 의지해 일어나자 형이 제일 먼저 박수를 보냈다. 결혼하는 동생들은 안용근에게 안겨 다시 울었다. 하객들은 처음에는 이 광경을 그냥 보고만 있다가 하나둘 울기 시작하더니 모두가 울었다. 안용근이 신랑과 신부들을 돌려보내고 나서야 겨우 진정이 되었다. 형수가 안용근의 손을 잡아 주어 겨우 울음을 그쳤다. 형수는 말 한마디 하지 않고 편안한 표정으로 안용근의 마음을 위로해 주었다. 속이 깊고 진정으로 안용근의 아픔을 걱정하고 위로해 주는 형수였다.

"형. 나 정말 오늘 기분이 좋아. 내가 술 끊은 지가 벌써 몇 해인데 오늘은 몇 잔 마셨어."

"그래. 오늘 같은 날은 술 한 잔 정도는 해야지. 나도 한 잔 줘 봐."

"형. 나 정말 열심히 살았어. 정말로."

"그래. 내가 잘 알아. 누가 뭐래도 이 세상에서 우리 동생이 제일 열심히 살았어."

"형수. 저 정말 열심히 살았어요."

"그럼요. 누가 뭐래도 우리 서방님이 최고지요. 우리가 이만큼 사는 게 다 누구 덕인데요! 우리 가족들 다 잘 알아요."

"살다 보니 이런 날이 다 오네요. 허허."

"그래. 네가 산 날들이 얼마나 힘들었을지 난 상상도 못 할 거야. 하지만 내 동생 안용근이가 얼마나 열심히 잘 살아왔는지는 내가 보증한다. 내가."

"엉? 보증? 형 그건 하지 마. 그건 하면 안 되는 거야. 그거 잘 모르고 섰다가 정말 죽을 뻔했잖아. 하하하."

"그래. 그래. 근데, 난 말이야. 용근아. 네가 서라면 보증도 설 거야. 아마 네 형수도 그렇게 하라고 할걸! 당신 안 그래?"

"당연하죠. 우리 서방님 보증은 제가 서도 섭니다."

"아이구. 우리 형수가 오늘 저를 위로하신다고 고생이네. 하하하. 아까는 미안해요. 형수. 근데, 애들이 갑자기 나한테까지 절을 하니까 그냥. 나도 모르게 눈물이 나더라구요."

"서방님. 서방님 마음 우리 다 알아요. 부모님 살아 계셨으면 더 좋았을 텐데 우리끼리만 있으니 저도 좀 허전하긴 했어요."

"미안해요. 다 제가 지은 죄가 커서."

"그게 아니구요. 서방님. 서방님 같은 자식이 세상에 어디 있어요? 이제 그 생각은 정말 잊어버려요. 네?"

"네. 네. 알겠어요. 좋은 날에."

"그나저나 애들은 이제 경주 도착했겠지?"

"당신도 참. 벌써 도착해서 구경 다니고 있을걸요. 요즘은 길이 좋아서 벌써 도착했을 거예요."

"온천이 요즘 인기라던데, 굳이 경주에 가겠다니, 걔들 고집도."

"비싸서 그런다잖아요. 똑 부러지는 성격들이니 잘들 알아서 하잖아요. 걱정할 거 하나도 없어요. 당신이나 서방님. 이젠 좀 편히 살 생각만 하세요."

"형. 형수. 나 정말 앞으로도 열심히 살 거야. 내가 비록 몸은 이렇지만, 복이 많아서 어릴 때 양아버지한테 배운 손기술로만 해도 먹고살았고, 월남서도 죽지 않고 살아 돌아왔잖아. 그러니까 이제부터 더 열심히 살 거야. 그래야 어머니, 아버지도 날 용서해 주실 거야."

"용근아. 너를 용서할 수 있는 사람은 없어. 네가 사람들을 다 용서하고 살았잖아. 지금도 그렇게 살고 있고. 그런데 누가 널 용서하고 말고 한단 말이야. 이젠 너 스스로에게도 좀 쓰고 살아야 해. 이만큼 해 놨으면 이제 조금 쉬면서 해도 돼."

"자자. 우리 두 분! 제가 고기 좀 더 썰어 올 테니까 오늘은 몇 잔씩들 더 드세요."

"고마워요. 형수. 하하하."

"그래. 몇 잔? 아니! 한 병은 더 먹을 수 있겠다."

"취한 날도 있어야지. 그래야 안 취한 날도 있지. 형하고 우리 형수하고 한잔하니까, 오늘은 동생들 둘이 나가고 들어오는 것도 다 좋네. 하하하."

"엇? 오빠 두 분이 오늘 한잔하시네?"

"아. 형님들 저도 불러 주셔야지요."

"너희들 왔구나. 집에 갔다가 온다더니 벌써 왔어?"

"짐만 풀어놓고 왔어요. 이런 날은 우리도 끼어야지."

"형님들. 이거 요새 미군 부대서 나오는 겁니다. 이 양주가 밖에
는 없는 겁니다. 하하하. 미군 중에 제가 친한 친구가 있는데, 가끔 한
잔씩 하다가 오늘 잔치한다고 얘길 했더니 한 병 주더라구요. 이거 한
번 마셔 보시죠."

"그래. 한 병 마셔 보자. 나도 월남 있을 때 친하게 지내던 미군
친구가 있었는데, 알레그라고. 알레그 놀든. 그 친구 생각이 나네. 하
하하. 그 친구는 살아서 돌아갔나 모르겠네. 그 친구가 독한 술을 좋
아해서 가끔 나도 맛은 봤는데. 살아서 돌아갔겠지. 살아서 돌아가면
한번 초대한다고 했는데. 메릴란드인가 어딘가 산다고 했는데."

"메릴란드? 아. 형님 메릴랜드. 엇 제 친구도 거기 출신인데요. 서
로 아는 사이인지도 모르겠네요."

"매제야. 거기가 어디라고. 미국은 땅이 넓어서 같은 고향이라도
아는 사람일 리는 없을 거야. 하하하. 자자. 한잔하자구."

먹은 사람은 달랐다. 안용근 주변 사람들과 윗분들께 베풀고 살
았다. 당장은 안용근이 베푸는 것 같았지만 시간이 지나면 항상 그 이
상으로 돌아왔다. 시간은 흘렀지만 세상 사는 이치는 여전하였고, 베
푼 만큼 돌아온다는 것도 변하지 않았다. 윗사람들을 대접하고, 문제

가 생긴 동료들을 돕는 데 항상 앞장선 덕인지, 아니면 운이 좋았던 것인지 안용근은 관장이 되었다. 승진이었다. 서울서 행세깨나 하던 높은 분이 뇌물을 먹어서 잡혀 들어갔는데, 들어가면서 주변 사람들까지 줄줄이 불었다는 기사가 신문에 크게 났다. 안용근이 대접한 사람들의 이름은 없었다. 안용근도 중간중간 조사를 받았지만, 업자들조차 안용근으로부터 받아먹은 것이 있는지라 누구도 입을 열지 않았다. 윗사람들이 잡혀 들어간 빈자리에 청장과 관장이 모두 승진해 자리를 메꿨다. 관장이 떠난 자리는 안용근이 메꿨다.

시키는 일만 열심히 하던 사람들이 모두 승진했다. 안용근을 아는 사람들 모두가 모여 잔치했다. 세우관 앞마당에 모여 기념사진도 크게 찍고 가족들도 불렀다. 승진을 한 모든 사람의 가족들이 참석했고 승진하지 못한 모든 사람에게 안용근은 선물했다. 선물 준비는 형수와 여동생이 해 주었다. 선물을 고르고 비용을 치르고 포장하는 것까지 모든 일에서 아내의 빈자리가 크게 느껴졌다. 잔치를 끝내고 정리를 하는 것은 직원들이 전부 나서서 도와주었다. 승진을 한 사람도, 하지 못한 사람도 겉으로는 모두가 즐거워했다. 승진을 못했지만 선물을 받고 집으로 돌아온 사람들은 선물 속의 봉투를 보고 승진하지 못한 것에 대한 보상이라도 받은 듯이 즐거워했다.

사람들과의 관계는 모두 안용근 자신의 희생에서 나왔다. 사진을 보고 집안일을 하며 안용근은 아내의 빈자리를 절실히 느꼈다. 하지만 이제 다시 다른 여자와 결혼해서 산다는 생각은 할 수 없었다. 떠나보낸 집사람에게 미안했고, 아이들 새엄마는 너무 그리워서 다른 생각을 할 수 없었다.

"여보세요? 거기 정비소죠?"

"어. 용근아. 나야."

"아. 형. 오늘 저녁에 혹시 시간 있어?"

"그래. 왜? 무슨 일 있어?"

"아니. 뭐 별일은 아닌데 형하고 할 얘기가 좀 있어서."

"그래? 그럼 집으로 조카들 데리고 와. 형수한테 얘기해 놓을 테니까."

"집으로? 그럼, 마치고 바로 갈게. 애들은 먼저 가라고 해 놓고."

"그래. 맛있는 거 좀 해 놓으라고 할게."

"아니야. 뭐 일이 있는 건 아니니까. 그냥 저녁이나 먹자."

"그럼. 동생들도 오라고 할까? 매제 본 지가 좀 됐는데."

"음. 그럴까? 알았어. 마치고 봐. 형."

"그래. 끊는다."

형은 시간이 나기만 하면 안용근을 집으로 불렀다. 안용근이 아이들 식사까지 챙겨야 하는 입장이라 힘들 거라는 걸 알기 때문이었다. 아침은 큰아이와 둘째가 대충 준비해서 먹었다. 평소에 저녁은 큰엄마가 미리 가져다 놓은 반찬과 국으로 해결했지만 한창 먹을 나이인 막내의 저녁은 형수가 거의 매일 챙겨 주었다. 그나마 형제들이 가까이에 살고 있어서 다행이었다. 형과 형수 그리고 동생들도 형제들이 함께 모여서 식사하는 것을 좋아했다. 형의 집이 넓지 않아서 조카들까지 다 모이는 것은 어려웠지만 형제들이 모이기에는 충분했다. 매제들도 쾌활한 성격이라 어울리는 것을 좋아했다. 막내 제수씨는 대학을 나와서 그런지 아는 것도 많았고, 음식 솜씨도 좋아 손위 동서들의 사랑을 받았다. 안용근은 가족들이 함께하는 식사를 마치고 나면 항상 형수에게 저녁 준비에 쓴 비용을 건넸고 형수도 별말 없이 받아 다음 식사 때 사용했다. 조카들이 학교에 들어가거나 진학할 때, 그리고 생일이나 상을 받았다는 소식을 들으면 모일 수 있는 가족들과 식사했고 얼마간의 용돈도 주었다. 가족들과 보내는 시간을 좋아하는 안용근이 형과 형수에 대한 미안함의 표시가 가족을 보살피는 것이었다.

　"막내야! 이거 참. 내가 괜한 욕심을 부린 것 같다."

　"응? 작은형이? 작은형이 무슨 욕심을 낸 적도 있어?"

　"하하. 이 녀석이."

　"그래. 용근이 네가 무슨 욕심을 낸 적이 있다고?"

　"아참. 형까지 왜 이래? 하하."

　"형. 근데, 무슨 일인데 큰형까지 부르고?"

　"그래. 이번에 내가 관장까지 올라왔는데, 근데 내가 뭐 배운 게 많은 것도 아니고 다른 업무라고는 해 본 적도 없고, 그래서 걱정이 태산인데. 쩝."

　"뭐가 걱정이야? 그냥 남들 하듯이 하면 되지!"

　"형도 참. 이거 뭐, 남들이 어떻게 해 왔는지 알아야 말이지. 지난번 관장님들은 좋은 대학 나와 잠시 여기 있다가 가니까. 뭐, 서울서 오는 사람들하고 마산이나 부산청 사람들 오면 대접이나 좀 하고, 그게 다였거든. 내 일이야 뭐, 그냥 보일러 잘 돌아가게 하고 수도꼭지 잘 고치고, 앞마당 정리 잘하고, 옥상에 물건들 정리하고, 그런 것들이 다였단 말이지."

"그래. 형도 이제 힘든 건 좀 그만하고 직원들이 하자는 것 잘 도와주면 되는 거 아냐?"

"그래. 그렇게 하면 되는데 내가 뭘 알아야 하고 말고를 하지."

"그냥 직원들 하자는 대로 하면 될 건데, 형도 참!"

"그게 말이야. 막상 관장이 되고 보니까, 물건 몇 개 사고, 시키는 거 하고, 뭐. 이게 다가 아니더라구. 마당에 창고도 지어야 하고, 계약서 도장도 찍어야 하고, 물건도 한꺼번에 많이 사 둬야 하는 것도 있고, 사람들도 찾아오고, 이거 뭐. 정신이 없어."

"우리 용근이 관장님 되더니 많이 바쁜 모양이구나. 하하하."

"그러게, 작은형이 높은 분이 되니까 이거 안 좋은 일도 있네? 하하하."

"웃을 일이 아니야. 난 지금 힘들단 말이야. 휴우. 한 가지 일에도 다른 소릴 하는 직원들도 있어서 뭘 어떻게 정해야 할지 난감하기도 하고."

"용근아."

"응? 형! 좋은 생각 있어?"

"용근아."

"아. 형. 뜸 좀 그만 들이고. 형은 뭐. 사람들도 많이 만나고 공부도 많이 했잖아. 그 어려운 한자책도 많이 읽고."

"그래. 큰형 늘 하는 말. 고침단명! 소식완보! 하하하. 나도 그거 따라 하려고 베개를 다 낮췄어. 하하하."

"그럼. 막내 넌 달리기는 안 하겠네. 하하하."

"용근아. 사람들은 말이야. 우리가 생각하는 것하고는 많이 달라. 겉모습이 검소하고 깨끗하지만, 돈이 생각보다 훨씬 더 많은 사람도 있고, 절대로 뒷돈을 받지 않는 사람이지만 큰돈이 눈앞에 나타나면 돌변하는 사람도 있어. 그리고 평소에 성격도 좋고 다른 사람들로부터 존경을 받는 사람 중에서도 어려운 일이 닥치면 완전히 다른 사람이 되는 경우도 있어. 물론 사람은 나쁜 사람이 아니고 환경이 그렇게 만든 경우가 있다고들 하지만 고쳐서 쓸 수 없는 게 사람이야. 내가 정비소에서 벌써 사십 년 가까이 일하고 있지만 말이야. 기계는 고쳐 쓸 수 있지만 사람은 고쳐 쓸 수 없다는 생각이 든다. 처음부터 나쁜 사람은 없지만 살다 보면 어릴 때 부모나 친척, 그리고 주변 사람들 때문에 잘못된 생각을 하고 잘못된 행동을 하는 사람들이 더러 있어. 그런 사람 중에서 자신이 잘못된 생각이나 행동하고 있는지를 모르는 사람이 제일 무섭지. 그리고 여러 가지 핑계를 대서 자신이 하는 생각과 행동이 어쩔 수 없어서 하는 것이라든가, 심지어 올바르다고 생각하는 사람들도 있어. 그런 사람들은 피하는 수밖에 없어. 같이 맞서다가는 험한 꼴을 볼 뿐이야."

"그래. 형. 형 말이 맞지. 근데, 그런 사람들은 겉보기하고는 너무 다르니까 내가 어떻게 조심한다고 해도 피해지지가 않을 때도 있고, 직원들을 대할 때 어느 한쪽을 너무 좋아하거나 무시하면 또 문제가 생기잖아. 참. 어렵다. 어려워."

"그럼 이렇게 해 보는 게 어떨까 싶다. 창고 공사한다면서?"

"응. 직원들 개인 물품 중에서 야외에 두어도 되는 것들은 정리해서 넣어둘 창고를 만들어 줘야 하는데 그게 뭐. 설계하고, 견적을 받고, 계약도 해야 하고, 일들이 많아."

"그럼. 두 사람한테 같은 일을 시켜 봐. 직원들 두 사람한테 창고 짓는 일을 각자 시켜 봐. 따로 불러서 시켜 놓으면 그 직원들이 설계도 하고 견적도 받고 뭐. 그렇게 일을 해 오겠지. 그럼 그걸 보고 비슷하게 다시 만들어서 어느 정도 가격에 용근이 네가 원하는 창고를 지을 수 있을지 액수를 보고하라고 해 봐. 그때 싸고 좋게 만들 수 있다는 사람을 시키면 되지."

"그래. 큰형 말이 맞네. 같은 일을 싸게 할 수 있다고 하는 사람이 나은 사람이겠지. 간단하네!"

"음. 그렇게 하면 될까? 지들끼리 또 짜고 하면 어떻게 하지?"

"사람을 너무 못 믿는 것도 병이다. 그 정도 시키면 각자 알아서들 할 거야!"

"요즘 내가 고민이 많아서 그래. 형. 미안. 하하하."

"용근아. 사람들 가리기 어렵지? 사람들이란 참 어려운 거야. 어떤 사람이 좋고 어떤 사람이 나쁜지 알 수도 없고, 누가 나를 좋아하고 누가 나를 싫어하는지 알기도 어렵지."

"큰형은 역시 아는 게 많아. 하하하. 이런 건 책에도 나오지 않는데 큰형은 어떻게 저런 걸 다 잘 아는지 몰라!"

"막내야. 간혹 말이야. 저 사람이 나를 좋아할까? 싫어할까? 하는 궁금증이 생길 때가 있지?"

"그럴 때가 있어. 맞아. 특히나 윗사람들이 나를 어떻게 생각할지 궁금할 때가 있어."

"막내야. 그럴 때는 말이야. 먼저 내가 그 사람을 어떻게 생각하는지를 스스로에게 되물어 봐야 해. 뭐. 정확하지는 않겠지만 보통의 사람들은 내가 그 사람을 좋아하는 만큼 그 사람도 나를 좋아하더라구. 물론 다 같은 건 아니지만 말이야."

"오호. 저 사람이 나를 어떻게 생각할지는? 내가 저 사람을 어떻게 생각하는지가 답이다. 뭐 이런 말이지?"

"그래. 그 뜻이야. 하하하."

"정확할 거 같은데? 하하하."

형의 말대로 안용근은 같은 일을 두 사람에게 시켰고, 비용이 적게 드는 방법을 보고하는 직원에게 일을 맡겼다. 결과는 아주 좋았다. 중간에 없어지는 돈도 없고 사람들은 안용근의 처사에 대하여 별다른 말을 하지 않았다. 직원들 사이에서 안용근은 뒷돈을 받지 않고 매사를 투명하게 처리하는 훌륭한 관장이었다. 형의 말을 들은 덕분이었다. 형은 여러 사람을 대하면서 세상 사는 방법이나 사람의 성향을 잘 파악하고 있었다. 늘 세우관 보일러실과 물건들 고치는 데만 관심이 있었던 안용근이 관장 업무를 무리 없이 할 수 있었던 것은 형이 알려준 삶의 지혜가 큰 역할을 했기 때문이었다. 관장이 되고 나서부터 몸으로 움직이면서 해야 하는 일은 대부분 다른 직원이 처리했고 책상에서 하는 일만 처리하다 보니 여유가 생겼다. 이런 상황을 아는 형과 동생이 여러 가지 책을 가져다주었고 안용근은 시간이 나는 대로 그 책들을 읽었다. 형이 하던 말들이 책에 나오자 신기했고, 마음에 새겨두었던 글들은 줄을 그어 두 번 세 번 다시 보았다.

가끔은 책을 덮어 두고 마당을 거닐었고 자신이 심어 놓은 나무들은 직접 돌보았다. 손재주가 좋은 안용근이 어릴 때 심은 나무들은 안용근의 손과 세월이 정성으로 키워서 남들이 보기에도 멋진 나무들이 되었다. 모양도 각양각색으로 만들어서 처음 입주하는 사람들은 탄성을 지를 정도였다. 멀리 가지 않아도 훌륭한 분재를 볼 수 있다는 말을 듣고 주변 사람들도 구경을 왔다. 다 자라지 않았지만, 모양이 빼어난 나무 몇 그루는 현장 순시를 온 높은 사람들의 집으로 화분과 함께 배달되기도 했다. 안용근은 시간을 가지고 나무를 돌보는 일이 좋았다. 구부러지고, 펴지고, 꽃이 피고, 잎이 지고, 계절마다 겉옷을 달리 입고, 손을 보는 만큼 아름다운 모양을 천천히 갖추어 나가는 것이 사람 사는 것과 크게 다르지 않았다. 무리하게 욕심을 부려서 구부리면 오래되지 않아 탈이 나고, 마르지 않도록 적당한 물을 주면 계절이 바뀌거나 해가 바뀔 때 기대했던 것보다 더 아름다운 모습을 보여 주기도 했다. 세우관 마당의 나무들은 안용근이 살아온 시간과 같은 선상에서 자라고 있었다.

"자. 오늘 우리 집에서 형님들과 동생들을 모시게 돼서 영광입니다. 그래서 오늘 특별한 손님을 불렀습니다. 자자. 기대하세요. 제 친구 악스 노든입니다."

"어? 미국 사람?"

"네! 이 친구가 정보부에 근무하고 있어서 미군들도 이 친구만 보면 슬슬 합니다. 그래도 저랑은 제일 친한 친구입니다."

"매제가 영어를 잘하나 보네? 몰랐네. 하하."

"형님, 그냥 일 년 넘게 지내다 보니까 이제 좀 말이 됩니다."

"어이그. 당신 영어책 사다가 열심히 공부했잖아요. 그리고 악스가 열심히 가르쳐 줬고."

"아. 그랬구나. 역시 우리 매제가 군 생활이 딱 체질이야. 이제 진급도 했으니까 저런 친구들 많이 알고 지내야지."

"뭐 우리나라 생활이 어떠냐고 물어봐."

"하하. 형님 저 친구 한국말 잘합니다."

"안녕하세요? 반갑습니다. 저는 악스 노든입니다. 미국 메릴랜드에서 왔습니다. 지금은 유에스 네이비에서 근무 중입니다."

"와우. 저 친구 지금까지 우리가 한 말 다 알아들은 거야?"

"아닙니다. 저는 한국말 조금 할 수 있습니다."

"다 알아듣는구만. 하하하."

"악스. 내 친구도 메릴랜드 살아요. 내 친구."

"네. 친구 좋습니다. 저도 친구 많습니다. 이 친구가 제일 친한 친구입니다."

"우리 매제랑. 아니지. 이 친구랑 잘 지내요. 친하게 지내요."

"네, 우리는 친한 친구입니다. 술도 같이 마십니다. 아줌마도 잘 압니다. 아이들도 좋아합니다."

"너도 이 친구 가끔 보나 보네?"

"네. 오빠. 이 사람이 가끔 데리고 오기도 하고 밖에서 한잔하면 저보고 꼭 나오라고 해서. 가끔 봤어요. 호호호."

"그래? 그럼. 우리 동생도 영어 잘하겠구나. 하하하."

"오빠는 참. 제가 영어를 왜 해요? 이 사람이 다 하죠. 그리고 악스가 한국말 잘하니까 괜찮아요."

"잘 왔어요. 우리 형제들이 자주는 못 만나지만 가끔 이렇게 모여서 식사도 하고 합니다. 시간 될 때 오세요. 우리도 대환영입니다."

"저도 한국말 공부 열심히 하고 있습니다. 제 친구가 많이 도와줍니다."

"네네. 둘이 사이가 좋은 모양이구만. 하하하."

"참. 형님 정말로 한번 물어보시죠. 형님 친구. 혹시라도 아는 사이인지?"

"아니. 됐어. 그 친구 어디라도 잘 살아 있을 거야. 그 친구도 성격이 좋아서 사람들하고 잘 지냈지. 특히 한국군하고도 잘 지냈지."

"악스. 해브유 에버 헐드 알렉 노든? 음. 두유 노우 알렉 노든? 히 워즈 본 메릴랜드. 라이크 유."

"메릴란드라니까. 메릴란드. 그리고 알레그라고 알레그. 응?"

"형님. 메!릴!랜!드!입니다. 그리고 알레그가 아니고 알렉. 알렉."

"나의 고향은 메릴랜드입니다. 나의 형 이름이 알렉 노든입니다. 형은 베트남 전쟁에 있었습니다."

"응? 베트남? 베트남 맞아? 지금 베트남이라고 했지?"

"예스. 베트남."

"닮긴 닮았는데. 이거 미국 사람들이 다 비슷하게 보여서."

"형의 친구 이름 압니다. 안용근. 써전 안입니다."

"어엉? 이봐 악스. 내가 안용근이야. 안용근. 내가 월남. 아니 그 베트남 내가 다녀왔어."

"와우. 써전 안. 반갑습니다. 형의 친구 써전 안은 다리 없습니다.

형이 병원으로 데리고 갔습니다."

"이봐. 내가 앉아 있으니까 그렇지. 여기 봐. 내가 여기 응? 다리 없잖아!"

"이게 무슨 일이야? 이게. 응? 이게 지금."

"얘들이 코가 좀 크고, 뭐 머리가 노랗고, 냄새가 좀 나고, 뭐. 다 이러니 누가 누군지 알 수가 없잖아. 이러니 둘이 형제라고 해도 내가 알아볼 수가 있나? 참."

"그래. 그래. 지금 형은 미국에 있어? 베트남에서 살아온 거야?"

"형은 미국에 있습니다. 군인 아닙니다. 형은 페스틀입니다."

"응? 페스틀이 뭐야?"

"목사랍니다."

"목사? 그 친구가 목사? 그 친구 술, 담배 다 좋아하는데? 목사 해도 되나?"

"유어 브라더 라익스 아코홀 앤 씨거. 하우 디드 히 비케임어 어 페스틀?"

"오. 형은 술, 담배를 먹지 않습니다. 형은 많이 아팠습니다. 히 워즈 인 어 멘털 하스피를."

"멘털? 그게 뭐야?"

"아. 오빠 정신병원이야."

"야. 너도 영어 잘 알아듣네!"

"정신병원에는 왜 간 거야? 사지는 멀쩡하대?"

"이즈 히 오케이? 암즈 앤 레그즈."

"오. 히 이즈 오케이! 돈 워리!"

"네. 멀쩡하니까 걱정 말랍니다."

"그래. 다행이네."

"아마도 월남전에서 충격을 받아서 병원에 갔던 모양이네요."

"내가 지금 그 친구 보고 싶다고 말해 줘."

"아이 노우. 아이 노우. 형이 안용근 얘기했습니다. 보고 싶다고 했습니다. 형은 다친 안용근 병원에 데리고 갔습니다. 형은 기억을 하고 있습니다."

"세상 안 죽고 오래 살다 보니 별일이 다 생기네. 참."

"죽는 것은 좋지 않습니다. 사는 것은 좋습니다."

"하하하. 그래. 그래. 살아야지. 하하하."

"오늘 제가 제대로 된 손님을 데리고 왔네요. 하하하."

"그래. 이 사람은 손님이 아니라 선물이네. 선물."

산다는 것은, 인생은 소나기가 소 등을 가르는 것과 같았다. 생각해 보니 지나온 한순간, 한순간이 미래를 결정지었다. 월남에서 만난 몇 안 되는 미군 친구가 알렉이었다. 키가 크지 않아서 멀리서 보면 한국군과 비슷하게 보였다. 다른 미군은 얼굴이 검거나 키가 커서 멀리서도 구분이 되었지만, 월남의 따가운 햇볕 아래서 함께 생활한 작은 체구의 미군인 알렉은 한국군처럼 보일 때가 많아 친해졌다. 알렉은 코가 이상하리만큼 컸고 머리카락이 노란 금발이었지만, 체구는 작고 성격이 활달해 한국군들과 사이좋게 지냈다. 작전을 같이 나가는 경우는 매우 드물었지만, 신형 소총인 M16과 신형 기관총인 M60 사용법, 크레모어 설치 방법 등 실무에 대해서 친절하게 잘 가르쳐 주

었다. 미군들이 보급받는 물자들은 한국군과 차이가 커서 한국군들은
의식적으로 미군들과 잘 지내려고 노력했다. 전쟁터에서 같은 아군이
라는 의식이 들면서부터 미군들도 한국군들에게 친절하게 대해 주었
다. 한국군의 전과가 알려지면 신뢰하는 마음이 더 높아졌다. 아군이
라는 생각은 흑인과 백인을 가리지 않았다. 알렉은 고향인 메릴랜드
에 대해 여러 가지 방법으로 안용근에게 설명했고, 가끔 사진도 보여
주었다. 안용근의 영어가 짧아 대부분 알아들을 수 없는 말들이었지
만 손짓과 발짓 그리고 표정으로 많은 대화가 이루어졌다. 이해가 안
되면 그냥 웃으면 되었다.

안용근이 당한 그날, 알렉은 소식을 듣고 부대 앞까지 달려와 직
접 안용근을 미군야전병원으로 옮겼다. 평소 안용근과의 사이를 알고
있었던 부대원들도 알렉에게 안용근을 맡겼다. 병원에서도 안용근이
치료를 잘 받을 수 있도록 군의관과 간호장교들에게 당부했다. 안용
근이 수술을 끝내고 미군야전병원에서 회복하고 있는 동안에 알렉은
두 번이나 면회를 왔다. 속옷도 가져다주고 베트남 음식도 사다 주었
다. 한쪽 다리를 잃은 사람답지 않게 밝은 표정을 짓고 있는 안용근을
보고 마음이 아프다는 말을 자주 했다.

저녁 식사를 함께한 이후 악스는 형인 알렉에게 안용근의 소식을
편지로 전했다. 함께 찍은 사진도 보내 주었다. 알렉도 안용근에게 편
지와 함께 축복을 기원하는 작은 선물을 보냈고 이후로 악스는 안용
근과 친구처럼 지냈다. 알렉과 악스는 안용근을 미국으로 초대했고
안용근의 가족들도 알렉을 초대했다.

알렉이 한국에 먼저 왔다. 알렉은 얼굴에 살이 조금 붙은 것 빼고

는 그다지 달라진 게 없었다. 알렉이 진해에 도착할 때 안용근과 가족들은 꽃다발까지 준비해 마중을 나갔다. 마산과 부산, 진해 등의 명소를 구경시켜 주고 숙소도 제일 좋은 곳으로 준비했다. 둘은 시간만 나면 월남 이야기를 했고, 알렉 덕분에 한국에서 목사로 근무하는 미국인들 몇 명도 만날 수 있었다. 하지만 안용근은 종교를 가지지 않았다. 알렉이 떠나는 날 안용근은 미국에 가서 다시 보자는 말과 함께 어릴 때 만들어 보았던 부채를 한 상자나 선물했다. 미국에 도착하면 주위 분들에게 나눠 주라고 충분히 준비해 두었다. 알렉은 십자가 목걸이 한 쌍을 선물했지만, 안용근은 훈장 옆에 걸어 두고 보기만 했다. 미국에 간다고는 했지만 갈 수 있을지는, 그리고 꼭 거기에 가야만 하는지는 안용근은 몰랐다.

월남은 기억 속에서 완전히 지우고 싶었다. 전쟁터는 삶을 찾기 위해서 간 곳이 아니었기 때문이었다.

10. 재회再會,
만날 사람은 언제라도

"관장님. 이번이 첫 해외여행이었다면서요?"

"하하. 처음은 아니지. 여행은 아니지만 월남은 갔다 왔으니까."

"아이구. 관장님. 거긴 여행이 아니라 전쟁터였잖습니까?"

"그래. 그렇긴 하지."

"모범 공무원으로 뽑히시고, 해외여행 특전도 받으시고, 퇴임식 때 훈장 하나 기대해도 되겠지요?"

"아. 이 사람아. 난 이미 훈장이 있어. 월남서 받은 거."

"우리 관장님이 이렇게 마음이 편안하시네. 정년 퇴임식 때 다들 표창이다, 훈장이다, 받으려고 윗분들한테 비비기 바쁜데 우리 관장님은 저렇게 태평이시네. 그렇게 계시지만 마시고 서울 한번 다녀오세요!"

"에이. 이 사람아. 난 훈장 하나 있으니 다른 고생한 사람들이 받아야지. 내가 뭘 한 게 있다고? 이번에 해외 시찰 다녀온 것만 해도 난 감지덕지야."

"누가 뭐래도 우리 관장님같이 훌륭하신 분이 훈장 받고 명예롭게 퇴임하셔야지요. 그래야 후배들이 본을 받습니다. 하하하."

"어허. 쓸데없는 소리 하지 말고, 부산에 도착하면 자넨 어떻게 할 거야? 진해로 바로 넘어갈 거야?"

"아이구. 관장님 덕분에 저도 이번 해외 시찰 얹혀 갔는데, 제가 가만히 있을 수 있겠습니까? 오늘은 부산서 찐하게 한잔하시고 내일은 태종대, 용두산공원 구경도 하고, 오후에 천천히 넘어가시지요"

"난, 술 끊었네. 알면서 그러네. 하하."

"기분 좋으시면 한 잔씩 하시는 거, 제가 모를 줄 아세요? 국제시장 안쪽에 좋은 술집들이 좀 있답니다. 이번에는 제가 퇴임식 기념으로 사는 거니까 그냥 따라오시기만 하면 됩니다. 하하하."

"자네가 돈이 어디 있다고? 애들 키우기도 힘든 거 내가 다 아는데. 그럼, 돈은 내가 줄 테니까 기분 좋게 한잔하고 넘어가자구."

정년퇴임이 다가오는 공무원 중에서 평소 직원들의 평이 좋고 그간 별 탈 없었던 사람들을 선발해 정부에서 해외 시찰단으로 여행을 보내 주었다. 안용근의 다리가 불편한 것을 고려해 같이 근무하는 직원 한 명을 추가로 편성해 주어 진해에서는 두 명이 함께 해외 시찰을 다녀왔다. 가까운 일본을 다녀오는 거라 김해공항에서 비행기를 이용했다. 일주일의 여행은 작은 추억을 남겼고 퇴임 후에 할 일들에 대해서 생각하는 시간이 되었다. 형제들과 남을 위해 늘 한발 물러서서 삶을 살아온 안용근에게는 퇴임 후를 준비한 소중한 시간이었다. 일에 대한 생각을 완전히 덮어 두지는 못했지만 나름대로 자신을 위한 시간을 제대로 가진 여행이었다.

서울로 학교를 가 버린 막내까지 집을 떠나고 나니 근처에 사는 형제들과 이웃들은 안용근이 가진 전부가 되었다. 배를 타고 낚시하고 섬에 들어가 주말을 보내는 것도 하루 이틀의 소일거리였다. 뭐라도 할 만한 일을 만들어야 했고, 누구라도 함께할 사람이 필요했다. 그동안 동생과 형이 가져다준 책도 다 읽어 버렸고, 일생을 두고 뭔가를 이루어야겠다는 욕심도 없었다. 다만, 소일거리와 함께 늙어갈 사람이 필요했다.

"관장님. 훌륭하신 우리 관장님. 하하하. 제가 제일 존경하는 우리 관장님."

"이 사람이 좀 취하나 보구만. 나랑 같이 다니면 불편할 텐데."

"저는요. 우리 관장님하고 다니는 거 하나도 불편하지 않습니다. 그리고 같이 근무한 게 정말로 자랑스럽습니다."

"나 때문에 많이 힘들 텐데. 그렇게 생각해 주니 내가 미안하네."

"아니라니까요. 정말 전 우리 관장님 존경한다니까요. 끄억."

"몇 잔 마시니까 기분은 좋네. 하하하."

"오늘은 제가 시키는 대로 하시지요. 오늘은 제가, 오늘만큼은 제가 관장님 은혜 갚는 날이라 하고 한 잔만 더 하시지요. 하하하."

"그래. 좋아. 하지만 이번 술값은 내가 내야겠네. 오케이?"

"아이구. 알겠습니다. 우리 관장님. 알겠어요. 그 고집을 누가 이기겠습니까? 저야 뭐 돈 아끼고 좋지요. 으하하하."

"여기 이 골목은 뭐 조용한데? 한 잔 더 할 수 있는 곳이 있나? 보자. 어디가 좋을까?"

"뭐 볼 거 있습니까? 여기 바로 앞에 들어가시죠."

"그럴까?"

"실례합니다. 허허허."

"네. 어서 오세요? 몇 분이세요?"

"우리 두 명이요. 두 명. 잠시만 저기 오시네. 우리 관장님이 다리가 좀 불편해서 말이요."

"아. 네. 천천히 오세요."

"관장님. 천천히 오세요. 여기. 조용하니 좋을 거 같습니다."

"아니야. 먼저 들어가. 난 괜찮아. 바람 좀 쐬고 들어갈 테니."

"제가 문 잡고 있을 테니 천천히 오세요. 사장님. 우린 저기, 저기 앉을 테니까 아무거나 맛있는 거 좀 만들어 와요."

"네. 조금만 기다리세요. 저녁은 드신 거 같으니까 간단한 걸로 해 드릴게요"

"네. 네. 양은 뭐 상관없고, 그냥 맛있는 걸로 부탁합니다. 스페샬! 스페샬로."

"오늘 들어온 털게가 있어요. 그거 조금 손질해서 드릴게요. 잠시만요."

"사장님. 여긴 뭐 아가씨 없소? 응?"

"아이구. 죄송합니다. 우리 집은 제 혼자 하는 식당이라. 죄송합니다."

"뭐 어쩔 수 없지 뭐. 술부터 주시고, 어 우리 관장님 들어오시네."

"어서 오세…"

"네."

"용근 씨?"

"어? 어? 당신?"

"어? 혹시 아시는 사이? 네? 관장님!"

"아…"

"휴우…"

"여긴 어쩐 일이세요? 부산까지."

"여행 갔다가. 잠시."

"일단, 여기 앉으세요."

"어? 어! 그, 그래."

"아니. 관장님. 누구신데 여기서?"

"응. 휴우. 애들 엄마야."

"네? 형수님은 돌아가셨는데. 혹시?"

"그래. 전에 같이 살던… 전처야."

"네? 아니. 어떻게 여기서? 어디 사시는지도 몰랐던 거네요?"

"그래. 그랬지."

"아니. 이거 뭐 술이 확 깨네요. 술은 됐구요. 관장님. 그냥 저 먼저 숙소에 가야겠습니다. 천천히 얘기 나누고 오세요."

"아니야. 한 잔 더 하고 가게. 나도 한 잔 더 해야겠고."

"제가 관장님 만나기 전까지는 눈치로 먹고살았습니다. 천천히 들어오세요. 뭐. 안 들어오셔도 됩니다."

"아이. 이 사람이. 혼자 가면 어떻게 하나?"

"아이구. 저는 이제 잘 모르겠습니다. 먼저 갑니다. 존경하는 우리 관장님. 하하하하."

집사람은 많이 변해 있었다. 아무것도 없이 혼자 집을 나온 몸으로 고생한 흔적이 역력했다. 오갈 데가 없었으니 당장에 먹고살기 위해 식당에서 먹고 자는 생활을 했다. 음식 솜씨가 좋아 오래되지 않아 주방을 꿰차고 일을 했지만, 외로움과 안용근에 대한 배신감으로 인해 제정신으로 살 수가 없었다. 식당 일을 마치면 혼자 방에 틀어박혀서 술을 마셨다. 그러다 잠이 들었고, 잠이 깨면 다시 식당에서 일을 했다. 아이들이 보고 싶어 벽을 치고 통곡했다. 하지만 갈 수 없었다. 안용근 보기가 싫어서였다. 보게 된다면 무슨 짓을 할지 자신도 알 수 없었다. 아이들에게 아비 없는 자식이라는 소리를 듣게 할 수 없었다. 왼손 손가락 한 마디가 없어졌었다. 술에 취한 채로 식당에서 사용할 밑반찬을 준비하다 사고가 난 것이었다. 봉합 수술도 제대로 받지 못해 그대로 한 마디를 잃었다. 손가락 한 마디가 중요한 것이 아니었다. 아이들을 보지 못하는 마음이 너무도 아파 병원에서 돌아온 날부터 식당에 다시 나가는 날까지 술만 마시며 방 안에 홀로 있었다. 술을 마신 사람들이 던진 그릇에 맞아 이마에 보지 못했던 상처도 있었다. 주방에까지 뛰어들어 와 행패를 부리고 식기를 던지는 사람도 있었다. 그 사람들은 음식값을 주지 않고 그냥 가 버렸다. 식당 일을 마치고 귀가하는 데 낯선 남자가 뒤를 따라와서 몇 번이나 도망을 쳤고, 밤새 문고리를 잡고 있었던 적도 많았다. 혼자 사는 여자니 돈 쓸 곳이 없어 집에 얼마간의 돈이 있으리라 생각하여 몹쓸 짓을 한 사람도 있었다. 어두운 골목길이라 잘 보지는 못했지만, 누구인지 짐작할 수는 있었다. 하지만 다음 날 다시 식당에서 마주쳐야 할 사람들이라 말도 꺼내지 못했다. 그들도 아무 일 없었다는 듯이 식당을 다시 찾았다. 하지만 제일 힘든 일은 아이들을 보지 못한 것과 안용근에 대한 배신감을 이겨내는 것이었다. 안용근에 대한 마음을 접어 버린 후는 큰 문제가 없었지만, 아이들에 대한 그리운 마음은 어떻게 할 방법이 없었다. 그저 술과 통곡만 더해 줄 뿐이었다. 밤을 새워 얘기해도 못 다 할 일들을 집사람은 많이 겪었다. 안용근은 모든 것이 미안했다. 자신이 겪었던 일들을 이야기할 틈이 없었다. 다만, 아이들 새엄마가 암으로 세상을 떴다는 얘기는 했다.

"집으로 같이 가자. 여긴 그냥 다 두고 같이 가자."

"지금 당장 여길 어떻게 떠나요? 이웃 사람들도 있고 그래도 단골도 많은데."

"그건 다음에 천천히 와서 정리하고, 우선 집으로 가자."

"이젠 당신 생각 다 잊고 살고 있어요. 이러지 않아도 되니까 어제 그 직원 오면 같이 가세요."

"아이들이 있잖아. 아이들 핑계 대서 미안하지만 나도 당신이 필요해. 입이 열 개라도 할 말이 없어야 하지만, 같이 가자."

"아니요. 이젠 당신하고 같이 사는 일은 없을 거예요. 그 사람이 저세상 갔다고 하니까, 아이들이야 이제 보고 싶을 때 가서 보면 되지만 당신하고는 같이 사는 건 싫어요."

"그러지 말고 같이 가자. 내가 이런 몸으로 어떻게 혼자 살겠어? 성한 사람들도 나이 들어 혼자 사는 건 힘들다는데. 응! 같이 가자. 먹고사는 건 내가 알아서 하면 되니까. 응?"

"먹고살려면 내가 또 일해야 하는데, 내가 왜 또 당신까지 먹여 살려야 해요?"

"이젠 일 안 해도 되네. 연금으로 살아도 우리 둘이 쓰고도 남을 정도 되고 애들 앞으로 작은 집도 준비해 주었으니까 이제 더 이상 애들 돌볼 것도 없어. 막내 학교도 돈 안 내고 다니고 있고."

"막내는 학교 어디 갔어요?"

"서울로 갔어. 그 녀석이 공부도 잘해. 형들은 나 때문에 이리저리 힘든 시간을 보냈지만, 이제 다들 괜찮아."

"형님하고 동생들은 잘 지내요?"

"그래. 형은 가끔 당신 얘길 하네. 지난번에는 한번 찾아보자고 했지만, 그냥 내가 싫다고 했어. 사실은 싫은 게 아니라 미안해서 그랬지만."

"막내가 불쌍하지요. 그 애가 무슨 죄가 있다고. 그 어린것이 엄마 품에 한참을 더 있어야 했는데. 흑흑. 다. 당신 때문에 이렇게 된 거예요. 다. 당신 때문에. 내가 이렇게 된 것도 다 당신 때문이에요. 모든 게 다."

"미안해. 다 나 때문이야. 막내가 눈치가 빨라서 그런지 나한테는 별 얘길 안 해. 하지만 아이들 새엄마 살아 있을 때도 형들하고는 당신 얘기를 하는 모양이더라구. 그냥 친형제같이 지내는 게 아니라 아이들은 친형제야. 나도 그나마 그게 위로가 되더라고."

"애들이 무슨 죄라고. 부모 잘못 만나서 봐서는 안 되는 모습을 보는 거지요. 오늘 너무 늦었으니까 여기서 자고 가요. 집이 요 앞에 보수동 입구예요. 그리 멀지 않으니까 걸어서 가도 돼요."

세월이 지나도 부부는 부부였다. 안용근과 집사람이 지내온 세월에서 가장 힘든 시간을 함께 보냈으니 그만큼 미운 정도 깊었다. 그동안의 미움도, 세월도 두 사람에게는 하룻밤으로 해결되었다. 집에 도착한 집사람은 먼저 안용근의 자리를 봐주고 젖은 수건으로 얼굴과 발을 닦아 주었다. 술에 취해 있어 몸을 놀리기 어려웠기 때문이었다. 안용근이 자리에 눕자, 집사람은 서둘러 씻고 안용근 옆에 누웠다. 베개가 한 개뿐이라 안용근의 팔을 베고 누웠다. 다시 안긴 안용근의 품은 따뜻했다. 집사람의 몸은 측은한 생각이 들 정도로 여위어 있었다. 아무 말 없이 바로 어제 안았던 것처럼 두 사람은 한 몸이 되었다. 안용근은 잠이 들었어도 집사람을 꼬옥 껴안고 있었다. 더 이상의 말이 없었지만, 부부란 그저 부부였다.

"마이크 테스트. 마이크 테스트. 후후. 오늘 정년 퇴임식에 참석해 주신 내빈과 가족들께 감사의 인사를 드립니다. 모두 자리에 앉아 주기를 바랍니다. 이제 곧 식이 시작됩니다."

"오늘 퇴임식은 국민의례, 청장님 인사 말씀, 훈장 및 표창 전수, 안용근 관장님의 대표 퇴임사 그리고 사진 촬영 순으로 진행되겠습니다."

"……"

"다음은 훈장 전수입니다. 안용근 관장님 앞으로 나와 주세요. 훈격은 옥조근정훈장입니다. 우리 안 관장님이 좀 불편하신 관계로 사모님께서 함께 단상으로 올라와 주기를 바랍니다."

"……"

"다음은 오늘 자랑스러운 정년을 맞이하신 분들을 대표해서 안용근 관장님이 퇴임사를 하시겠습니다."

"아아. 안녕하십니까? 먼저 오늘 이 자리를 마련해 주신 청장님 께 먼저 감사의 말씀을 드립니다. 그리고 함께 퇴임하는 동료들과 참석해 주신 직원 여러분께도 감사의 인사를 드립니다. 또한, 가족 여러분들께도 머리 숙여 감사의 인사를 드립니다. 세월이 언제 갔는지도 모르게 퇴임식을 맞이하게 되니 고마운 마음과 미안한 마음이 교차합니다. 저같이 못난 사람과 함께 근무하시느라 고생하신 직원 여러분께 이 자리를 빌려 미안한 마음을 전합니다."

"관장님! 미안해하실 거 없어요. 우리가 관장님 덕분에 잘 지냈습니다. 우리 관장님 최고."

"맞아요. 우리 관장님 최고. 하하하."

"관장님 보고 싶을 겁니다. 자주 놀러 오세요. 호호호."

"저 나무들 누가 돌보겠어요? 분재원 하나 하세요. 하하하."

"하하하. 여러분. 감사합니다. 지나고 보니 제가 이렇게 훈장도 받고 정년까지 무사히 다닐 수 있었던 게 다 여러분과 가족들 덕분입니다. 평생 잊지 않고 가슴에 새기고 살겠습니다. 수많은 일이 있었고 많은 분을 모시면서 여기까지 왔지만, 어느 한 분 가볍게 생각할 수 있는 분이 없었습니다. 저와 함께 근무한 모든 분이 좋은 추억을 주셔서 고맙습니다. 처음 보일러실에서 일을 시작한 이후로 세상도 많이 변했고 우리 세우관도 많이 변했습니다. 그리고 제일 많이 변한 건 보일러와 제가 아닌가 싶습니다. 우리 청장님도 흰머리가 많아지셨습니다. 이제 정들었던 여러분을 떠나 새로운 삶을 시작해야 합니다. 별로 달라질 것은 없을 테지만 그래도 긴장은 됩니다. 여러분도 아시다시피 개인적으로 오늘 훈장을 대신 받은 집사람도 다시 만났으니 더욱 긴장됩니다."

"하하하. 형님. 그냥 이참에 하나 더 낳읍시다. 우리가 애기 봐 드릴게. 하하하."

"요즘은 분유가 애들 키운답니다. 하하하."

"형수님이 아직 쌩쌩해 보이니까. 형님이 잘해 보세요."

"하하하. 오늘 제가 떠난다고 하니 좋아하는 동료들이 이렇게 많을 줄 몰랐습니다. 제가 좀 오래 있긴 있었나 봅니다. 하하하. 여러분들과 함께한 날들이 너무도 좋았습니다. 막지만 않으신다면 가끔 여러분과 함께 추억을 나누면서 살고 싶습니다. 항상 건강하시고 행복하시기를 기원드립니다. 감사합니다."

훈장은 집사람 목에 걸고 기념 촬영을 했다. 직원들은 감사패를 만들어 선물했고, 감사패의 앞과 뒤는 새겨 달라는 직원들의 이름으로 가득 찼다. 안용근의 인기는 청장이 부러워할 정도였다. 퇴임식이 끝난 후 만찬은 세우관 앞마당에서 열렸다. 음식 종류가 많고 맛도 최고라는 비싼 출장 뷔페를 불렀다. 상이군인들 단체에도 연락하여 평소 알고 지내던 전우들도 초대했다. 보수대 동기의 동생들도 참석했다. 땅을 기부했던 장애인 보호시설에서도 사람들이 참석했다. 제일 놀란 것은 어떻게 알았는지 고향마을 담 높은 집 사람들도 참석한 것이었다. 얼굴을 알아볼 수 없을 정도로 외모가 변해 있었지만, 고향 사람은 고향 사람이었다.

안용근은 불편한 몸으로 만찬장 이곳저곳을 돌아다니면서 손님들을 위해 음식 하나하나를 챙겼다. 다른 사람들의 도움이 필요한 사람이 정작 자신임을 모른 채 살아온 날이 길다 보니 여전히 다른 사람들 챙기기에 바빴다. 가족들은 돌아가면서 사진 촬영을 했고, 전우들도 각자 가지고 온 사진기로 추억을 담았다. 집사람도 가족들 챙기고 손님들과 인사하기에 바빴다. 만찬 내내 훈장을 목에 걸고 있던 집사람을 불러 앉힌 안용근은 접시에 담긴 음식을 내밀었다. 좋아할 만한 음식들을 챙기면서 돼지고기 수육을 조금 얹었다. 접시를 받아 든 집사람은 한참이나 그 자리에 서 있다가 끝내 울음을 터트렸다.

"이걸. 이걸. 아직 기억하고 있었어요?"

"기억? 이건 당신이 제일 잘 만드는 음식 아닌가?"

"제가 이것만 만들 줄 알아요? 다른 음식도 잘 만드는데. 그때는 음식 만드는 재료도 귀했고, 시간도 귀했으니 빠르게 할 수 있는 게 수육이라서 그랬던 거죠."

"알지. 알아. 당신 손에 들어가면 모든 게 맛있어지지. 그래도 걱정 말어. 이제 식당을 하는 일은 없을 거야. 그냥 식당에서 사서 먹는데 익숙해지자구. 하하하."

"어디 입에 맞는 식당 밥 찾는 게 쉬운가요? 집밥이 최고지."

"이 사람이 사서 또 고생하려는구만. 이제 편하게 지내야지."

"알겠어요. 당신 덕에 훈장도 목에 걸었는데. 이제 저도 편하게 지내야지요."

안용근은 집사람의 손을 잡고 같이 울었다. 두 사람이 울자, 가족들 모두가 웃는 얼굴로 울었다. 울음바다인지, 웃음바다인지 분간할 수 없었다. 모두가 행복해하는 정년 퇴임식은 확실했다.

"어이구. 축하하네. 우리 안 사장님."

"아이구. 청장님. 어쩐 일이십니까?"

"이 사람아. 자네 개업식에 내가 화환만 보내서야 되겠나?"

"어이. 안 병장. 우리 화분은 어디다 놓을까?"

"아이구. 뭔 화분까지 가지고 왔어? 다른 전우들은 잘 지내지?"

"자네가 요새 안 나오니까 사무실이 썰렁해. 가끔 제수씨 데리고 들러 봐. 연락이 닿지 않았던 전우들도 요즘 더 들어오고 있네."

"그래. 가 봐야지. 내가 이거 좀 자리 잡고 나면 자주 들를게."

"형님. 축하합니다. 하하하."

"아. 그래. 매제. 근데 지금 근무 시간 아니야?"

"형님도 참. 외근이라는 훌륭한 제도가 있잖습니까? 제가 지금 짬밥이 얼만데. 하하하."

"땡땡이치지 말고 어서 들어가. 하하하."

"아버지. 축하드려요."

"그래. 바쁠 텐데."

"이제 우리가 손님들 안내하고 모실 테니까 어머니랑 좀 쉬세요."

"형님. 저희들 왔어요."

"그래. 잘 왔다. 안 그래도 보고 싶었는데. 형하고 부모님 산소는 다녀왔어?"

"네. 오면서 들렀어요."

"그래. 잘했다."

"안 관장님. 여기요. 여기. 하하하. 축하드립니다. 제가 대표로 왔습니다."

"아이구. 관장님이 직접 오시고. 감사합니다."

"후임 관장한테 관장님이 뭡니까? 관장님이. 하하하. 직원들하고 입주자들 대표로 저기 저 제일 큰 화환 가지고 왔습니다."

"이거 괜히 연락해서 폐를 끼칩니다. 미안합니다. 관장님."

"연락 안 했으면 직원들이 크게 실망했을 겁니다. 연락 주셔서 감사합니다. 하하하."

"안 병장. 오랜만이야."

"소대장님. 감사합니다. 연락도 못 드렸는데, 죄송합니다."

"괜찮아. 나 바쁠 거 같아서 배려한 거 다 알아. 저기 저 친구들이 알려 주더구만. 내가 요새 안 병장 뭐 하고 사는지 물어봤었거든."

"아이구. 제가 먼저 연락을 드렸어야 했는데, 죄송합니다. 이쪽으로 앉으시지요."

"그래. 그래. 오늘 개업식 크게 한다고 해서 내가 아침도 굶고 왔어. 하하하."

"집사람이 음식 좀 가지고 올 테니 잠시만 앉아 계십시오."

"아니야. 아니야. 내가 먹고 싶은 거 내가 알아서 가져다 먹을 테니까 손님들 봐. 하하하. 축하하네. 안 병장. 정말 축하해."

"네. 소대장님. 다 소대장님 덕분입니다."

"안 사장님. 저기 도로 앞 식당 주인이에요. 앞으로 잘 부탁드립니다."

"아이구. 제가 이거 경황이 없어서, 먼저 인사를 드렸어야 했는데 죄송합니다. 좀 있다가 옆에 있는 가게 사장님들께 인사하려고 했는데 이렇게 와 주셔서 감사합니다."

"우리가 인사를 해야지요. 손님들이 엄청나네요. 호호호. 다음엔 우리 식당 자주 이용해 주세요."

"네. 네. 감사합니다. 저기 식사하시고 나면 수건 챙겨 드릴게요."

분재원 개업식에 많은 사람을 불렀다. 평소에 자주 보지 못했던 사람들에게도 소식을 알렸고, 인근에서 가게 하는 사람들과도 인사를 나누었다. 집사람은 놓치지 않고 찾아온 손님들의 사진을 찍었다. 최대한 안용근이 함께 나올 수 있도록 각을 잡았다. 손님들이 돌아가고 나면 전부 인화해서 사무실에 걸어 둘 참이었다. 참석한 손님들에게 기념으로 수건을 만들어서 나눠 주었고 답례는 받지 않았다. 수건에는 분재와는 다르게 곧게 잘 자란 나무를 찍어서 주었다. 다른 사람들의 삶이 평탄하고 행복하기를 바라서였다. 컨테이너로 만든 가건물은 사무실로 사용할 수 있도록 꾸몄고, 큰길과 분재원 사이에 광장이 들어서 있어서 주차하기에 좋고, 잠시 쉬면서 구경하기도 좋은 자리였다. 유리로 만든 온실을 제일 뒤쪽에 두고 사무실 바로 뒤는 밭이었던 땅을 다시 일궈서 나무들을 심었다. 분재원 중앙을 기점으로 가로와 세로로 넉넉한 길을 만들어 찾아오는 손님들이 조용히 걸으면서 감상하기 좋게 했다. 고속도로에서도 가까웠고 큰 국도는 바로 앞에 있어서 어지간히 큰 나무는 광장에서 내려 바로 심을 수도 있었다. 나무들이 옮겨지면서 겪는 고통을 줄여 주고 싶은 마음이 들어 있었다.

안용근의 분재는 억지로 자르거나 구부리지 않은 나무들이었다. 웃자라는 것들은 잘 정리해 주었고, 밖으로 뻗어 나가는 나무들만 살짝살짝 구부려 주었다. 웃자랄 기미가 보이는 가지들은 구부려서 살렸고, 밖으로 나가서 다른 나무나 가지들과 얽힐 것 같은 가지들은 자연스럽게 서로 안고 있도록 만들었다. 안용근은 자신의 잘린 다리가 나무의 잘린 부위 같았고, 살아온 날들이 구부러진 가지들 같았기 때문에 마음대로 자르거나 구부릴 수 없었다. 억지로 가지 하나를 잘라 내야 할 때는 몇 번이나 고민했고, 어쩔 수 없이 잘라야 할 때는 자기 몸 일부가 고통을 받는 듯했다. 전문가는 아니었지만, 마음으로 키우는 나무는 사람들에게 인기가 좋았다.

버스를 타고 단체로 구경을 오는 사람들이 있을 정도였다. 규모가 점점 커지자, 집사람은 간식거리를 만들어 제공했고, 몇 달 후에는 방문객들의 성화에 못 이겨 사무실을 조금 넓혀 작은 카페로 만들었다. 식당은 하지 않았다. 이웃에 크고 작은 식당이 있기 때문에 식사는 그 식당을 이용해 달라고 했다. 이웃 사람들도 이러한 배려에 고마워했고 분재원에 오는 사람들은 가격을 할인해 주거나 특별한 반찬을 얹어 주기도 했다. 손님들이 뜸할 때면 이웃들과 광장에 모여 고기를 굽고 술도 한 잔씩 권하면서 어울렸다. 돈을 벌려고 시작한 분재원이 아니다 보니 사람들과 마찰이 생길 수가 없었다. 분재원을 찾아 나무를 사 가는 사람들도 가격이나 모양에 만족했고 이웃 주민들도 안용근과 집사람의 존재를 고맙게 생각했다. 안용근은 분재원 앞 광장에 팻말을 세웠다.

"도로에서 사고는 과속에서 생기고, 삶에서 사고는 과욕에서 생긴다."

"분재원 구경은 무료입니다. 졸리면 쉬었다 가세요."

막내가 인사를 왔다. 장교로 임관해서 해외 파병에 선발되었다는 소식을 접한 지 얼마 지나지 않았다. 임관식 날 온 가족이 참석해서 소위 계급장을 부부가 달아 주었는데, 갑자기 해외 파병을 간다는 말에 집사람은 눈앞이 캄캄해졌다. 중위로 진급한 것은 사진으로만 보았는데, 그 소식 이후 날아든 것이 해외 파병 소식이었다.

집사람은 막내의 파병을 반대했다. 좋은 대학교 나와 이제 의무 복무만 마치면 바로 직장 잡아 결혼해야 하는데, 전쟁터에 나간다는 것은 이해할 수도, 용납할 수도 없었다. 집사람은 막내가 내려오자, 군복을 부여잡고 울기만 했다. 남편이 남의 나라 전쟁터에 갔다가 다리 하나를 잃었는데, 아들을 다시 남의 나라 전쟁터에 내보낼 수 없었다. 내 배 아파 낳은 아들은 아니었지만, 한 번도 의심하지 않은 아들이었다. 막내는 어머니의 울음이 그칠 때까지 가만히 안고만 있었다. 별일 없이 무사히 마치고 올 테니 건강 조심하시라는 말에 집사람은 또 울었다. 형들도 소식을 듣고 분재원에 와 있었지만, 말릴 방법이 없었다. 안용근은 분재원 안에서 하늘만 바라보았다. 말려야 하는데 말릴 방법이 없으니 더 답답한 마음이었다.

막내가 집에서 이틀을 머무르는 동안 집사람은 매끼 식사를 조금씩 새로 만들었다. 반찬도 전부 조금씩 새것으로 밥상에 올렸다. 국도 막내가 좋아하는 것만 끓였다. 그러다가 막내 손을 잡고 울었다. 그러면 막내는 다시 울음이 그칠 때까지 어머니를 안고 있었다. 막내가 파병을 위해 작은형의 차에 오르자, 집사람은 또 울었다. 차에 매달리면서 울었다. 지금이라도 가지 말라고 애원했다. 작은형의 차가 출발하자 막내도 울었다.

"용근아. 우리 용근이."
"아버지, 어머니."
"그래. 우리 용근이 여기 있구나."
"네. 아버지. 보고 싶었어요."
"하하하. 우리 용근이 고생 많았구나."
"어머니. 저 잘 지내요. 아이들도 잘 지내요."
"그래. 우리 용근이 고생 많았어."
"어머니. 가지 마세요."
"그래. 우리 용근이."
"아버지. 가지 마세요. 아버지."
"용근아."

이른 더위가 오자 밤에 창문을 살짝 열어 두었다. 해가 넘어가고 나니 그 틈으로 시원한 바람이 불었다. 언뜻 부모님이 꿈에 보였다. 몇 마디 하시고는 곧장 뒤돌아 가셨다. 잡으려고 해도 잡히지 않았고 울며 부르는 안용근의 목소리에도 돌아보지 않으셨다. 그대로 가 버리셨다. 깨어 보니 집사람이 살짝 뒤척이며 옆에 있었다.

"……"

"아니. 당신이?"

"……"

"막내는 멀리 가 있네. 알고 있어?"

"……"

"첫째하고 둘째는 주말에 내려올 거야!"

"……"

"이봐. 이봐."

아이들 새엄마도 꿈에 보였다. 하지만 말이 없었다. 그렇게 애타게 불렀지만, 아무 대답 없이 뒤돌아서 가 버렸다. 한마디의 말도 없었다. 잡으려고 하지는 않았다. 안용근은 그저 손만 흔들었다.

"잘 가. 그래. 잘 가. 나도 이리 살다가 갈 테니까 맘 편히 잘 가. 애들 걱정 말고 가도 돼. 애들은 잘 지내고 있어. 잘 가."

세월은 누가 붙잡아도 대답하지 않고 흘러갔다. 파병을 갔던 막내는 장기 복무 신청을 하지 않고 전역을 했다. 군대서 같이 근무하던 동료와 결혼해서 집으로 내려왔다. 분재원 뒤편 작은 동산을 사서 식목과 조림을 시작했다. 분재원 일도 막내가 하기로 했다. 제일 먼저 부모님을 위한 산책로를 만들었고 아기가 태어나자, 안용근과 집사람이 돌보았다. 서로 아기를 안고 있겠다고 다투었다. 아들은 사랑스럽고 아들의 아기는 더더욱 사랑스러웠다. 주말이 되자 아이들이 모였

다. 형의 생일에 다들 모였다. 아이들은 진해에서 멀지 않은 곳에 살
았다. 첫째는 안용근을 닮아 손재주가 많았다. 거제도 조선소에 근무
하면서 주변 사람들과 함께 장애인들을 위한 자원봉사를 열심히 했
다. 자원봉사를 하면서 만난 며느리도 장애인들을 위한 일에는 앞장
서서 나섰다. 둘째는 창원에서 공무원으로 근무했다. 아이를 셋이나
낳아 안용근과 집사람이 수시로 창원으로 가서 아이들을 키워야 했지
만, 그때도 서로 아이를 안고 있겠다며 다투었다.

　"형. 생일 축하해."
　"그래. 용근아. 이 나이에 이거 생일상이라고 받으니까 조금 부끄
럽다. 하하하."
　"큰형! 작은형이 가족들 다 불러 모으려고 이번에 생일 잔치 하자
고 한 거 알지?"
　"하하. 그럼. 알지."
　"오빠들은 가족 말고 다른 거 생각해 본 적 있어? 작은오빠는 살
면서 꼭 해 보고 싶은 거 없어? 요즘은 여행 가기도 편하고 맛있는 것
도 널려 있는데."
　"해 보고 싶은 거? 그건 다 해 봤지."
　"형님처럼 사는 사람도 없을 겁니다. 항상 주변 사람들 챙기고,
형제들 건사하고 그렇게만 사셨잖아요. 덕분에 주변 사람들만 복이
터졌지요. 하하하."
　"그럼, 내 인생에서 딱 한 가지만 더 욕심을 부려 볼까?"
　"그래. 이번에는 내가 해 줄 테니까 말해 봐. 내가 다 해 줄게."

"형. 그럼, 이번에 부모님 산소 분재원 뒤로 옮기자. 어머니, 아버지 자주 보고 싶어서 그래. 손주들도 자주 보여 드리고 싶고."

"그래? 그럼, 이참에 나도 이사를 올까? 네 형수도 좋아할 거야."

"그럼, 더 좋지. 멀리들 가지 말자구."

"형. 난 말이야. 그때들을 후회한 적이 있었어. 그때가 행복했었는데 말이야."

안용근은 행복했던 지난 시간이 불행이라고 잘못 생각한 때가 있었다. 안용근의 삶은 지금도 재를 넘고 있었고, 그 재는 해도 넘고 있었다.

소요유 소설선 1

내 이름은 안용근

초판 1쇄 2024년 4월 16일 펴냄

지은이 | 김용원
펴낸이 | 박윤희
펴낸곳 | 도서출판 소요You
디자인 및 편집 | 박윤희
등록 | 2013년 11월 12일(제2013-000009호)
주소 | 부산시 중구 대청로137번길 11
전화 | 070-7716-9249
팩스 | 0505-115-5618
전자우편 | pyh5619@naver.com

ISBN 979-11-88886-22-7 03810
값 20,000원